H

Né en 1962, Harlan Coben vit dans le New Jersey avec sa femme et leurs quatre enfants. Diplômé en sciences politiques du Amherst College, il a rencontré un succès immédiat dès ses premiers romans, tant auprès de la critique que du public. Il est le premier écrivain à avoir reçu le Edgar Award, le Shamus Award et le Anthony Award, les trois prix majeurs de la littérature à suspense aux États-Unis. Il est notamment l'auteur de *Ne le dis à personne…* (Belfond, 2002), qui a remporté le Grand Prix des lectrices de *ELLE* et a été adapté avec succès au cinéma par Guillaume Canet. Il poursuit l'écriture avec plus d'une vingtaine d'ouvrages, dont *Ne t'éloigne pas* (2013), *Six ans déjà* (2014), *Tu me manques* (2015), *Intimidation* (2016), *Double piège* (2017), *Par accident* (2018) et *Ne t'enfuis plus* (2019), publiés chez Belfond. Ses livres, parus en 40 langues, occupent la tête des listes de best-sellers dans le monde entier. Ses ouvrages *Une chance de trop* (2005) et *Juste un regard* (2006) ont fait l'objet d'une adaptation sur TF1 en 2015 et 2017. *À découvert* (2012), *À quelques secondes près* (2013), *À toute épreuve* (2014) et *Sans défense* (2018), publiés chez Fleuve Éditions, mettent en scène le neveu de Myron, Mickey Bolitar. Tous ses titres sont repris chez Pocket.

Retrouvez toute l'actualité de l'auteur sur :
www.harlan-coben.fr

DOUBLE PIÈGE

DU MÊME AUTEUR
CHEZ POCKET

NE LE DIS À PERSONNE…
(GRAND PRIX DES LECTRICES DE *ELLE*)
DISPARU À JAMAIS
UNE CHANCE DE TROP
JUSTE UN REGARD
INNOCENT
DANS LES BOIS
SANS UN MOT
SANS UN ADIEU
FAUTE DE PREUVES
REMÈDE MORTEL
NE T'ÉLOIGNE PAS
SIX ANS DÉJÀ
TU ME MANQUES
INTIMIDATION
DOUBLE PIÈGE
PAR ACCIDENT

Les enquêtes de Myron Bolitar

RUPTURE DE CONTRAT
BALLE DE MATCH
FAUX REBOND
DU SANG SUR LE GREEN
TEMPS MORT
PROMETS-MOI
MAUVAISE BASE
PEUR NOIRE
SANS LAISSER D'ADRESSE
SOUS HAUTE TENSION
SANS DÉFENSE

Les enquêtes de Mickey Bolitar

À DÉCOUVERT
À QUELQUES SECONDES PRÈS
À TOUTE ÉPREUVE

Harlan Coben présente
INSOMNIES EN NOIR

HARLAN COBEN

DOUBLE PIÈGE

Traduit de l'anglais (États-Unis)
par Roxane Azimi

belfond

Titre original :
FOOL ME ONCE
publié par Dutton, un membre de Penguin Group (USA)
Inc., New York

Pocket, une marque d'Univers Poche,
est un éditeur qui s'engage pour la préservation
de l'environnement et qui utilise du papier fabriqué
à partir de bois provenant de forêts gérées
de manière responsable.

ISBN : 978-2-266-28550-6
Dépôt légal : octobre 2018

Pour Charlotte :
Quel que soit ton âge,
tu seras toujours ma petite fille.

1

Joe fut enterré trois jours après son assassinat.

Maya était en noir, comme il sied à une veuve éplorée. Le soleil cognait avec une fureur implacable qui lui rappela les mois passés dans le désert. Le pasteur de leur paroisse débitait des banalités, mais elle n'écoutait pas. Son regard qui vagabondait se posa sur la cour de récréation de l'autre côté de la rue.

Oui, le cimetière donnait sur une école primaire.

Maya était passée par là un nombre incalculable de fois, entre l'école et le cimetière, et pourtant le caractère étrange, voire obscène, de cette topographie ne l'avait jamais frappée auparavant. Qu'est-ce qui avait été là en premier, l'école ou le cimetière ? Et qui avait décidé de construire une école à côté d'un cimetière… ou l'inverse ? Était-ce si grave, au fond, cette juxtaposition du début et de la fin de vie, ou était-ce justement poignant ? La mort est toujours si proche qu'il est peut-être sage de familiariser les enfants avec ce concept dès leur plus jeune âge.

Voilà le genre de réflexions ineptes dont Maya s'emplissait le crâne pendant que le cercueil de Joe disparaissait sous terre. Penser à autre chose pour tenir le coup.

La robe noire la grattait. Ces dix dernières années, elle avait assisté à des centaines d'enterrements, mais c'était la première fois qu'elle était obligée de porter du noir. Et ça l'horripilait.

À sa droite, la proche famille de Joe – sa mère, son frère Neil et sa sœur Caroline – se ratatinait sous l'effet de la chaleur et du chagrin combinés. À sa gauche, ne tenant plus en place et prenant le bras de Maya pour une corde de balançoire, il y avait sa fille (et celle de Joe), Lily, âgée de deux ans. On dit souvent que les enfants ne sont pas livrés avec un mode d'emploi. C'était particulièrement vrai aujourd'hui. Quel était le protocole à suivre dans une situation comme celle-ci ? Faut-il laisser sa fille de deux ans à la maison ou bien l'emmener à l'enterrement de son père ? Ce n'était pas un sujet dont on traitait dans les forums pour mères de famille où on trouve pourtant réponse à tout. Dans un accès de colère et de désarroi, Maya avait failli poster cette question : « Bonjour, tout le monde ! Mon mari vient d'être assassiné. Dois-je emmener ma fille de deux ans au cimetière ou la laisser à la maison ? Oh, et auriez-vous des suggestions vestimentaires ? Merci ! »

Il y avait foule autour de la tombe, et quelque part, dans un obscur recoin de son cerveau, elle se dit que ça aurait fait plaisir à Joe. Joe aimait les gens. Les gens aimaient Joe. Mais, bien sûr, cela n'expliquait pas tout. Ils avaient accouru, aiguillonnés par le sordide attrait du drame : un homme jeune abattu de sang-froid, séduisant rejeton de l'influente famille Burkett… et marié à une femme mêlée à un scandale international.

Lily s'agrippa à la jambe de sa mère. Se baissant, Maya chuchota :

— Il n'y en a plus pour longtemps, OK, mon cœur ?

Lily hocha la tête, mais se cramponna de plus belle.

Se redressant, Maya lissa des deux mains la rugueuse robe noire que lui avait prêtée Eileen. Joe n'aurait pas aimé la voir en noir. Il la préférait de beaucoup en tenue militaire, l'uniforme qu'elle avait porté du temps où elle avait été le capitaine Maya Stern. Lorsqu'ils s'étaient rencontrés à un gala caritatif de la famille Burkett, Joe était allé droit vers elle dans sa queue-de-pie et, la gratifiant d'un sourire canaille (jusque-là Maya avait ignoré le sens de cette expression), avait déclaré :

— Et moi qui croyais que l'attrait de l'uniforme, ça marchait seulement pour les hommes.

Ce n'était pas terrible comme entrée en matière, juste assez pour la faire rire, mais, à quelqu'un comme Joe, il n'en fallait guère plus. C'est vrai qu'il était beau comme un dieu. Encore maintenant, même dans cette chaleur étouffante, à quelques pas de son cadavre, ce souvenir la faisait sourire. Un an plus tard, ils étaient mariés. Lily était arrivée peu de temps après. Et voilà, comme si on avait passé en accéléré la bande de leur vie commune, qu'elle enterrait aujourd'hui son mari et le père de son unique enfant.

— Toutes les histoires d'amour, lui avait dit son père un jour, finissent tragiquement.

Maya avait secoué la tête.

— Arrête, papa, tu es sinistre.

— Voyons, réfléchis un peu : soit tu cesses d'aimer, soit – si tu fais partie des chanceux – tu meurs ou tu vois mourir ta moitié.

Elle le revoyait assis à la table de cuisine en formica jauni dans leur maison de Brooklyn. Vêtu de son sempiternel cardigan (chaque métier, pas seulement l'armée, a son uniforme), toujours entouré de piles de copies à corriger. Ses deux parents étaient morts voilà longtemps déjà, à quelques mois d'intervalle, mais elle ne savait toujours pas dans quelle catégorie il fallait classer leur amour.

Pendant que le pasteur continuait à pérorer, Judith Burkett, la mère de Joe, serra la main de Maya comme on se raccroche à une bouée de sauvetage.

— Ça, marmonna la vieille femme, c'est pire que tout.

Maya ne demanda pas d'explications. C'était la deuxième fois que Judith Burkett enterrait un enfant ; deux de ses fils étaient morts à présent, l'un à la suite d'un accident tragique, l'autre victime d'un assassinat. Maya regarda Lily. Comment une mère pouvait-elle vivre avec une souffrance pareille ?

Comme si elle lisait dans ses pensées, Judith murmura :

— On ne s'en remet jamais.

Ces simples mots déchirèrent l'air telle la faux de la camarde.

— Jamais.

— C'est ma faute, dit Maya.

Cela lui avait échappé malgré elle. Judith la dévisagea.

— J'aurais dû…

— Tu ne pouvais rien faire, rétorqua Judith.

Mais son ton manquait de conviction. Tout le monde devait penser la même chose : Maya Stern avait sauvé tant de vies dans le passé. Comment se faisait-il qu'elle n'avait pas pu sauver celle de son mari ?

— Car tu es né poussière et tu retourneras à la poussière…

Le pasteur avait-il réellement ressorti cette vieille lune ou l'avait-elle rêvé ? De toute façon, Maya n'écoutait pas. À force de côtoyer la mort, elle s'était forgé une règle pour tenir le coup : se boucher les yeux et les oreilles, ne rien voir, ne rien entendre, laisser les sons et les objets environnants se fondre en une masse indistincte.

Le cercueil de Joe toucha le fond avec un bruit mat qui résonna longtemps dans l'air immobile. Judith chancela contre Maya et gémit tout bas. Maya conservait son allure martiale : tête haute, dos droit, épaules en arrière. Elle avait lu dans un de ces articles sur le développement personnel qui pullulent sur le Net que les « postures de puissance » étaient censées augmenter vos performances. Les militaires avaient compris ces rudiments de psychologie depuis longtemps. Un soldat ne se tient pas au garde-à-vous pour faire joli. Il le fait parce que ça lui donne de la force ou, tout aussi important, parce que ça le fait paraître plus fort aux yeux de ses camarades comme à ceux de l'ennemi.

Une fraction de seconde, Maya se revit dans le parc : l'éclair métallique, les coups de feu, Joe en train de s'affaisser, son chemisier à elle couvert de sang, la fuite dans l'obscurité trouée par la vague lueur des réverbères lointains…

À l'aide… s'il vous plaît… quelqu'un… mon mari…

Elle ferma les yeux pour chasser ces images.

Accroche-toi, tiens bon.

Et elle tint bon.

Vinrent ensuite les condoléances.

Les seuls moments où les gens défilent devant vous, c'est aux mariages et aux enterrements. Cela ne manquait pas de piquant, mais Maya n'avait pas le cœur à rire.

Impossible de dire combien ils étaient, mais cela prit des heures. Les gens avançaient l'un après l'autre comme dans un film de zombies où, quand on en tue un, on en voit surgir dix.

Il fallait juste attendre que ça se passe.

La plupart murmuraient la formule d'usage, ce qui suffisait amplement. Quelques-uns en rajoutaient. Quelle horreur, disaient-ils, quel gâchis, cette ville est un enfer, eux-mêmes ont failli se faire braquer une fois (règle numéro un : ne jamais la ramener quand on présente ses condoléances), espérons que la police attrapera les salopards qui ont fait ça, la chance que Maya a eue, Dieu devait veiller sur elle (et pas sur Joe donc), il y a une raison à tout. Elle était à deux doigts de claquer le beignet à ceux-là.

Épuisée, la famille de Joe finit par s'asseoir. Maya, elle, resta debout, regardant chacun droit dans les yeux, remerciant d'une ferme poignée de main. D'une manière plus ou moins subtile selon les cas, elle parvint à se soustraire aux effusions et autres embrassades. Elle écoutait gravement les pires platitudes, hochait la tête, disait avec une apparence de sincérité : « Merci d'être venu », avant de passer au suivant.

Autre règle d'or dans un enterrement : éviter de parler trop. Si l'on ressent le besoin d'en dire plus, évoquer un rapide et plaisant souvenir du défunt. Ne jamais faire comme la tante de Joe, Edith. À savoir, éclater en sanglots pour se donner en spectacle ou assener à la veuve quelque chose d'aussi ineffablement stupide que :

— Ma pauvre chérie, d'abord ta sœur et maintenant ton mari !

Le monde se figea momentanément lorsque la tante Edith exprima ce que beaucoup pensaient tout bas, surtout en présence du neveu de Maya, Daniel, et de sa nièce, Alexa. Le sang de Maya ne fit qu'un tour, et elle dut prendre sur elle pour ne pas saisir la tante Edith à la gorge.

Au lieu de quoi, elle répondit :

— Merci d'être venue.

Six de ses anciens camarades d'escadron, dont Shane, se tenaient à l'écart sans la quitter des yeux. C'était devenu une seconde nature. Ensemble, ils faisaient corps. Ils ne s'étaient pas joints au défilé, ce n'était pas le genre de la maison. La présence de ces vigies silencieuses était la seule véritable note de réconfort dans cet océan de tristesse.

De temps à autre, Maya croyait entendre au loin le rire de sa fille. Sa plus vieille amie, Eileen Finn, avait emmené Lily à l'aire de jeux de l'école primaire d'en face, mais c'était peut-être son imagination. Des rires d'enfants, cela semblait à la fois déplacé et vivifiant dans ce lieu. Cela lui faisait du bien et lui transperçait le cœur en même temps.

Daniel et Alexa, les enfants de Claire, furent les derniers de la file. Maya les serra dans ses bras comme pour les protéger de tout nouveau malheur susceptible de les frapper. Eddie, son beau-frère… il était quoi pour elle, au juste ? Comment appelle-t-on l'homme qui a été marié à votre sœur avant son assassinat ? Ex-beau-frère faisait davantage penser à un divorce. *Ancien* beau-frère ? Ou beau-frère tout court ?

Encore une pensée sans queue ni tête.

Eddie s'approcha d'un pas hésitant. Il avait des touffes de poils sur les joues que le rasoir avait ratées. Il embrassa Maya. L'odeur de bain de bouche et de pastilles de menthe masquait ce qu'il pouvait y avoir d'autre, mais c'était le but, non ?

— Joe va me manquer, marmonna-t-il.

— Je sais. Il t'aimait beaucoup, Eddie.

— Si je peux faire quelque chose…

Commence déjà par mieux prendre soin des tiens, pensa Maya, mais sa colère contre lui fondit comme neige au soleil.

— Tout va bien, je te remercie.

Eddie se tut, comme s'il lisait dans ses pensées. Ce qui n'était pas impossible, du reste.

— Désolée d'avoir loupé ton dernier match, dit Maya à Alexa, mais je serai là demain.

Tous les trois prirent soudain un air gêné.

— Tu n'es pas obligée, fit Eddie.

— C'est bon. Ça me changera les idées.

Il acquiesça, rassembla les enfants et se dirigea vers sa voiture. Alexa se retourna, et Maya lui adressa un sourire rassurant. Un sourire qui disait : « Je serai toujours là pour toi, comme je l'ai promis à ta maman. »

Elle regarda la famille de Claire s'engouffrer dans la voiture. Daniel, quatorze ans, s'installa à l'avant. Alexa, douze ans, s'assit seule à l'arrière. Depuis la mort de sa mère, elle semblait se tasser sur elle-même comme dans l'attente du prochain coup. Eddie agita la main, la gratifia d'un sourire las et se glissa derrière le volant.

Maya les suivit des yeux, et c'est alors qu'elle aperçut l'inspecteur de la brigade criminelle du NYPD Roger Kierce adossé à un arbre. Un jour comme celui-ci... Elle fut tentée d'aller lui demander des comptes, mais Judith lui prit à nouveau la main.

— J'aimerais que Lily et toi, vous veniez à Farnwood avec nous.

Les Burkett appelaient leur maison de famille par son nom. Voilà qui aurait dû lui donner un aperçu de ce qui l'attendait avant d'épouser l'un des leurs.

— Merci, dit Maya, mais je pense que Lily serait mieux chez elle.

— Elle a besoin d'être parmi les siens. Toi aussi, d'ailleurs.

— C'est très gentil à vous.

— Je suis sérieuse. Lily sera toujours ma petite-fille. Et toi, ma fille.

Joignant le geste à la parole, Judith lui pressa la main. C'était généreux de sa part, comme quelque chose qu'elle aurait lu sur le téléprompteur dans un de ses galas de bienfaisance, mais ce n'était pas vrai... du moins, en ce qui concernait Maya. Une pièce rapportée, chez les Burkett, était au mieux tolérée par la famille.

— Une autre fois, dit Maya. Je suis sûre que vous comprenez.

Judith hocha la tête et la serra brièvement dans ses bras, imitée par le frère et la sœur de Joe. Maya les regarda regagner d'une démarche incertaine les longues limousines qui les ramèneraient à la propriété familiale.

Ses anciens camarades d'escadron étaient toujours là. Croisant le regard de Shane, elle lui adressa un petit signe de la tête. Message reçu. Ils se dispersèrent moins qu'ils ne s'éclipsèrent discrètement, prenant garde à ne rien déranger dans leur sillage. La plupart étaient toujours mobilisés. Après ce qui s'était passé à la frontière syro-irakienne, Maya avait été « invitée » à quitter l'armée, ce qu'elle avait fait, faute d'alternative. Donc, au lieu de commander ou à défaut de former les nouvelles recrues, le capitaine à la retraite Maya Stern, un temps nouveau visage de l'armée de l'air, donnait des cours de pilotage à l'aéroport de Teterboro dans le New Jersey. Certains jours, ça allait, mais l'armée lui manquait plus qu'elle ne l'aurait jamais imaginé.

Finalement, elle se retrouva seule devant le monticule de terre qui allait bientôt ensevelir son mari.

— Ah, Joe, dit-elle tout haut.

Elle s'efforça de ressentir une présence. Comme chaque fois dans une situation semblable, pour voir s'il ne restait pas une sorte de force vitale après la mort. Or il n'y avait rien. D'aucuns croyaient qu'il subsistait ne serait-ce qu'un souffle de vie, que l'énergie et le mouvement ne se dissipaient pas complètement, que l'âme était éternelle et tout le tralala. C'était peut-être vrai, mais plus Maya fréquentait les morts, plus elle avait l'impression qu'il n'en restait rien, rien du tout.

Elle demeura près de la tombe jusqu'au retour d'Eileen et Lily.

— On y va ? demanda son amie.

Maya jeta un coup d'œil sur le trou dans la terre. Elle aurait voulu adresser un dernier message à Joe, quelque chose de profond qui leur permettrait à chacun de poursuivre leur route, toutefois les mots ne vinrent pas.

Eileen les ramena chez elles. Lily s'endormit dans un siège qui semblait avoir été conçu par la NASA. Assise à l'avant, Maya regardait par la vitre. Une fois à la maison – à laquelle Joe avait voulu trouver un nom, mais Maya avait freiné des quatre fers –, elle réussit à défaire le harnais ultrasophistiqué et extirpa Lily du siège, lui maintenant la tête pour ne pas la réveiller.

— Merci de nous avoir raccompagnées, chuchota-t-elle.

Eileen coupa le moteur.

— Ça t'ennuie si j'entre une seconde ?

— Ça va aller.

— Je n'en doute pas.

Eileen déboucla sa ceinture.

— Mais j'ai quelque chose pour toi. Ça prendra deux minutes.

Maya le tenait dans sa main.

— Un cadre photo numérique ?

Eileen avait les cheveux d'un blond vénitien, des taches de rousseur et un large sourire. Elle avait le don d'illuminer une pièce par sa seule présence, camouflage idéal pour les tourments qu'elle cachait derrière ce masque.

— Non, une caméra espion pour nounou.

— Redis-moi ça ?

— Maintenant que tu bosses à plein temps, il faut que tu puisses garder un œil sur ce qui se passe chez toi, non ?

— Peut-être.

— Où Isabella a-t-elle l'habitude de jouer avec Lily ?

Maya esquissa un geste à droite.

— Dans le salon.

— Viens, je vais te montrer.

— Eileen…

Elle prit le cadre des mains de Maya.

— Suis-moi.

Le salon jouxtait la cuisine : bois clair et plafond cathédrale. Un immense écran de télévision était fixé au mur. Il y avait deux paniers remplis à ras bord de jouets éducatifs pour Lily et un parc pour bébé devant le canapé, à la place de la jolie table basse en acajou. La table, malheureusement, n'étant pas compatible avec un enfant en bas âge, avait dû dégager.

Eileen alla vers la bibliothèque, trouva un emplacement pour son cadre et le brancha sur la prise la plus proche.

— J'ai déjà téléchargé quelques photos de Lily. Ça défilera tout seul. Elles jouent à côté du canapé, hein ?

— Oui.

— Parfait.

Eileen fit pivoter le cadre dans cette direction.

— C'est une caméra grand angle. Comme ça on verra toute la pièce.

— Eileen…

— Je l'ai vue à l'enterrement.

— Qui ça ?

— Ta nounou.

— La famille d'Isabella travaille pour celle de Joe. Sa mère a été la nounou de Joe. Ses frères entretiennent les jardins de la propriété.

— Sérieux ?

Maya haussa les épaules.

— Ils ont de la thune.

— Ils ne sont pas comme nous.

— Eh non.

— Tu as donc confiance en elle ?

— En qui ? Isabella ?

— Oui.

Maya pencha la tête.

— Tu me connais.

À l'origine, Eileen avait été une amie de Claire – elles avaient partagé une chambre sur le campus de Vassar –, mais les trois jeunes femmes étaient vite devenues très proches.

— En effet. Toi, tu n'as confiance en personne, Maya.

— Je n'irais pas jusque-là.

— Soit. Et quand il s'agit de ton enfant ?

— Quand il s'agit de mon enfant, répondit Maya, c'est vrai, je ne fais confiance à personne.

Eileen sourit.

— C'est pour ça que je t'ai apporté ce truc. Franchement, je ne crois pas que tu y verras quoi que ce soit de répréhensible. Isabella m'a l'air très bien.

— Mais on n'est jamais trop prudent, hein ?

— Exact. Tu n'imagines pas à quel point ça m'a rassurée quand j'ai dû laisser Kyle et Missy avec la nounou.

Eileen l'avait-elle utilisée juste pour la nounou ou bien pour piéger quelqu'un d'autre ? Néanmoins, Maya garda ses réflexions pour elle.

— Tu as un port pour carte SD sur ton ordinateur ? demanda Eileen.

— Aucune idée.

— Ça ne fait rien. Je t'ai apporté un lecteur SD qui se connecte à n'importe quel port USB. Tu n'auras plus qu'à le brancher sur ton ordi. Franchement, c'est un jeu d'enfant. Tu sors ta carte SD du cadre à la fin de la journée… c'est ici, à l'arrière, tu as vu ?

Maya hocha la tête.

— Et tu la mets dans le lecteur. La vidéo apparaît sur ton écran. La carte fait trente-deux gigas… elle devrait te durer un moment. Il y a aussi un détecteur de mouvement ; si la pièce est vide, la caméra ne s'enclenche pas.

Maya ne put s'empêcher de sourire.

— Alors là, tu m'épates.

— Pourquoi ? Ça te dérange qu'on inverse les rôles ?

— Un peu. J'aurais dû y penser moi-même.

— Ça m'étonne de toi.

Maya baissa les yeux sur son amie. Eileen devait mesurer dans les un mètre cinquante-cinq, tandis que Maya, raide comme la justice, semblait plus grande encore que son quasi-mètre quatre-vingts.

— Et tu as déjà vu quelque chose sur ta caméra espion ?

— Quelque chose que je n'aurais pas dû voir ?

— Oui.

— Non, répondit Eileen. Je sais ce que tu penses. Il n'est pas revenu. Et non, je ne l'ai pas revu.

— Je ne suis pas en train de te juger.

— Même pas un tout petit peu ?

— Quel genre d'amie serais-je si je ne jugeais pas un tout petit peu ?

Eileen l'enlaça, et Maya la serra dans ses bras. Eileen n'était pas n'importe qui. Maya était entrée au Vassar College un an après Claire. Et toutes les trois avaient vécu ensemble cette époque bénie, avant qu'elle ne rejoigne l'école de l'armée de l'air. Aujourd'hui encore, Eileen était son amie la plus proche.

— Je t'aime, tu sais.

— Je sais, acquiesça Maya.

— Tu es sûre que tu ne veux pas que je reste ?

— Tu as ta propre famille qui t'attend.

— C'est bon, fit Eileen en désignant le cadre numérique avec son pouce. Je veille.

— Très drôle.

— Pas vraiment. Mais je sais que tu as besoin d'une pause. Appelle, s'il te faut quoi que ce soit. Ah, et ne t'inquiète pas pour le dîner. J'ai déjà commandé au chinois. Tu seras livrée d'ici à une vingtaine de minutes.

— Moi aussi, je t'aime.

— Je sais, dit Eileen, se dirigeant vers la porte. Tiens, tiens !

Elle s'arrêta.

— Quoi, qu'est-ce qu'il y a ?

— Tu as de la visite.

2

Le visiteur n'était autre que l'inspecteur de la criminelle Roger Kierce. Il pénétra dans la maison d'une démarche qui se voulait chaloupée, promena son regard autour de lui et dit :

— C'est gentil chez vous.

Maya fronça les sourcils sans chercher à dissimuler son agacement.

Kierce lui faisait penser à un homme des cavernes. Petit, trapu, avec des bras trop longs, mal rasé. Ses sourcils broussailleux ressemblaient à deux chenilles en fin de métamorphose, et ses mains velues semblaient avoir été passées au fer à friser.

— J'espère que je ne vous dérange pas.

— En quoi pourriez-vous me déranger ? Ah oui, parce que je rentre à l'instant du cimetière ?

Kierce feignit la contrition.

— C'est vrai, le moment n'est pas bien choisi.

— Vous croyez ?

— Mais vous retournerez travailler demain, et c'est quoi, le bon moment, tout compte fait ?

— Finement observé. Que puis-je pour vous, inspecteur ?

— Vous permettez que je m'asseye ?

Maya lui désigna le canapé du salon. Une idée bizarre lui traversa l'esprit. Cette entrevue – comme n'importe quelle autre dans cette pièce – serait enregistrée par la caméra espion. Elle pourrait la couper, bien sûr, mais qui se souviendrait de l'éteindre et la rallumer jour après jour ? Enregistrait-elle le son aussi ? Il faudrait demander à Eileen ou alors attendre de visionner l'enregistrement.

— C'est gentil chez vous.

— Oui, vous l'avez déjà dit en arrivant.

— Ça date de quand ?

— Les années vingt, je crois.

— La maison appartient à la famille de votre défunt mari, n'est-ce pas ?

— Oui.

Kierce s'assit. Elle resta debout.

— Alors, en quoi puis-je vous être utile, inspecteur ?

— J'ai juste besoin de quelques éclaircissements, c'est tout.

— Des éclaircissements ?

— Un peu de patience, OK ?

Il lui adressa un sourire qu'il imaginait sans doute désarmant, mais Maya n'était pas dupe.

— Où est-ce que… ?

Plongeant la main dans la poche de son blouson, il en sortit un bloc-notes écorné.

— Vous voulez bien qu'on reprenne tout depuis le début ?

Maya ne savait que penser, et c'était probablement ce qu'il recherchait.

— Que voulez-vous savoir ?

— Commençons par le commencement, d'accord ?

Elle s'assit et écarta les bras comme pour dire : « Allez-y ! »

— Pourquoi Joe et vous vous êtes-vous retrouvés à Central Park ?

— Parce qu'il me l'a demandé.

— Par téléphone, c'est ça ?

— Oui.

— C'était normal ?

— Il nous était déjà arrivé de nous donner rendez-vous là-bas, oui.

— Quand ?

— Je ne sais pas. Un certain nombre de fois. Je vous l'ai dit, le coin est sympa. On apportait une couverture, puis on allait déjeuner au Boat House…

Sa voix se brisa. Elle se tut, déglutit.

— L'endroit est agréable, voilà tout.

— En plein jour, oui. Mais c'est un peu isolé le soir, ne trouvez-vous pas ?

— On s'y est toujours sentis en sécurité.

Kierce sourit.

— Vous devez vous sentir en sécurité un peu partout.

— Comment ça ?

— Comparé aux endroits où vous êtes allée – en termes de danger, j'entends –, un parc ne doit éveiller aucune crainte en vous.

Il toussota dans son poing.

— Donc, votre mari vous a appelée pour vous donner rendez-vous là-bas.

— Exact.

— Sauf que…

Kierce ouvrit son bloc-notes, s'humecta le doigt et se mit à le feuilleter.

— … il ne vous a pas appelée.

Il leva les yeux.

— Pardon ?

— Vous dites que Joe vous a appelée pour vous fixer rendez-vous là-bas.

— Non, c'est vous qui l'avez dit. Moi, j'ai dit qu'il m'avait donné rendez-vous par téléphone.

— Mais quand j'ai dit qu'il vous avait appelée, vous avez acquiescé.

— Vous jouez sur les mots, inspecteur. Vous avez bien les fadettes de ce soir-là, non ?

— Parfaitement.

— Et il y a bien eu un coup de téléphone entre mon mari et moi ?

— En effet.

— Je ne sais plus qui a appelé qui. Mais c'est lui qui a proposé qu'on se retrouve dans notre coin favori du parc. J'aurais pu le suggérer aussi… mais je ne vois pas ce que ça change.

— Quelqu'un peut-il confirmer que Joe et vous aviez l'habitude de vous retrouver là-bas ?

— Je ne crois pas. Et je ne vois pas le rapport.

Kierce sourit faussement.

— Moi non plus. On continue ?

Maya croisa les jambes.

— Vous avez dit que deux hommes vous avaient abordés en arrivant du côté ouest, c'est bien ça ?

— Oui.

— Et ils portaient des cagoules ?

Pour la cent et unième fois :

— Oui.

— Des cagoules noires, c'est exact ?

— Parfaitement.

— D'après votre description, l'un d'eux faisait dans les un mètre quatre-vingts… combien mesurez-vous, madame Burkett ?

Maya faillit riposter qu'il devait l'appeler capitaine – elle détestait qu'on lui donne du « madame » –, mais son rang comme sa carrière militaire appartenaient au passé.

— Je vous en prie, appelez-moi Maya. Et je mesure près d'un mètre quatre-vingts.

— Cet homme était donc de votre taille.

Elle se retint de lever les yeux au ciel.

— Oui.

— Votre signalement des agresseurs était très précis.

Kierce lut dans son bloc-notes :

— L'un des hommes faisait un mètre quatre-vingts. L'autre, selon votre estimation, environ un mètre soixante-dix. Le premier portait un sweat à capuche noir, un jean et des Converse rouges. Le second, un T-shirt bleu ciel sans aucune inscription, un sac à dos beige et des chaussures de sport noires dont vous n'avez pas identifié la marque.

— Exact.

— L'homme aux Converse rouges… c'est lui qui a tiré sur votre mari.

— Oui.

— Et vous vous êtes enfuie.

Maya garda le silence.

— Vous dites dans votre déposition qu'ils voulaient vous braquer. Et que Joe a mis du temps à sortir son portefeuille. Il portait également une montre de valeur. Une Hublot, je crois.

Maya avait la gorge sèche.

— C'est ça.

— Pourquoi ne l'a-t-il pas enlevée tout de suite ?

— Je pense… qu'il l'aurait fait.

— Mais ?

Elle secoua la tête.

— Maya ?

— Vous êtes-vous déjà trouvé face au canon d'une arme, inspecteur ?

— Non.

— Alors vous ne pouvez pas comprendre.

— Comprendre quoi ?

— Le canon. La bouche. Quand vous avez ça sous le nez et que l'autre menace de presser la détente, ce trou noir s'agrandit démesurément, comme s'il allait vous happer. Il y a des gens que ça paralyse.

— C'est ce qui est arrivé à Joe ? demanda Kierce doucement.

— Ça a duré une seconde.

— Une seconde de trop ?

— En l'occurrence, oui.

Le silence se prolongea.

— Le coup aurait-il pu partir accidentellement ? reprit Kierce.

— Cela m'étonnerait.

— Qu'est-ce qui vous fait dire ça ?

— Il y a deux raisons. Primo, c'était un revolver. Vous vous y connaissez un peu ?

— Pas vraiment.

— Son fonctionnement exige d'armer le chien en le levant ou en le serrant très fort. On ne peut pas tirer par accident.

— Je vois. Et la seconde raison ?

— C'est la plus évidente. Il a tiré à trois reprises. On ne tire pas trois coups « accidentellement ».

Kierce acquiesça, consulta ses notes.

— La première balle a touché votre mari à l'épaule gauche. La deuxième s'est logée sous l'extrémité droite de la clavicule.

Maya ferma les yeux.

— À quelle distance se trouvait l'homme quand il a tiré ?

— À trois mètres.

— D'après notre médecin légiste, aucun de ces coups de feu n'a été fatal.

— Oui, je suis au courant.

— Que s'est-il passé ensuite ?

— J'ai tenté de le relever…

— Joe ?

— Mais oui, Joe, rétorqua-t-elle sèchement. Qui d'autre ?

— Désolé. Vous disiez ?

— Je… Joe est tombé à genoux.

— Et c'est à ce moment-là que l'homme a tiré une troisième fois ?

Maya ne répondit pas.

— La troisième fois, répéta Kierce. Celle qui lui a coûté la vie.

— Je vous l'ai déjà dit.

— Dit quoi ?

Maya soutint son regard.

— Je n'étais pas là pour le troisième coup de feu.

Kierce hocha la tête.

— C'est exact, fit-il avec une lenteur délibérée. Parce que vous aviez pris la fuite.

À l'aide... s'il vous plaît... quelqu'un... mon mari...

Maya sentit sa poitrine se convulser. Les bruits – déflagrations, bourdonnement des rotors de l'hélico, hurlements – déferlèrent sur elle sans crier gare. Fermant les yeux, elle prit quelques inspirations profondes sans changer d'expression.

— Maya ?

— Oui, je me suis enfuie. Et alors ? Ces hommes étaient armés. Je me suis sauvée en laissant mon mari sur place, et cinq ou peut-être dix secondes plus tard, j'ai entendu le coup de feu. Et oui, d'après ce que vous m'avez dit, je sais maintenant que le tireur a appuyé son arme sur la tête de mon mari pendant qu'il était à genoux et…

Elle s'interrompit.

— On ne vous accuse de rien, Maya.

— La question n'est pas là, inspecteur, répondit-elle entre ses dents. Qu'est-ce que vous voulez ?

Kierce feuilleta ses notes.

— Outre le signalement détaillé des agresseurs, vous avez déclaré que l'homme aux Converse rouges portait un Smith & Wesson 686, tandis que son complice avait un Beretta M9.

Il leva les yeux.

— Impressionnant, cette capacité d'identifier une arme à distance.

— Ça fait partie de l'entraînement.

— Vous parlez de votre entraînement à l'armée ?

— Disons que j'ai le sens de l'observation.

— Vous êtes trop modeste, Maya. Tout le monde est au courant de votre passé héroïque.

Et de ma dégringolade, faillit-elle ajouter.

— L'éclairage dans cette partie du parc n'est pas terrible. Juste les lumières de la rue.

— C'est suffisant.

— Suffisant pour déterminer la marque et le modèle de chaque arme ?

— Je connais bien les armes de poing.

— Oui, bien sûr. Vous êtes considérée comme un tireur d'élite, n'est-ce pas ?

— Tireuse, rectifia-t-elle machinalement.

Ce qui lui valut un sourire condescendant.

— Mais oui, mea culpa. Néanmoins, il faisait sombre…

— Le Smith & Wesson était en inox, par opposition à la couleur noire. Facile à distinguer dans l'obscurité. Et je l'ai entendu armer le chien. Ce qui se fait sur un revolver, pas sur un semi-automatique.

— Et le Beretta ?

— Je ne suis pas absolument sûre de la marque, mais il avait un canon flottant comme on en trouve sur les Beretta.

— Vous savez qu'on a extrait trois balles du corps de votre mari. Calibre 38, compatible avec un Smith & Wesson.

Il se frotta le visage, pensif.

— Vous possédez des armes, hein, Maya ?

— Oui.

— Y aurait-il un Smith & Wesson 686 parmi elles ?

— Vous connaissez la réponse, fit-elle.

— Ah bon, comment ça ?

— D'après la législation du New Jersey, je dois les déclarer et les faire enregistrer. Donc, vous êtes au courant. Sauf incompétence crasse, inspecteur Kierce, ce qui n'est certainement pas votre cas, vous avez déjà consulté le registre des armes à feu. Alors cessez de tourner autour du pot, qu'on en finisse.

— Quelle serait, selon vous, la distance entre l'endroit où votre mari est tombé et la fontaine Bethesda ?

Le brusque changement de sujet la prit de court.

— Je suis sûre que vous l'avez mesurée.

— En effet. À peu près trois cents mètres avec tous les tournants. Je les ai parcourus au pas de course. Je suis moins sportif que vous, mais ça m'a pris environ une minute.

— Soit.

— C'est ça, le *hic*. Plusieurs témoins ont entendu les coups de feu, mais vous avez réapparu au moins une ou deux minutes après. Comment l'expliquez-vous ?

— Et pourquoi devrais-je l'expliquer ?

— Bonne question.

Elle ne broncha pas.

— Pensez-vous que j'ai tué mon mari, inspecteur ?

— C'est à vous de me le dire.

— Je ne l'ai pas tué. Et je peux le prouver.

— Comment ?

— Venez au stand de tir avec moi.

— Hein ?
— Je suis tireuse d'élite, vous l'avez dit vous-même.
— En effet.
Maya se pencha en avant.
— Je n'aurais pas eu besoin de trois balles pour tuer quelqu'un à cette distance, même avec les yeux bandés.
Kierce ne put s'empêcher de sourire.
— Bien vu. Désolé de procéder ainsi car je ne crois pas que vous ayez tué votre mari. Moi aussi, je peux le prouver.
— Que voulez-vous dire ?
Il se leva.
— Vous gardez vos armes chez vous ?
— Oui.
— Vous voulez bien me les montrer ?

Elle le conduisit jusqu'à l'armoire forte au sous-sol.
— Je parie que vous êtes une fervente adepte du deuxième amendement, fit remarquer Kierce.
— Je ne fais pas de politique.
— Mais vous aimez les armes.
Il regarda l'armoire.
— Je ne vois pas de serrure à combinaison. Vous l'ouvrez avec une clé ?
— Non. Seulement avec l'empreinte du pouce.
— Ah, je vois. Donc vous êtes la seule à pouvoir l'ouvrir ?
Maya déglutit.
— Maintenant, oui.
— Oh, fit Kierce, se rendant compte de sa bévue. Votre mari ?
Elle hocha la tête.

— Personne d'autre en dehors de vous deux ne pouvait y accéder ?

— Personne.

Elle plaça son pouce sur la serrure, et la porte s'ouvrit dans un double déclic. Maya s'écarta.

Kierce jeta un coup d'œil à l'intérieur et émit un sifflement.

— Vous avez besoin de tout ça ?

— Besoin, non. J'aime tirer. C'est mon loisir préféré. La plupart des gens n'approuvent pas, ne comprennent pas. Mais ça m'est égal.

— Et où est votre Smith & Wesson 686 ?

— Ici.

Elle pointa le doigt. Kierce plissa les yeux.

— Celui-ci est noir.

— Je sais.

— Mais le revolver qui a tué votre mari…

— … était en inox. Les Smith & Wesson existent en deux versions.

Kierce acquiesça, désigna le revolver.

— Je peux vous l'emprunter ?

— Le Smith & Wesson ?

— Oui, si ça ne vous dérange pas.

— Je croyais que vous m'aviez blanchie.

— Oui, mais autant innocenter aussi votre arme, ne pensez-vous pas ?

Maya sortit le Smith & Wesson. Comme tous les bons tireurs, elle était d'une rigueur obsessionnelle lorsqu'il s'agissait de nettoyer, de charger et de décharger ses armes. Autrement dit, vérifier encore et encore qu'elles n'étaient pas chargées.

— Je vous donnerai un reçu, dit Kierce.

— Je pourrais exiger une commission rogatoire.

— Que j'obtiendrais vraisemblablement sans difficulté.

Pas faux. Elle lui remit le revolver.

— Inspecteur ?

— Oui ?

— Vous me cachez quelque chose.

Kierce sourit.

— Je vous tiendrai au courant.

3

Isabella, la nounou de Lily, arriva à sept heures le lendemain matin.

À l'enterrement, la famille d'Isabella n'avait pas caché son chagrin. Surtout Rosa, sa mère, l'ancienne nourrice de Joe, effondrée, serrant un mouchoir dans sa main et se cramponnant à ses deux enfants, Isabella et Hector. Encore maintenant, Isabella avait les yeux rougis par les larmes de la veille.

— Je suis tellement triste pour vous, madame Burkett.

Maya lui avait demandé à plusieurs reprises de l'appeler par son prénom, mais Isabella s'était bornée à hocher la tête sans rien changer à ses habitudes. Maya n'avait pas insisté. Si elle était plus à l'aise ainsi, pourquoi l'y obliger ?

— Merci, Isabella.

Lily sauta de sa chaise et, la bouche pleine de céréales, se précipita vers elles.

— Isabella !

Le visage d'Isabella s'illumina tandis qu'elle serrait l'enfant dans ses bras. Maya éprouva un petit pincement au cœur, contente que sa fille aime autant sa nounou, et attristée que sa fille aime autant sa nounou.

Avait-elle confiance en Isabella ?

Oui, comme elle pouvait faire confiance à quelqu'un d'autre qu'elle-même. C'est Joe qui l'avait engagée, bien sûr. Maya avait hésité. Il y avait une nouvelle crèche dans Porter Street appelée Growin'Up… tel un modeste hommage à la vieille chanson de Bruce Springsteen. Une petite mignonne, toute souriante, du nom de Kitty Shum (« Appelez-moi mademoiselle Kitty ! ») lui avait fait visiter une enfilade de salles d'éveil impeccables aux décors multicolores avec caméras de surveillance, mesures de sécurité, d'autres petites mignonnes souriantes et des enfants pour jouer avec Lily, mais Joe avait tenu à ce qu'elle ait une nounou. La mère d'Isabella l'avait « pratiquement élevé », avait-il rappelé à Maya, ce à quoi elle avait répliqué en plaisantant :

— Tu es sûr qu'il faut mettre ça dans un CV ?

Mais, puisqu'elle devait partir en mission à l'étranger, elle n'avait pas vraiment eu son mot à dire, et aucune raison valable du reste pour contester son choix.

Maya déposa un baiser sur le crâne de Lily et partit travailler. Elle aurait pu prendre quelques jours de congé pour rester avec sa fille. Ce n'était pas une question d'argent – contrat de mariage ou pas, elle était largement à l'abri du besoin –, simplement, pouponner n'était pas sa tasse de thé. Elle avait essayé de se plonger dans l'univers de la maternité heureuse : les discussions autour d'un café avec d'autres mamans, portant sur l'apprentissage de la propreté, les meilleures écoles maternelles, les tests de sécurité sur les poussettes et les considérations passionnées sur le développement sans surprise de leur progéniture. Maya écoutait et souriait, mais pendant ce temps elle revoyait l'Irak, un épisode particulièrement sanglant… généralement Jake Evans, un gamin de dix-neuf ans originaire de Fayetteville, Arkansas, qui s'était fait arracher toute la partie inférieure du corps, mais avait miraculeusement survécu et était toujours à l'hôpital militaire Walter-Reed. Comment ce bavardage autour d'une tasse de café pouvait-il coexister avec le souvenir de ce carnage ?

Quelquefois, le bruit des rotors succédait aux visions d'horreur. *C'est drôle*, pensait-elle, *qu'on surnomme ces parents qui ne lâchent pas leurs enfants d'une semelle des « parents hélicoptères ».*

Si seulement ils savaient…

Tout en se dirigeant vers sa voiture, elle balaya les alentours du regard en quête d'un ennemi embusqué ou prêt à bondir. Les vieilles habitudes ont la vie dure. Et puis, un soldat sera toujours un soldat.

Pas d'ennemi en vue, réel ou imaginaire.

Maya savait qu'elle souffrait de troubles mentaux propres à tous ceux qui avaient combattu là-bas. Personne n'était revenu indemne de cette guerre. Mais son mal lui avait ouvert les yeux. Elle connaissait la vie à présent. Contrairement à d'autres.

Au front, Maya avait piloté des hélicoptères de combat pour assurer une couverture à l'offensive terrestre des troupes américaines. Qu'on appelle couramment les hélicos « oiseaux » à l'armée ne la gênait pas. En revanche, qu'un civil emploie ce terme l'horripilait au plus haut point. Elle comptait bien poursuivre sa carrière militaire, mais, après cette vidéo postée sur le site CoreyLaVigie, tous ses plans avaient volé en éclats…

un peu comme Jake Evans quand il avait marché sur cette mine artisanale.

Les leçons d'aujourd'hui auraient lieu à bord d'un Cessna 172, un monomoteur à quatre places, le plus populaire de toute l'histoire de l'aviation. Finalement, le monitorat se résumait à passer des heures en l'air avec l'élève. Maya se retrouvait donc plus dans un rôle d'observatrice que d'instructrice à proprement parler.

Voler ou ne serait-ce que se trouver dans le cockpit pendant le vol était comme une forme de méditation pour elle. Les muscles de ses épaules se relâchaient. Bien sûr, c'était moins excitant que de survoler Bagdad aux commandes d'un Black Hawk UH-60 ou d'être l'une des premières femmes à piloter un hélicoptère de combat Boeing MH-6 Little Bird. Personne ne voulait admettre l'effrayante exaltation du combat, la décharge d'adrénaline comparable à une prise de drogue. Il était malséant de prendre plaisir à la chose, de se sentir vibrer, de se dire que rien ne pourrait jamais égaler cette sensation. C'était un secret inavouable. Oui, la guerre était terrible ; aucun être humain ne méritait de vivre ça. Maya était prête à donner sa vie pour éviter que ce péril n'atteigne Lily. Mais, en même temps, il y avait l'ivresse du danger. On n'aimait pas ça. On n'aimait pas ce que cela révélait sur vous. Comme si vous étiez quelqu'un de naturellement violent ou que vous manquiez d'empathie. Or la peur avait quelque chose d'addictif. Chez soi, on menait une vie relativement calme, banale, sans histoires. Là-bas, on vivait la peur au ventre, et, une fois rentré, on était censé redevenir calme, banal, ne pas faire d'histoires. Sauf que l'être humain ne fonctionne pas de la sorte.

Pendant le vol, Maya laissait son téléphone portable dans son casier car elle voulait rester concentrée. En cas d'urgence, on pouvait toujours la joindre par radio. Mais, lorsqu'elle consulta ses messages durant la pause déjeuner, elle tomba sur un SMS bizarre de son neveu Daniel.

Alexa ne veut pas que tu ailles à son match de foot.

Elle composa le numéro. Daniel répondit dès la première sonnerie.

— Allô ?

— Que se passe-t-il ?

Lorsque Maya tapota l'épaule de l'entraîneur de foot d'Alexa, le gros bonhomme se retourna si vite que le sifflet suspendu à son cou faillit lui cingler le visage.

— Oui ? beugla-t-il.

Ce coach – il s'appelait Phil, et sa fille, une vraie peste, se prénommait Patty – vociférait et se répandait en imprécations pratiquement depuis le début du match. Maya connaissait des sergents instructeurs qui auraient été outrés par un tel comportement vis-à-vis de recrues aguerries, sans parler de gamines de douze ans.

— Je suis Maya Stern.

— Je sais qui vous êtes, mais là…

Le coach Phil désigna le terrain d'un geste théâtral.

— … je suis en plein match. Vous devriez respecter ça, soldat.

Soldat ?

— J'ai une petite question pour vous.

— Je n'ai pas le temps de répondre aux questions. On se verra après le match. Les spectateurs doivent rester de l'autre côté de la main courante.

— C'est le règlement de la ligue ?

— Exactement.

Sur ce, le coach Phil lui tourna le dos. Maya ne broncha pas.

— C'est la seconde mi-temps, dit-elle.

— Quoi ?

— Le règlement de la ligue stipule que chaque fille doit jouer pendant une mi-temps. Or c'est la seconde mi-temps. Vous avez encore trois filles sur la touche. Même si vous les faites entrer maintenant, ça ne leur fera pas une mi-temps entière.

Le short du coach Phil aurait supporté dix kilos de moins. Son polo rouge, avec le mot « Coach » brodé en cursive par-dessus le sein gauche, le moulait telle une peau de saucisson. Il avait l'allure d'un ancien sportif qui se serait laissé aller, ce qui était probablement le cas. Il était grand, et sa carrure massive devait intimider les gens.

Le dos tourné, le coach Phil répondit du bout des lèvres :

— Pour votre information, on en est aux demi-finales du championnat de la ligue.

— Je suis au courant.

— On n'a plus qu'un seul but à marquer.

— J'ai lu le règlement, dit Maya, et je n'y ai vu aucune exception à la règle de la mi-temps. Même pendant les demi-finales.

Il pivota et, rajustant la visière de sa casquette, s'avança vers elle. Maya ne broncha pas. Durant la première mi-temps, assise parmi les parents tandis qu'il invectivait joueuses et arbitres, elle l'avait vu jeter deux fois cette stupide casquette à terre. On aurait dit un môme de deux ans en train de piquer une crise.

— On ne serait pas arrivés en demi-finale, éructa-t-il, si j'avais fait jouer ces filles-là pendant le dernier match.

— Vous voulez dire que si vous aviez suivi les règles, vous auriez perdu ?

— Il veut dire qu'elles sont trop nulles, gloussa Patty, la fille du coach.

— C'est bon, Patty, ça suffit. Va remplacer Amanda.

Patty se faufila en ricanant jusqu'au banc de touche.

— Votre fille, fit Maya.

— Quoi, qu'est-ce qu'elle a ?

— Elle malmène ses petites camarades.

Il prit un air dégoûté.

— C'est votre Alice qui vous a raconté ça ?

— Alexa, rectifia Maya. Non, ce n'est pas elle.

Elle l'avait su par Daniel.

Il se pencha si près qu'elle capta un relent de salade au thon.

— Écoutez, soldat…

— Soldat ?

— Vous êtes soldat, non ? Ou vous l'avez été.

Il sourit de toutes ses dents.

— Il paraît que vous-même n'étiez pas trop à cheval sur le règlement, pas vrai ?

Elle serra et desserra les doigts, serra et desserra.

— En tant qu'ex-militaire, vous devriez pourtant comprendre ça.

— Comprendre quoi ?

Le coach Phil remonta son short.

— Ceci…

Il désigna le terrain.

— … est mon champ de bataille. Je suis le général, et elles sont mes troupes. Vous ne mettriez pas un gros crétin aux commandes d'un F16, hein ?

Maya sentit son pouls s'accélérer.

— Juste pour que les choses soient claires, dit-elle en s'efforçant de parler posément. Vous êtes en train de comparer ce match de foot à la guerre que nos soldats mènent en Irak et en Afghanistan ?

— Ça ne saute pas aux yeux ?

On serre, on desserre, on serre, on desserre. On respire un bon coup.

— Ceci est un sport, déclara le coach Phil. Un sport de compétition… oui, un peu comme la guerre. Je ne chouchoute pas les filles. Elles ne sont plus en primaire, chez les Bisounours. Elles sont au collège. Dans la vraie vie, quoi. Vous pigez ?…

— Le règlement sur le site de la ligue…

Il se pencha tellement près que la visière de sa casquette lui frôla la tête.

— Je m'en fous, de ce qu'il y a sur ce site. Si vous avez une réclamation, adressez-vous au bureau directeur.

— Dont vous êtes le président.

Le sourire du coach Phil s'élargit.

— J'ai mon équipe à gérer. Allez, bye.

Il lui adressa un petit signe de la main et se retourna vers le terrain.

— Vous avez tort de me tourner le dos, dit Maya.

— Pourquoi, qu'est-ce que vous allez faire ?

Il ne fallait pas. Mieux valait laisser tomber. Ne pas compliquer les choses pour Alexa.

On serre, on desserre, on serre...

Mais, alors même que toutes ces pensées vertueuses lui traversaient l'esprit, ses mains en avaient décidé autrement. Se baissant à la vitesse de l'éclair, Maya tira sur le short et – priant pour qu'il y ait quelque chose dessous – le fit descendre jusqu'aux chevilles.

La foule s'exclama. Le coach, qui portait un slip kangourou, réagit tout aussi précipitamment pour remonter son short, mais il trébucha et perdit l'équilibre.

Des rires fusèrent.

Le coach Phil bondit sur ses pieds, remontant son short dans la foulée, et fonça sur elle. De rage et d'embarras, son visage avait viré à l'écarlate.

— Espèce de salope !

Maya se prépara tranquillement, sans rien laisser paraître.

Il brandit le poing.

— Allez-y, fit Maya. Donnez-moi une raison pour vous assommer.

Il s'arrêta, la regarda, et ce qu'il vit dans ses yeux lui fit baisser le bras.

— Pfff, vous n'en valez pas la peine.

Assez, se dit Maya.

Elle regrettait déjà à moitié son geste. Quel exemple pour sa nièce, régler les problèmes par la violence ! Mais lorsqu'elle regarda Alexa, s'attendant à la voir effrayée ou mortifiée, cette gamine d'ordinaire si discrète ne cachait pas son sourire. Il ne s'agissait pas d'un sourire de satisfaction ni de plaisir devant l'humiliation du coach. Non, c'était autre chose.

Elle sait maintenant, se dit Maya.

Ce qu'elle avait appris dans l'armée était valable en toutes circonstances : vos camarades devaient pouvoir compter sur vous pour couvrir leurs arrières. C'était le postulat de base, la règle numéro un. Si l'ennemi vous attaque, il m'attaque également.

La réaction de Maya avait peut-être été déplacée – ou pas –, mais, en tout état de cause, Alexa savait que sa tante serait toujours là pour elle.

Daniel avait cherché à la rejoindre au moment de l'altercation. Il lui adressa un signe de la tête. Lui aussi avait compris.

Leur mère était morte. Leur père buvait.

Maya serait toujours là pour couvrir leurs arrières.

Elle était suivie.

Pendant qu'elle ramenait Daniel et Alexa chez eux, elle surveillait les alentours – c'était devenu un réflexe –, lorsqu'elle aperçut la Buick Verano rouge dans le rétroviseur.

En soi, la Buick n'avait rien de suspect. Maya avait parcouru moins de deux kilomètres, sauf qu'elle se rappela l'avoir déjà vue en sortant du parking du stade. Cela ne voulait probablement rien dire. Shane parlait du sixième sens des soldats, mais, tout ça, c'était du bla-bla. Maya avait cru à ces âneries jusqu'au jour où elle s'était vu prouver le contraire de la façon la plus dramatique qui soit.

— Tatie Maya ?

C'était Alexa.

— Oui, chérie ?

— Merci d'être venue au match.

— C'était sympa. Je t'ai trouvée super.

— Nan, Patty a raison. Je suis trop nulle.

Daniel rit, et elle se joignit à lui.

— Arrête, tu aimes le foot, non ?

— Oui, mais c'est ma dernière année.

— Pourquoi ?

— Je ne suis pas assez bonne pour jouer l'an prochain.

Maya secoua la tête.

— Il ne s'agit pas de ça.

— Hein ?

— Le sport, c'est fait pour s'amuser et pour pratiquer une activité physique.

— Tu crois vraiment ? fit Alexa.

— Oui.

— Tatie Maya ?

— Oui, Daniel.

— Tu crois aussi au père Noël ?

Daniel et Alexa rirent à nouveau. Maya sourit et jeta un œil dans le rétroviseur.

La Buick Verano rouge était toujours là.

Serait-ce le coach Phil en quête d'une revanche ? La couleur rouge, ça collait… mais non, un type comme lui devait conduire un substitut phallique genre Hummer ou bien un cabriolet de sport.

Lorsqu'elle s'arrêta devant la maison de Claire – même après tout ce temps passé depuis sa disparition, cette maison restait celle de sa sœur –, la Buick rouge les dépassa sans ralentir. Donc, ce n'était pas une filature, mais probablement une famille du voisinage rentrant du match de foot.

Maya repensa à la première fois où Claire leur avait montré cette maison, à Eileen et elle. Déjà à l'époque, l'herbe était trop haute, la peinture s'écaillait, les pavés étaient fissurés, les fleurs baissaient piteusement la tête.

— Alors, vous la trouvez comment ? leur avait demandé Claire.

— C'est une ruine.

Claire avait souri.

— Parfaitement, merci. Mais attendez un peu.

Maya n'avait aucune imagination dans ce domaine. Elle était incapable de voir le potentiel d'une maison. Claire, elle, avait ce don. Quand on arrivait chez elle, les deux mots qui venaient à l'esprit étaient « gai » et « cosy ». Le tout avait fini par ressembler à un dessin d'enfant, avec le soleil qui brillait non-stop et des fleurs plus hautes que la porte d'entrée.

Il n'en restait plus rien.

Eddie les accueillit sur le pas de la porte. Il était à l'image de la maison : une chose avant la mort de Claire, et quelque chose d'éteint et de flétri depuis.

— Ça a été ? demanda-t-il à sa fille.

— On a perdu, dit Alexa.

— Ah, dommage.

Elle embrassa son père sur la joue, et son frère et elle s'engouffrèrent à l'intérieur. L'air méfiant, Eddie s'écarta pour laisser passer Maya. Il portait un jean avec une chemise de flanelle rouge, et une fois de plus elle sentit des effluves de bain de bouche.

— J'aurais pu venir les chercher, dit-il, sur la défensive.

— Non, répondit-elle, tu ne pouvais pas.

— Je n'ai pas… J'ai bu un verre quand j'ai su que tu y allais.

Elle garda le silence.

Les cartons étaient toujours là, empilés dans un coin : les affaires de Claire. Eddie ne les avait pas descendus au sous-sol ni dans le garage. Ils traînaient dans le séjour comme un butin amassé par un collectionneur compulsif.

— Je suis sérieux, ajouta Eddie. Je ne prends pas le volant quand j'ai bu.

— Tu es un prince, Eddie.

— Quelle condescendance !…

— Pas du tout.

— Maya ?

— Oui ?

Comme le jour de l'enterrement, le rasoir avait manqué des touffes de poils sur son menton et sur sa joue droite. Jamais Claire ne l'aurait laissé sortir dans un état aussi négligé.

Sa voix se fit douce.

— Je ne buvais pas de son vivant.

Maya continuait à se taire.

— Je veux dire, il m'arrivait de boire un coup de temps à autre, mais…

— Je sais ce que tu veux dire, l'interrompit-elle. De toute façon, il faut que j'y aille. Prends bien soin d'eux.

— J'ai eu un coup de fil du club de foot.

— OK.

— Il paraît que tu as fait un esclandre là-bas.

Elle haussa les épaules.

— J'ai juste discuté règlement avec le coach.

— De quel droit ?

— Ton fils, Eddie. Il m'a appelée à la rescousse.

— Et tu crois avoir aidé Alexa ?

Elle ne dit rien.

— Tu crois qu'un connard comme Phil peut oublier ce genre d'incident ? Qu'il ne trouvera pas le moyen de se venger sur Alexa ?

— Je ne le lui conseille pas.

— Sinon quoi ? siffla Eddie. Tu t'en mêleras encore une fois ?

— Oui, Eddie, s'il le faut. Je la défendrai jusqu'à ce qu'elle soit capable de se défendre elle-même.

— En déculottant le coach ?

— En faisant ce qu'il faut.

— Tu entends seulement ce que tu dis ?

— Cinq sur cinq. Je dis que je la défendrai. Et tu sais pourquoi ? Parce qu'il n'y a personne d'autre pour le faire.

Il eut un mouvement de recul comme si elle l'avait giflé.

— Fiche-moi le camp d'ici.

— Très bien.

Maya se dirigea vers la porte, se retourna.

— Ta maison est une porcherie. Tu devrais ranger un peu.

— Va-t'en, je te dis. Et ne te presse pas de revenir.

Elle s'arrêta.

— Pardon ?

— Je ne veux pas que tu approches mes enfants.

— Tes… ?

Elle fit un pas vers lui.

— Tu peux m'expliquer ?

Sa colère, si colère il y avait, semblait s'être évanouie. Eddie déglutit, évitant son regard.

— Tu ne comprends pas.

— Je ne comprends pas quoi ?

— Tu t'es toujours battue pour que nous autres n'ayons pas à le faire. Avec toi, on se sentait en sécurité.

— Et plus maintenant ?

— Non.

— Je ne vois pas pourquoi.

Il finit par lui faire face.

— La mort te colle aux basques, Maya.

Elle resta sans voix. Dans l'une des chambres, quelqu'un alluma la télévision. On entendit des clameurs étouffées.

Eddie se mit à compter sur ses doigts.

— La guerre. Claire. Et enfin Joe.

— Tu penses que c'est ma faute ?

Il ouvrit la bouche, la referma. Puis :

— Peut-être, je ne sais pas, peut-être que la mort t'a trouvée dans quelque trou à rats en plein désert. Ou alors elle a toujours été en toi, tu l'as laissée s'échapper, et elle t'a suivie jusque chez toi.

— Tes paroles n'ont aucun sens, Eddie.

— Possible. J'avais beaucoup d'affection pour Joe. C'était un mec bien. Et voilà qu'il est mort, lui aussi.

Eddie scruta son visage.

— Je ne veux pas que quelqu'un que j'aime soit le prochain sur la liste.

— Tu sais bien que je ne laisserai personne faire du mal à Daniel ou à Alexa.

— Tu crois que c'est en ton pouvoir, Maya ?

Elle ne répondit pas.

— Tu n'aurais laissé personne faire du mal à Claire ou à Joe non plus. Et regarde ce qui s'est passé.

On serre, on desserre.

— Tu dérailles, Eddie.

— Sors de chez moi. Va-t'en et ne reviens pas.

4

Huit jours plus tard, la Buick Verano rouge était de retour.

Maya revenait d'une interminable journée de cours, fatiguée, affamée et avec une seule idée en tête : arriver au plus vite pour relayer Isabella. Et voilà que cette fichue Buick réapparaissait dans le paysage.

Que faire ?

Pendant qu'elle passait en revue toutes les solutions possibles, la Buick bifurqua et s'éloigna. Nouvelle coïncidence ou bien le conducteur avait-il compris qu'elle rentrait chez elle ? La seconde hypothèse lui semblait la plus plausible.

Le frère d'Isabella, Hector, attendait à côté de son pick-up. Souvent, il venait chercher Isabella lorsqu'il avait fini ses travaux de jardinage.

— B'soir, madame Burkett.

— Salut, Hector.

— J'ai terminé les massifs de fleurs.

Il remonta la fermeture à glissière de son sweat à capuche jusqu'au cou, curieux choix vestimentaire par cette chaleur.

— Ça vous plaît ?

— C'est super. Dites, je peux vous demander un service ?

— Bien sûr.

— La maison de ma sœur aurait bien besoin d'un coup de propre. Vous ne pourriez pas, moyennant finances, tondre la pelouse et nettoyer un peu ?

Sa suggestion parut le mettre mal à l'aise. La famille travaillait exclusivement pour les Burkett. Il était leur salarié.

— Je réglerai ça avec Judith d'abord, ajouta Maya.

— Dans ce cas, ce sera avec plaisir.

Tandis qu'elle se dirigeait vers la maison, son téléphone bipa. C'était un SMS d'Alexa.

Samedi, c'est journée foot. Tu viens ?

Elle avait invoqué toutes sortes de prétextes pour éviter de se manifester après l'altercation avec le coach. Si absurde soit-elle, l'accusation d'Eddie l'obsédait. Cette histoire de mort qui lui collait aux basques était totalement irrationnelle. Mais peut-être qu'un père de famille avait le droit de se montrer irrationnel quand il s'agissait de ses propres enfants… du moins, de temps en temps.

À la naissance de Daniel, Claire et Eddie avaient choisi Maya comme tutrice pour leur fils, puis pour leur fille, dans l'éventualité improbable qu'un malheur les frappe tous les deux. À l'époque, avant même que Claire ne se doute de ce qui l'attendait, elle avait pris Maya à part.

— Si jamais je ne suis plus là, Eddie ne s'en sortira pas tout seul.

— Pourquoi tu dis ça ?

— C'est quelqu'un de bien. Mais pas quelqu'un de fort. Il faut que tu sois là, quoi qu'il arrive.

Elle n'eut pas besoin de le lui faire promettre. Claire savait. Maya savait. Elle prenait son rôle et les craintes de sa sœur très au sérieux, et même si elle avait choisi de respecter à court terme la décision d'Eddie, cela ne durerait pas éternellement.

Elle répondit donc :

Impossible. Trop de boulot. À très vite. XO.

Elle repensa soudain à cette journée à Camp Arifjan. Il était midi au Koweït, dix-sept heures ici, quand on l'avait demandée au téléphone.

— C'est moi, avait dit Joe d'une voix brisée. J'ai une mauvaise nouvelle.

Durant ce bref instant d'accalmie, juste avant le cataclysme, elle avait trouvé bizarre d'être de l'autre côté de la barrière, pour ainsi dire. Normalement, c'était l'inverse : les mauvaises nouvelles partaient du Moyen-Orient en direction de l'ouest, des États-Unis. Ça ne se faisait pas par téléphone. Il fallait suivre un protocole. Un militaire chargé d'annoncer le décès se rendait en personne auprès de la famille. Sale boulot. Il n'y avait guère de volontaires pour faire ça… seulement des volontaires désignés d'office. Le messager enfilait son uniforme, montait en voiture avec un pasteur, frappait à la porte et débitait le discours réglementaire appris par cœur.

— Qu'est-ce que c'est ? avait-elle demandé à Joe.

Il y avait eu un silence. Le pire silence de sa vie.

— Joe ?

— C'est Claire, avait-il répondu.

Et Maya avait senti le sol se dérober sous ses pieds.

Elle poussa la porte donnant sur le jardin. Sur le canapé, Lily était occupée à dessiner avec un crayon vert. Elle ne leva pas le nez de sa feuille, mais ce n'était pas grave. Cette enfant était dotée d'une formidable faculté de concentration. En cet instant, elle était totalement absorbée par son dessin. Isabella se redressa lentement, comme si elle craignait de la réveiller, et traversa la pièce.

— Merci d'être restée aussi tard, dit Maya.

— Pas de problème.

Lily les regarda et sourit.

— Comment était-elle aujourd'hui ?

— Un amour.

Isabella considéra Lily d'un air mélancolique.

— Elle ne se doute de rien.

Ce genre de remarque, Maya y avait droit tous les jours.

— À demain alors, fit-elle.

— À demain, madame Burkett.

Maya s'assit à côté de sa fille. Dehors, le pick-up d'Hector s'éloigna dans la rue. Les images défilaient dans le cadre numérique couplé à la caméra espion, et elle ne put s'empêcher de penser que tous ses faits et gestes étaient enregistrés. Elle les visionnait presque tous les jours, pour voir si Isabella… si quoi au juste ? Mais il ne se passait pas grand-chose. Et Maya ne se regardait pas en train de jouer avec sa fille. C'était trop bizarre. Aussi bizarre que d'avoir une caméra de surveillance dans son salon, comme si on devait se comporter différemment en sa présence.

— Qu'est-ce que tu dessines ? s'enquit-elle.

— Tu vois pas ?

Ça ressemblait à des lignes ondulées.

— Non.

Lily eut l'air vexée. Maya haussa les épaules.

— Dis-moi ce que c'est.

— Une vache et une chenille.

— Une vache verte ?

— C'est la chenille.

Par chance, son portable sonna. C'était Shane.

— Tu tiens le coup ? demanda-t-il.

— Ma foi, oui.

Il y eut un silence.

— Quoi de neuf ? fit-elle.

Ils étaient trop proches pour échanger des civilités. Ce n'était tout simplement pas le genre de la maison.

— Il faut qu'on parle, dit-il.

— Eh bien, parle.

— Je vais passer chez toi. Tu as faim ?

— Oui.

— Je peux prendre une pizza chez Best of Everything.

— Fais vite.

Elle raccrocha. À Camp Arifjan, on leur servait des pizzas pratiquement à tous les repas, mais le coulis de tomates avait un goût de ketchup rance, et la pâte, la consistance du dentifrice. Depuis son retour, elle ne jurait que par la pizza à croûte fine, et les meilleures, on les trouvait chez Best of Everything.

Quand Shane arriva, ils s'installèrent tous les trois autour de la table de cuisine pour faire un sort à la pizza. Lily aimait Shane. Tous les enfants l'aimaient bien. C'étaient les adultes qui lui posaient problème. Sa gaucherie, son stoïcisme cadraient mal avec leur souci des apparences. Il n'était pas fait pour les mondanités et les bavardages futiles.

Lorsqu'ils eurent terminé leur repas, Lily voulut que ce soit Shane qui la mette au lit. Il fit la moue.

— Ça me saoule de lire à haute voix.

À bout d'arguments, Lily le saisit par la main et le traîna vers l'escalier.

— S'il te plaît, non ! cria-t-il en se laissant tomber à terre.

Lily rit aux éclats et tira de plus belle. Shane protesta. Il fallut dix bonnes minutes à Lily pour lui faire gravir les marches.

Une fois dans sa chambre, Shane lui lut une histoire, et elle s'endormit si vite que Maya le soupçonna de lui avoir donné un somnifère.

— C'était rapide, observa-t-elle en le voyant redescendre.

— Ça faisait partie de mon plan.

— Quoi donc ?

— L'obliger à me traîner jusqu'en haut. Pour qu'elle se fatigue.

— Malin, dit Maya.

Ils prirent deux bières glacées au frigo et sortirent dans le jardin. La nuit était tombée. L'air était lourd et moite, mais, après avoir crapahuté dans le désert avec vingt kilos de barda sur le dos, on n'était plus vraiment gêné par la chaleur.

— Belle soirée, dit Shane.

Ils s'assirent au bord de la piscine pour siroter leurs bières. Mais Maya sentait quelque chose… une sorte d'hiatus qui ne présageait rien de bon.

— Arrête ça, dit-elle.

— Quoi donc ?

— Tu me traites comme…

— Comme ?

— Comme une veuve. C'est bon, ça suffit.

Il hocha la tête.

— J'avoue, désolé.

— De quoi voulais-tu me parler ?

— Ce n'est peut-être rien.

— Mais ?

— Il y a un rapport du renseignement qui circule depuis quelque temps.

Shane était toujours dans l'armée, gravissant les échelons de la police militaire.

— Il semblerait que Corey Rudzinski soit de retour aux États-Unis.

Il guettait sa réaction. Maya but une grande gorgée de bière et ne dit rien.

— Nous pensons qu'il a traversé la frontière canadienne il y a une quinzaine de jours.

— Y a-t-il un mandat d'arrêt à son nom ?

— Normalement, non.

Corey Rudzinski était le fondateur de CoreyLaVigie, le site Web où les lanceurs d'alerte pouvaient poster des informations en toute sécurité, dénoncer les activités occultes des instances dirigeantes ou des grandes multinationales. Rappelez-vous cet État latino-américain qui touchait des dessous-de-table versés par des compagnies pétrolières. Une fuite adressée à CoreyLaVigie. L'affaire de corruption dans la police avec des mails racistes ? CoreyLaVigie. La maltraitance des détenus dans l'Idaho, l'accident nucléaire étouffé en Asie, les forces de sécurité recourant à des services d'escorte ? CoreyLaVigie.

Et, bien entendu, des civils morts à cause du zèle d'une pilote d'hélico de l'armée de l'air.

Tous ces « scoops » avaient été obligeamment fournis par les informateurs anonymes de Corey.

— Maya ?

— Il ne peut plus rien contre moi.

Shane inclina la tête.

— Tu en es sûre ?

— Il a déjà posté la vidéo.

— Pas en entier.

Elle avala une gorgée de bière.

— Ça m'est égal, Shane.

Il se laissa aller en arrière.

— OK.

Puis :

— Pourquoi crois-tu qu'il a fait ça ?

— Fait quoi ?

— Publier les images sans le son. C'est un lanceur d'alerte. L'enregistrement était conséquent. Pourquoi n'a-t-il pas tout montré ?

— Je n'en sais rien.

Shane balaya le jardin du regard.

— Mais, poursuivit-elle, j'imagine que tu as ton idée là-dessus.

— En effet.

— Je t'écoute.

— Corey attendait le moment propice.

Maya fronça les sourcils.

— Dans un premier temps, ses révélations font la une des médias. Et ensuite, quand il a besoin d'un nouveau coup de pub, il divulgue le reste.

Elle secoua la tête.

— Réfléchis, Maya. Pour le succès de son entreprise, non seulement il doit faire tomber ceux qu'il a dans son collimateur, mais il faut que ça fasse le plus de bruit possible. Il doit continuer à alimenter la machine.

— Franchement, Shane, ça ne m'intéresse pas. J'ai quitté l'armée. Je suis même – quelle horreur ! – veuve maintenant. Laissons-le cracher son venin.

— OK, d'accord.

Shane termina sa bière.

— Tu veux bien m'expliquer ce qui se passe ?

— De quoi parles-tu ?

— Arrête de me prendre pour un imbécile. J'ai fait réaliser ces analyses pour toi sans poser de questions.

Elle hocha la tête.

— Merci.

— Je ne cherche pas ta reconnaissance, tu le sais bien. Mais, ce faisant, j'ai violé mon serment. C'était, pour dire les choses comme elles sont, contraire à la loi. Tu es au courant, non ?

— Laisse tomber, Shane.

— Tu savais que Joe était en danger ?

— Shane…

— Ou c'est toi qui étais visée ?

Elle ferma brièvement les yeux. Les sons montaient à l'assaut de ses sens.

— Maya ?

Elle rouvrit les yeux, se tourna lentement vers lui.

— Tu as confiance en moi ?

— Ne me fais pas cet affront, s'il te plaît. Tu m'as sauvé la vie. Tu es le meilleur, le plus courageux des soldats.

— Les meilleurs et les plus courageux sont repartis chez eux les pieds devant.

— Non, Maya. Oui, ils ont payé le prix fort, mais c'est surtout parce qu'ils n'ont pas eu de chance. Tu le sais aussi bien que moi. Ils se sont trouvés au mauvais endroit au mauvais moment.

Ce n'était pas faux. Les compétences n'avaient rien à voir là-dedans. Tout était une affaire de hasard. À la guerre, les morts et les blessés ne sont pas sélectionnés au mérite.

Shane parla tout bas dans l'obscurité :

— Tu penses pouvoir gérer ça toute seule, hein ?

Elle ne répondit pas.

— Tu veux régler leur compte aux assassins de Joe.

Il ne s'agissait pas d'une question. Le silence retomba, lourd comme la moiteur ambiante.

— Je suis là si tu as besoin d'aide. Tu le sais.

— Oui. Tu as confiance en moi, Shane ?

— Comme en moi-même.

— Alors laisse tomber.

Au moment où il allait partir, Maya dit :

— J'ai autre chose à te demander.

Elle lui tendit un bout de papier.

— Qu'est-ce que c'est ?

— Le numéro d'immatriculation d'une Buick Verano rouge. Il me faut le nom de son propriétaire.

Shane grimaça.

— Je ne nous ferai pas l'injure d'essayer de savoir le pourquoi du comment. Mais c'est la dernière fois que je te fais une fleur.

Il déposa un baiser paternel sur son crâne et s'en fut.

Maya alla jeter un œil sur sa fille endormie. Puis elle longea le couloir à pas feutrés jusqu'à la salle de musculation dernier cri que Joe avait aménagée quand ils s'étaient installés là. Elle fit quelques exercices simples – squat, banc, curls – avant de passer au tapis de course. Depuis le début, Maya trouvait cette maison trop grande, trop cossue pour elle. Elle venait d'une famille tout sauf pauvre, mais ce genre de luxe n'était pas sa tasse de thé. Elle s'était toujours sentie mal à l'aise là, cependant c'était le mode de vie des Burkett. Personne ne sortait du cadre familial ; leurs possessions ne faisaient que s'étendre.

Maya était en nage quand elle termina sa séance. L'exercice physique lui faisait du bien. Elle jeta une serviette sur ses épaules et alla chercher une Bud bien fraîche. Pressant la bouteille contre son front, elle savoura la sensation de froid.

Puis elle actionna la souris, ranimant l'ordinateur, et se connecta au site de Corey. D'autres sites semblables comme WikiLeaks avaient opté pour une présentation simple, neutre, monochrome. Corey avait choisi un visuel bien plus stimulant. Sa devise, rédigée dans une police de caractères personnalisée, était claire et sans ambiguïté :

La vigie, c'est nous – l'info, c'est vous.

Il y avait des taches de couleur, des onglets avec vidéos, et, tandis que les sites concurrents avaient tendance à éviter la surenchère, Corey multipliait les formules grossièrement racoleuses.

« Dix meilleures méthodes de surveillance : la numéro sept vous laissera sans voix ! » « Wall Street en veut à votre pognon… et vous n'avez encore rien vu. » « Vous croyez que les flics sont là pour vous protéger ? Réfléchissez encore. » « Nous tuons des civils. Pourquoi les généraux quatre étoiles nous haïssent. » « Vingt indices que votre banque vous vole. » « Les hommes les plus riches du monde ne paient pas d'impôts… pourquoi pas vous ? » « À quel tyran ressemblez-vous le plus ? Faites le test. »

Elle cliqua sur archives et trouva la vieille vidéo. Pourquoi était-elle allée la chercher sur le site de Corey, elle n'aurait su le dire. On en trouvait une dizaine de versions sur YouTube. Ç'aurait été plus facile, mais elle avait cru bon de remonter à la source.

Quelqu'un avait communiqué à Corey Rudzinski ce qui avait commencé comme une mission de sauvetage. Quatre soldats, dont trois que Maya connaissait et aimait, avaient été tués dans une embuscade à Al-Qa'im, près de la frontière syro-irakienne. Deux autres étaient en vie, mais piégés par le tir ennemi. Un SUV noir arrivait pour les achever. Maya et Shane, qui survolaient la zone dans leur hélicoptère léger Boeing MH-6 Little Bird, avaient intercepté leurs appels au secours désespérés. Ils paraissaient si jeunes… sûrement comme les quatre autres qui étaient déjà morts.

Une fois la cible localisée, ils attendirent la confirmation et le feu vert pour frapper, mais, contrairement à ce qu'on pense, le matériel militaire n'est pas infaillible, et le signal radio du centre de commandement à Al-Asad leur parvenait par intermittence. Contrairement aux deux soldats qui suppliaient qu'on vienne les sauver. Maya et Shane attendaient, pestant et exigeant une réponse du QG quand ils entendirent les deux survivants hurler.

Ce fut à ce moment-là que le MH-6 de Maya tira un missile AGM-114 Hellfire sur le SUV noir. Le véhicule fut projeté en l'air. L'infanterie put récupérer les soldats, blessés mais en vie.

À l'époque, elle croyait avoir seulement accompli son devoir.

Son portable sonna. Elle referma précipitamment la page Web, comme si on l'avait surprise en train de regarder une vidéo porno. Son téléphone affichait FARNWOOD, le nom de la propriété familiale des Burkett.

— Allô ?

— Maya ? C'est Judith.

La mère de Joe. Dix jours que Joe était mort, mais la voix était toujours aussi éteinte, chaque mot un effort, un combat, une souffrance.

— Oh, bonsoir, Judith.

— Je voulais savoir comment vous alliez, Lily et toi.

— C'est gentil à vous. Ça va aussi bien que possible.

— Je suis heureuse de l'entendre, dit Judith. Je téléphone également pour te rappeler que demain matin Heather Howell lira le testament de Joe dans la bibliothèque de Farnwood à neuf heures précises.

Les riches avaient même un nom pour chaque pièce de la maison.

— Je serai là, merci.

— Tu veux qu'on t'envoie une voiture ?

— Non, ça ira.

— Amène Lily. Ça nous fera plaisir.

— On verra le moment venu, OK ?

— Oui, bien sûr. Je… Elle nous manque. Elle me fait tellement penser à… Enfin bon, à demain.

Judith réussit à retenir ses larmes le temps de raccrocher.

Maya resta quelques minutes sans bouger. Au fond, pourquoi ne pas emmener Lily avec elle ? Et, tant qu'à faire, Isabella aussi. Elle se rappela alors qu'elle n'avait pas consulté la carte mémoire de la caméra espion depuis deux jours. Non que cela ait une quelconque importance. Elle avait sommeil. Cela pourrait attendre jusqu'au lendemain.

Après sa toilette, elle se lova au fond du grand fauteuil – le fauteuil de Joe – dans la chambre et ouvrit son livre. C'était une nouvelle biographie des frères Wright, sauf qu'elle n'arrivait pas à se concentrer sur ce qu'elle lisait.

Corey Rudzinski était de retour aux États-Unis. Était-ce une coïncidence ?

Tu penses pouvoir gérer ça toute seule, hein ?

Elle sentit le signal d'alarme se déclencher dans sa tête. Rapidement, Maya referma le livre, se glissa dans le lit, éteignit la lumière et attendit.

Vinrent d'abord les suées, puis les visions… mais c'étaient les bruits qui l'épuisaient le plus. Des bruits incessants. La cacophonie des rotors de l'hélico, les voix grésillantes à la radio, les déflagrations… et, bien sûr, des bruits humains, les rires, les moqueries, les cris des mourants et – guère mieux – la résignation muette de ceux qui savaient qu'ils allaient mourir, que pour eux la bataille était terminée.

Maya plaqua l'oreiller sur sa tête, mais ce fut encore pire. Les bruits n'étaient pas seulement tout autour d'elle, ricochant et se réverbérant. Ils lui transperçaient le crâne, lui trouaient le cerveau, pulvérisaient ses pensées, ses rêves et ses désirs comme des éclats d'obus.

Elle ravala un hurlement. La nuit s'annonçait rude. Elle aurait besoin de soutien.

Maya ouvrit le tiroir de la table de nuit, sortit le flacon et prit deux comprimés.

Les anxiolytiques ne firent pas taire le vacarme, mais, après un certain temps, l'étouffèrent suffisamment pour qu'elle puisse s'endormir.

5

La première pensée de Maya à son réveil fut : visionner l'enregistrement de la caméra espion.

Elle se réveillait toujours à 4 h 58. D'aucuns invoquaient une horloge interne, mais si tel était le cas celle-ci ne pouvait être réglée que sur 4 h 58. Impossible de la désactiver, même quand Maya se couchait tard et rêvait de grappiller quelques minutes de sommeil en plus. Et si elle essayait de la « régler » sur une heure différente, l'horloge revenait systématiquement à son réglage par défaut de 4 h 58.

Cela remontait à l'époque de ses classes dans l'armée. Le sergent instructeur les réveillait à cinq heures du matin, et tandis que la plupart de ses camarades geignaient et se débattaient pour émerger, Maya était déjà réveillée depuis deux bonnes minutes et prête pour l'arrivée imminente et rarement agréable du sous-officier chargé de leur instruction.

Elle avait dormi à poings fermés. Bizarrement, les démons qui la hantaient se manifestaient rarement pendant son sommeil : pas de cauchemars, pas de draps emmêlés, pas de sueurs froides. Elle ne se souvenait jamais de ses rêves ; soit elle dormait paisiblement, soit son subconscient arrangeait charitablement les choses pour qu'elle les oublie.

Elle attrapa un chouchou sur la table de nuit et noua ses cheveux en queue-de-cheval. Joe l'aimait bien comme ça.

— J'adore l'ossature de ton visage, disait-il. Je ne veux pas que tu la caches.

Il aimait bien aussi jouer avec sa queue-de-cheval et, à l'occasion, l'empoigner à pleines mains, mais ça, c'était une autre histoire.

Maya rougit à ce souvenir.

Elle consulta les messages sur son portable : il n'y avait rien d'important. Elle bascula ses jambes hors du lit et sortit dans le couloir. Lily dormait toujours. Pas étonnant. Côté horloge interne, elle tenait davantage de son père : tant qu'on n'est pas obligé de se lever, on dort.

Il faisait encore nuit dehors. Une odeur de pâtisserie flottait dans la cuisine, sûrement l'œuvre d'Isabella. Maya ne cuisinait pas et ne s'adonnait aux activités culinaires que contrainte et forcée. Bon nombre de ses amies adoraient ça, alors que, depuis l'aube de l'humanité, faire la cuisine était considéré comme une corvée assommante. Dans les livres d'histoire, on parlait rarement de monarques ou de seigneurs qui passaient leur temps aux fourneaux. Manger ? Bien sûr. Mets raffinés et bon vin ? Et comment ! Mais préparer les repas ? Cette tâche fastidieuse était réservée aux domestiques.

Maya hésita à se faire des œufs au bacon, mais l'idée de verser simplement du lait froid dans un bol de céréales lui plut davantage. Elle s'assit à la table de cuisine, s'efforçant de ne pas penser à la lecture du testament de Joe. Non pas qu'il faille s'attendre à des surprises. Elle avait signé un contrat de mariage (« C'est une tradition dans la famille : le Burkett qui ne signe pas, on le déshérite »), et, après la naissance de Lily, Joe avait fait en sorte qu'en cas de décès tous ses biens reviennent à sa fille. Maya n'y voyait aucune objection.

Elle ne trouva pas de céréales dans le placard. Zut. Isabella se plaignait qu'elles contenaient trop de sucre, mais serait-elle allée jusqu'à les jeter ? Maya revint vers le frigo et s'arrêta.

Isabella.

La caméra espion.

Curieux qu'elle y ait pensé dès son réveil. Elle ne regardait pas l'enregistrement tous les jours. Il n'y avait pas urgence. Il ne se passait rien d'extraordinaire. En général, Maya visionnait la vidéo en mode rapide. Isabella était toujours radieuse, ce qui l'inquiétait un peu, car ce n'était pas son humeur par défaut. Elle s'animait au contact de Lily, mais, autrement, son visage ressemblait à un totem. Elle n'était pas du genre souriant.

Pourtant, elle souriait beaucoup sur les vidéos. La nounou parfaite, quoi… sauf que personne n'est parfait. Tout le monde dérape à un moment ou un autre.

Avait-elle repéré la caméra ?

L'ordinateur portable de Maya et le lecteur de carte SD qu'Eileen lui avait donné étaient dans son sac à dos. Pendant un temps, elle s'était servie de son sac paquetage militaire, en nylon beige avec plein de poches, mais trop de gens commandaient le même sur Internet, et puis elle lui trouvait un petit côté frime. Joe lui avait acheté un sac pour ordinateur en kevlar chez Tumi. Le prix lui avait paru exorbitant, jusqu'à ce qu'elle voie celui des sacs à dos pseudo-militaires sur le Net.

Elle prit le cadre numérique, pressa le bouton sur le côté et sortit la carte SD. Admettons qu'Isabella ait compris. Au fond, ce n'était pas sorcier. Quelqu'un de perspicace – or Isabella l'était – pourrait se demander pourquoi son employeuse avait soudain fait l'acquisition d'un cadre numérique. Surtout juste après avoir enterré son mari assassiné.

Oui, quelqu'un de perspicace pourrait se poser la question… ou pas. Allez savoir.

Maya glissa la carte SD dans le lecteur et le brancha sur le port USB. Pourquoi se sentait-elle anxieuse ? Ce n'était pas la première fois qu'elle le faisait, et jusque-là elle n'avait rien vu d'anormal. Qui plus est, si ses soupçons se confirmaient, si Isabella avait deviné que le cadre contenait autre chose que des photos de famille, évidemment qu'elle se tiendrait à carreau. Le principe même d'une caméra cachée, c'est qu'elle était *cachée.* Si la personne surveillée était au courant de son existence, toute l'entreprise devenait au mieux discutable.

Maya lança la lecture. La caméra étant équipée d'un détecteur de mouvement, la vidéo démarra quand Isabella entra avec un café. Dans un mug avec un couvercle de protection, histoire d'éviter d'ébouillanter la petite. Elle ramassa la girafe en peluche de Lily et retourna dans la cuisine, sortant ainsi du cadre.

— Maman !

La vidéo étant muette, Maya se retourna et vit sa fille en haut de l'escalier. Une vague de chaleur familière la submergea. Elle était peut-être cynique envers les autres parents, mais ce sentiment quand on regarde son propre enfant, que le reste du monde passe à l'arrière-plan, simple toile de fond pour cette petite frimousse… ça, elle pouvait le comprendre.

— Bonjour, trésor.

Elle avait lu quelque part que le vocabulaire moyen d'un enfant de deux ans se composait d'une cinquantaine de mots. « Encore » figurait en tête de liste. Maya gravit les marches quatre à quatre, se pencha par-dessus la barrière de sécurité et prit Lily dans ses bras. Cette dernière serrait dans ses mains un de ses indestructibles livres en carton, cette fois un classique du docteur Seuss, *Poisson Un, Poisson Deux, Poisson Rouge, Poisson Bleu.* Ces temps-ci, elle trimbalait ses livres partout comme d'autres bambins leur doudou. Un livre plutôt qu'une peluche, Maya ne cessait de s'en féliciter.

— Tu veux que maman te le lise ?

Lily hocha la tête.

Maya redescendit avec elle et l'installa à la table de cuisine. La vidéo marchait toujours. Une chose qu'elle avait apprise : les tout-petits aimaient la routine. Ils n'avaient pas envie de nouvelles expériences. Lily avait toute une collection de livres en carton. Maya aimait les histoires tordues de P. D. Eastman, des livres comme *Es-tu ma mère ?* ou *Poisson hors de l'eau.* Lily écoutait – n'importe quel livre valait mieux que pas de livre du tout –, mais elle en revenait toujours aux rimes et illustrations du docteur Seuss, et on pouvait la comprendre.

Maya jeta un œil sur l'écran de l'ordinateur. Sur la vidéo, Lily et Isabella étaient toutes les deux sur le canapé. Isabella donnait à Lily des crackers Goldfish un par un, comme des éperlans à une otarie savante. Inspirée par ce nourrissage, Maya alla chercher la boîte de crackers dans le placard et en versa quelques-uns sur la table. Lily entreprit de les manger, un à la fois.

— Tu veux autre chose ?

Lily secoua la tête et pointa le doigt sur le livre.

— Lis.

— On ne dit pas : « Lis », mais : « S'il te plaît, maman, tu veux bien… »

Maya se tut. Assez avec l'otarie savante. Elle ouvrit le livre à la première page, commença par le poisson un, poisson deux. Au moment où elle en arrivait au gros poisson avec un chapeau jaune, quelque chose sur l'écran de l'ordinateur attira son regard.

Elle interrompit sa lecture.

— Encore, exigea Lily.

Maya se pencha vers l'écran.

La caméra s'était remise en marche, mais la vue était complètement bloquée. Comment… ? En fait, elle était en train de regarder le dos d'Isabella. Cette dernière se tenait pile en face du cadre ; c'est pourquoi Maya ne voyait rien.

Oui, mais non.

Isabella était trop petite. Sa tête pouvait bloquer la vue, mais certainement pas son dos. Et puis, il y avait la couleur. Isabella avait un chemisier rouge la veille. Or cette chemise était verte.

Vert forêt.

— Maman !

— Une seconde, chérie.

Quiconque cachait la caméra s'éloigna enfin, et Maya put voir le canapé. Assise seule, Lily tenait ce même livre entre les mains et le feuilletait, faisant mine de lire.

Maya attendit.

Quelqu'un arriva du côté gauche – côté cuisine –, mais ce n'était pas Isabella.

C'était un homme.

Du moins, ç'avait l'air d'être un homme. Il se tenait encore trop près de la caméra, et elle ne parvint pas à distinguer son visage. Un instant, elle crut qu'Hector était venu faire une pause ou boire un verre d'eau, mais Hector portait une salopette et un sweat. Or ce gars-là était vêtu d'un jean et d'une chemise…

… verte…

… vert forêt…

À l'écran, Lily leva la tête vers le supposé visiteur. Lorsqu'elle lui sourit, Maya sentit un poids s'abattre sur sa poitrine. Lily n'aimait guère les inconnus. Donc cet homme, l'homme à la chemise familière vert forêt…

Il s'approcha du canapé, dos à la caméra, obstruant la vue à Maya. Paniquée, elle se pencha à droite et à gauche, comme pour s'assurer que sa fille était toujours là, sur le canapé, saine et sauve, avec le même livre du docteur Seuss dans les mains. Elle eut l'impression que Lily était en danger tant qu'elle ne la verrait pas, qu'elle ne la garderait pas à l'œil. C'était absurde, bien sûr. Ces images avaient été enregistrées la veille, et sa fille était à côté d'elle en ce moment précis, en pleine santé et heureuse de vivre… enfin, heureuse jusqu'à ce que sa maman interrompe la lecture pour fixer l'écran de l'ordinateur.

— Maman !

— Une minute, chérie, OK ?

L'homme à la chemise vert forêt – c'est ainsi qu'il l'appelait, ni verte, ni vert foncé, ni vert clair, mais vert forêt – n'avait manifestement pas fait de mal à sa fille. L'angoisse de Maya semblait injustifiée et largement exagérée.

À l'écran, l'homme s'écarta.

À nouveau, Maya vit Lily sur le canapé. Normalement, elle n'avait plus rien à craindre.

Normalement.

L'homme s'assit sur le canapé à côté de l'enfant, regarda la caméra et sourit.

Par miracle, Maya réussit à ravaler son cri.

On serre, on desserre, on serre...

Elle qui gardait la tête froide en pleine bataille, qui était capable de chercher refuge en son for intérieur pour conserver son calme et ne pas se retrouver paralysée par l'afflux d'adrénaline, fit appel à ses ressources habituelles. La tenue familière – blue-jean et surtout chemise vert forêt – aurait dû la préparer à cette possibilité... ou plutôt impossibilité. C'est pourquoi aucun son ne lui échappa.

La chape de plomb qui pesait sur sa poitrine lui bloquait la respiration. Son sang s'était figé dans ses veines. Ses lèvres tremblaient.

Là, sur l'écran de son ordinateur, Maya voyait Lily grimper sur les genoux de son défunt mari.

6

La vidéo ne dura pas longtemps.

À peine Lily s'était-elle perchée sur les genoux de « Joe » qu'il se leva et l'emporta hors champ. L'enregistrement s'arrêta trente secondes plus tard quand le détecteur de mouvement coupa la caméra.

C'était tout.

La caméra se remit en marche quand Isabella et Lily revinrent de la cuisine et se mirent à jouer comme à leur habitude. Maya repassa la vidéo en accéléré, mais le reste de la journée se déroula normalement. Isabella et Lily. Pas de revenants, personne d'autre qu'elles.

Elle visionna le tout une deuxième fois, puis une troisième.

— Livre !

C'était Lily qui s'impatientait. Maya se tourna vers sa fille. Comment aborder la chose avec elle ?

— Chérie, fit-elle lentement, as-tu vu papa ?

— Papa ?

— Oui, Lily. As-tu vu papa ?

Lily se rembrunit.

— Où papa ?

Maya ne voulait pas la perturber, mais, en même temps, ce qu'elle avait vu là était assez déstabilisant. Elle remit la vidéo en route et la montra à Lily. La fillette fixa l'écran, fascinée. Quand Joe apparut, elle piailla, ravie :

— Papa !

— Oui, dit Maya avec un pincement au cœur face à tant d'enthousiasme. As-tu vu papa ?

Lily désigna l'écran.

— Papa !

— Oui, c'est papa. Est-ce qu'il est venu hier ?

Lily se borna à la dévisager.

— Hier, répéta Maya.

Elle alla s'asseoir sur le canapé, à l'endroit précis où « Joe » – elle ne pouvait penser à lui qu'avec des guillemets – s'était assis.

— Est-ce que papa était là hier ?

Lily ne comprenait pas. Maya essaya de prendre un ton léger, comme si c'était un jeu, mais soit son attitude la trahissait, soit sa petite fille était plus intuitive qu'elle ne l'aurait cru.

— Maman, arrête.

Tu lui fais peur.

Maya plaqua un sourire factice sur son visage, prit Lily dans ses bras et l'emporta à l'étage, riant et dansant jusqu'à ce que le visage de sa fille s'anime à nouveau. Elle la déposa sur le lit et alluma la télévision. Elle s'était juré de ne pas utiliser la télé comme baby-sitter – tous les parents se font ce serment et craquent un jour ou l'autre –, mais comme distraction momentanée, ce n'était pas si grave.

Elle se dirigea vers la penderie de Joe, marquant un temps d'arrêt devant la porte. Elle ne l'avait pas ouverte depuis sa mort. C'était trop tôt. Mais, bien sûr, ces considérations n'étaient plus de mise. Pendant que Lily était scotchée à l'écran, elle ouvrit la porte et alluma la lumière.

Joe prenait grand soin de ses vêtements, un peu comme Maya avec ses armes. Ses costumes étaient accrochés à dix centimètres les uns des autres. Ses chemises étaient rangées par couleurs. Les pantalons étaient suspendus à des cintres à pinces, de façon à ne pas faire de pli.

Joe aimait bien acheter ses habits lui-même, et toutes les tentatives de Maya pour lui offrir un article vestimentaire tombaient systématiquement à côté. À l'exception de la chemise en « coton gratté vert forêt » qu'elle avait commandée sur un site appelé Moods of Norway. C'était la chemise, si elle devait en croire ses yeux, que « Joe » portait sur la vidéo. Elle savait exactement où il la rangeait.

Or elle n'y était plus.

Une fois de plus, Maya ne dit rien. Mais une chose était sûre à présent : quelqu'un était venu chez elle.

Quelqu'un avait fouillé dans les affaires de Joe.

Dix minutes plus tard, Maya accueillait la seule personne capable de lui fournir une explication : Isabella.

Isabella avait gardé Lily la veille ; elle aurait donc – en principe – remarqué une chose aussi inhabituelle qu'un revenant fouillant dans sa garde-robe ou jouant avec sa fille.

Par la fenêtre de la chambre, elle la regarda arriver, s'efforçant de l'évaluer comme on jauge une force ennemie à l'approche. Elle n'était armée que de son sac à main, encore que celui-ci puisse très bien contenir une arme. Elle le serrait très fort, craignant peut-être qu'on ne le lui arrache, mais ça, c'était Isabella tout craché. Elle n'était pas particulièrement chaleureuse, sauf avec Lily, et c'était tout ce qui comptait. Elle avait aimé Joe comme une employée fidèle aime son bienfaiteur. Maya, elle, était seulement tolérée en tant qu'intruse. On rencontre parfois ce phénomène chez les employés fidèles, plus snobs et plus hautains que leurs riches employeurs.

Mais n'avait-elle pas l'air plus méfiant qu'à son habitude ?

Difficile à dire. Isabella avait toujours l'air méfiant, avec son regard fuyant, ses traits figés, sa gestuelle réduite au strict minimum. Était-ce pire aujourd'hui, ou l'imagination de Maya, déjà mise à rude épreuve, lui jouait-elle des tours ?

Isabella ouvrit la porte avec sa clé. Maya resta en haut sans bouger.

— Madame Burkett ?

Silence.

— Madame Burkett ?

— On arrive.

Elle prit la télécommande et éteignit le poste. Elle pensait que Lily allait protester, mais l'enfant avait entendu la voix de sa nounou et était pressée de descendre.

Isabella était en train de laver une tasse à café dans l'évier. Elle se retourna au bruit de pas dans l'escalier. Son regard se posa sur Lily et elle seule, et son visage impassible se fendit d'un sourire. Un joli sourire, pensa Maya, mais qui manquait peut-être un peu d'éclat ?

Assez.

Lily tendit les bras vers elle. Isabella ferma le robinet, se sécha les mains sur une serviette, tendit les bras à son tour et roucoula en remuant les doigts, l'air de dire : « Donnez-la-moi. »

— Ça va, Isabella ? fit Maya.

— Bien, merci, madame Burkett.

Isabella voulut lui prendre Lily, et, l'espace d'un instant, Maya faillit le lui refuser. Eileen avait demandé si elle faisait confiance à cette femme. Autant que faire se peut, avait-elle plus ou moins répondu. Mais après ce qu'elle venait de voir…

Isabella lui arracha Lily des mains. Puis, sans un mot, elle passa avec elle au salon. Elles s'assirent toutes deux sur le canapé.

— Isabella ?

Elle se redressa en sursaut, un sourire figé aux lèvres.

— Oui, madame Burkett ?

— Puis-je vous dire deux mots ?

Lily était perchée sur ses genoux.

— Maintenant ?

— Si vous voulez bien, dit Maya.

Sa propre voix lui parut bizarre.

— J'ai quelque chose à vous montrer.

Avec précaution, Isabella plaça Lily sur un coussin du canapé, lui donna un livre en carton, se leva et lissa sa jupe. Elle s'avança lentement vers Maya, presque comme si elle s'attendait à recevoir un coup.

— Oui, madame Burkett ?

— Est-ce que quelqu'un est venu ici hier ?

— Je ne vois pas ce que vous voulez dire.

— Je veux dire, fit Maya en s'efforçant de parler posément, y a-t-il eu quelqu'un dans cette maison hier, en dehors de Lily et vous ?

— Non, madame Burkett.

Son visage était redevenu de marbre.

— Qui aurait-il pu y avoir ?

— Je ne sais pas, n'importe qui. Hector, par exemple. Il n'est pas entré dans la maison ?

— Non, madame.

— Donc, personne n'est entré dans cette maison.

— Personne.

Maya jeta un œil sur son ordinateur.

— Et vous-même n'êtes pas sortie à un moment ou un autre ?

— Sortie de la maison ?

— Oui.

— Lily et moi, on a été sur l'aire de jeux. On y va tous les jours.

— Et, une fois rentrées, vous n'avez plus quitté la maison ?

Isabella fit mine de réfléchir.

— Non, madame Burkett.

— Vous n'êtes pas sortie toute seule ?

— Sans Lily ?! siffla-t-elle comme si elle venait d'essuyer un affront. Bien sûr que non.

— Vous ne l'avez jamais laissée seule ?

— Je ne comprends pas.

— Simple question, Isabella.

— Je n'y comprends rien du tout, déclara Isabella. Pourquoi me demandez-vous tout ça ? Vous n'êtes pas contente de mon travail ?

— Je n'ai pas dit cela.

— Jamais je ne laisse Lily seule. Jamais. Quand elle fait sa sieste, je descends peut-être faire un peu de ménage…

— Il ne s'agit pas de ça.

Isabella scruta son visage.

— De quoi s'agit-il alors ?

Inutile de continuer à tourner autour du pot.

— Je vais vous montrer quelque chose.

L'ordinateur était posé sur l'îlot central de la cuisine. Maya l'ouvrit tandis qu'Isabella s'approchait.

— J'ai une caméra au salon, commença-t-elle.

Isabella eut l'air interloqué.

— C'est une amie qui me l'a offerte, ajouta-t-elle en guise d'explication.

Mais, au fond, avait-elle besoin de se justifier ?

— Elle filme ce qui se passe ici en mon absence.

— Une caméra ?

— Oui.

— Je n'ai jamais vu de caméra ici, madame Burkett.

— Normal, elle est cachée.

Le regard d'Isabella pivota vers le salon.

— Vous voyez ce cadre numérique sur l'étagère ?

Ses yeux se posèrent sur la bibliothèque.

— C'est la caméra.

Isabella se retourna vers elle.

— Comme ça, vous m'espionnez ?

— Je surveille mon enfant, répondit Maya.

— Mais vous ne m'avez rien dit.

— Non, en effet.

— Pourquoi ?

— Pas la peine de monter sur vos grands chevaux.

— Ah oui ?

Isabella haussa le ton.

— Vous n'avez pas confiance en moi.

— Ça n'a rien à voir avec vous, Isabella. Lily est ma fille. Je suis responsable de son bien-être.

— Et le fait de m'espionner, vous pensez que c'est bon pour elle ?

Maya ouvrit la vidéo en mode plein écran.

— Jusqu'ici, je me disais que ça ne pouvait pas faire de mal.

— Et maintenant ?

Elle tourna l'ordinateur vers Isabella.

— Regardez.

Elle-même ne prit pas la peine de visionner l'enregistrement une nouvelle fois. Elle l'avait assez vu. Elle se concentra plutôt sur le visage d'Isabella, guettant le moindre signe de stress ou de dissimulation.

— Et que suis-je censée voir ?

Maya risqua un coup d'œil sur l'écran. Le faux Joe venait de sortir du champ après l'avoir occupé tout entier.

— Regardez, c'est tout.

Isabella plissa les yeux. Maya tenta de respirer calmement. On dit qu'il est impossible de prévoir la réaction de quelqu'un à qui on lance une grenade. Admettons que vous soyez là avec vos compagnons d'armes quand une grenade atterrit à vos pieds. Qui s'enfuit ? Qui se jette à plat ventre ? Qui bondit sur la grenade au péril de sa propre vie ? On peut toujours essayer de deviner mais, tant que la grenade n'a pas été lancée, impossible de savoir.

Maya n'avait plus à faire ses preuves auprès de ses camarades de régiment. Dans le feu de l'action, elle savait se montrer sereine, posée, concentrée. C'est à ça qu'on reconnaissait ses qualités de chef militaire.

Curieusement, il n'en restait rien dans sa vie privée. Eileen lui avait parlé de son petit Kyle, tellement organisé et méticuleux dans son école Montessori… et tout l'inverse à la maison. Eh bien, il en allait de même pour Maya.

Pendant qu'elle se tenait au-dessus d'Isabella, quand « Joe » apparut à l'écran et assit Lily sur ses genoux, et que l'expression d'Isabella ne changea pas, elle se sentit chavirer.

— Alors ? dit-elle.

Isabella la regarda.

— Alors quoi ?

Son sang ne fit qu'un tour.

— Comment ça, alors quoi ?

Isabella eut un mouvement de recul.

— Comment expliquez-vous ceci ?

— Je ne vois pas de quoi vous parlez.

— Arrêtez votre petit jeu, Isabella.

Cette dernière fit un pas en arrière.

— Je ne comprends pas ce que vous attendez de moi.

— Vous avez regardé la vidéo ?

— Mais oui.

— Et vous avez vu cet homme, non ?

Isabella ne dit rien.

— Vous l'avez vu, hein ?

Elle se taisait toujours.

— Je vous ai posé une question, Isabella.

— Je ne sais pas ce que vous me voulez.

— Vous l'avez vu, oui ou non ?

— Qui ?

— Comment ça, qui ? Joe !

Maya la saisit par les revers de son gilet.

— Comment diable est-il entré ici ?

— S'il vous plaît, madame Burkett ! Vous me faites peur !

Maya la souleva par les revers.

— Vous n'avez pas vu Joe ?

Isabella soutint son regard.

— Pourquoi ?

Sa voix n'était plus qu'un murmure à peine audible.

— Vous l'avez vu, vous ?

— Pas… Pas vous ?

— S'il vous plaît, madame Burkett. Vous me faites mal.

— Attendez, vous êtes en train de me dire…

— Lâchez-moi !

— Maman…

Maya regarda Lily. Isabella en profita pour s'écarter, la main sur la gorge comme si on avait tenté de l'étrangler.

— Tout va bien, chérie, dit Maya à sa fille.

Isabella, feignant de reprendre son souffle, ajouta :

— C'est un jeu entre maman et moi, Lily.

Lily les observait toutes les deux.

Isabella se frottait le cou d'un geste théâtral. Maya se retourna, et elle leva aussitôt la main pour l'arrêter.

— Je veux une réponse, dit Maya.

Isabella hocha la tête avec effort.

— D'accord, mais il faut que je boive un peu d'eau d'abord.

Maya hésita, puis alla prendre un verre dans le placard, ouvrit le robinet. Une pensée lui traversa alors l'esprit.

Cette caméra lui venait d'Eileen.

Elle y réfléchit tout en remplissant le verre. Mais, au moment où elle se tournait vers Isabella, elle entendit un drôle de sifflement.

Maya poussa un cri. Une douleur insupportable, incandescente, la submergea.

Ce fut comme si on lui enfonçait de minuscules éclats de verre dans les globes oculaires. Ses genoux fléchirent. Elle s'affaissa sur le sol.

Le sifflement.

Quelque part dans les limbes au-delà de la brûlure, de la douleur lancinante vint la compréhension.

Isabella lui avait pulvérisé quelque chose au visage.

Du spray au poivre.

Non seulement le spray au poivre brûlait les yeux, mais il enflammait les muqueuses du nez, de la gorge, des poumons. Maya retint son souffle pour éviter qu'il ne pénètre plus loin et cilla rapidement afin de faire monter les larmes. Sauf que le soulagement attendu ne vint pas tout de suite.

Elle était incapable de bouger.

Un bruit de pas précipités, une porte qui claque.

Isabella était partie.

— Maman ?

Maya avait réussi à se traîner jusqu'à la salle de bains.

— Maman va bien, chérie. Fais-moi un dessin, OK ? J'arrive dans une minute.

— Isabella ?

— Isabella va bien aussi. Elle revient bientôt.

Il lui fallut du temps pour s'en remettre, plus de temps qu'elle ne l'aurait cru. La morsure de la rage la brûlait autant que le spray au poivre. Les dix premières minutes, elle s'était retrouvée totalement paralysée, sans défense. Finalement, les spasmes et la douleur s'apaisèrent. Maya reprit sa respiration, se nettoya les yeux, se lava le visage au savon. Puis elle se sermonna.

Tourner le dos à l'ennemi. Quel amateurisme !

Comment avait-elle pu être aussi bête ?

Elle était furieuse, mais surtout contre elle-même. Elle avait même failli se laisser convaincre par le numéro d'Isabella, pensant qu'elle n'était réellement pas au courant. Du coup, elle avait baissé la garde. Juste une seconde. Et voilà le résultat.

N'avait-elle pas connu maints exemples où un écart, un instant d'inattention avait coûté la vie à l'imprudent ?

Cela ne se reproduirait plus.

Bon, assez d'autoflagellation. Il était temps de se souvenir, d'apprendre et d'avancer.

Et maintenant ?

Déjà, reprendre des forces. Pour ensuite retrouver Isabella et la faire parler.

On sonna à la porte.

Maya se rinça les yeux une dernière fois et alla ouvrir. Elle hésita à aller chercher une arme – elle ne prendrait plus de risques –, mais elle s'aperçut vite que c'était l'inspecteur Kierce.

En la voyant, il écarquilla les yeux.

— Qu'est-ce qui vous est arrivé ?

— J'ai reçu du spray au poivre en pleine figure.

— Pardon ?

— Isabella. Ma nounou.

— Vous êtes sérieuse ?

— Non, c'est mon talent de comédienne. Rien de tel que les histoires de nounou et de spray au poivre pour briser la glace.

Roger Kierce balaya la pièce du regard.

— Pourquoi ?

— J'ai vu quelque chose sur ma caméra espion.

— Vous avez une caméra espion ?

— Oui.

Elle repensa à Eileen qui lui avait même indiqué l'endroit où placer le cadre.

— Elle est cachée dans un cadre numérique.

— Bon sang. Vous avez… Vous avez vu Isabella faire quelque chose à…

— Hein ?

Mais bien sûr : c'était la première chose à laquelle un flic songeait.

— Non, il ne s'agit pas de ça.

— Alors je ne comprends pas très bien.

Maya se dit que, à long terme, elle gagnerait à ne pas y aller par quatre chemins.

— Je vais vous montrer, ce sera plus simple.

Kierce la suivit dans la cuisine. Il avait l'air perplexe. Et ce n'était rien à côté de ce qui l'attendait, pensa-t-elle.

Elle tourna l'écran de l'ordinateur vers lui, déplaça le curseur, cliqua sur le bouton.

Rien.

Elle vérifia le port USB.

La carte mémoire n'y était plus.

Maya inspecta l'îlot et le carrelage autour. Mais elle avait déjà compris.

— Qu'y a-t-il ? fit Kierce.

Maya inspira profondément, à plusieurs reprises. Elle devait garder la tête froide. Anticiper comme si elle était en mission. On ne lâche pas des missiles comme ça sur le SUV noir. On doit mesurer sa réaction. Et collecter tous les renseignements possibles avant de commettre l'irréparable.

Elle voyait déjà la scène d'ici. Si elle racontait de but en blanc ce qu'elle avait vu sur la vidéo, Kierce la prendrait pour une folle. Elle-même trouvait ça insensé. D'ailleurs, était-elle sûre et certaine d'avoir toute sa tête ?

Allons-y mollo.

— Madame Burkett ?

— Je vous ai dit de m'appeler Maya.

La carte SD, seule preuve qu'elle n'était pas foldingue, avait disparu. Isabella l'avait subtilisée. Il serait peut-être plus sage qu'elle gère ça toute seule. D'un autre côté, si elle n'en parlait pas et que la carte refaisait surface…

— Isabella a dû la prendre.

— Prendre quoi ?

— La carte mémoire.

— Après vous avoir aspergée de spray au poivre ?

— Oui, répondit Maya sur un ton qui se voulait autoritaire.

— Donc elle vous envoie une giclée de poivre, s'empare de la carte et file, c'est ça ?

— C'est ça.

Kierce hocha la tête.

— Et il y avait quoi dessus ?

Maya jeta un coup d'œil au salon. Lily était béatement absorbée dans un puzzle géant représentant un zoo.

— J'ai vu un homme.

— Un homme ?

— Oui, sur la vidéo. Lily était assise sur ses genoux.

— Waouh, fit Kierce. Un inconnu, je présume ?

— Non.

— Vous le connaissez ?

Maya acquiesça.

— Eh bien, qui était-ce ?

— Vous n'allez pas me croire. Vous allez penser, et c'est bien normal, que j'ai des hallucinations.

— Dites toujours.

— C'était Joe.

À sa décharge, Kierce ne s'exclama pas, ne grimaça pas, ne la regarda pas comme si elle était complètement cinglée.

— Je vois, dit-il, cherchant probablement lui aussi à se donner une contenance. C'était une vieille vidéo ?

— Hein ?

— Une vidéo filmée du vivant de Joe. Vous avez peut-être cru avoir enregistré par-dessus et…

— J'ai eu la caméra après le meurtre.

Kierce ne dit rien.

— La vidéo est datée d'hier, ajouta Maya.

— Mais…

Nouveau silence. Puis :

— Vous savez bien que ce n'est pas possible.

— Je sais.

Ils se dévisagèrent. Inutile d'essayer de le convaincre. Elle changea donc de sujet.

— Pourquoi êtes-vous venu me voir ?

— Il faut que vous m'accompagniez au poste.

— Pourquoi ?

— Je ne peux pas vous le dire. Mais c'est important.

7

La même petite jeune fille souriante les accueillit à la crèche.

— Je me souviens de vous.

Elle se pencha vers Lily.

— Et je me souviens de toi. Bonjour, Lily.

La fillette ne dit rien. Les deux femmes la laissèrent avec un jeu de cubes et passèrent dans le bureau.

— Je viens pour l'inscrire, annonça Maya.

— Super ! À partir de quand ?

— Maintenant.

— Hmm, ça ne se passe pas tout à fait comme ça. Normalement, il nous faut deux semaines pour traiter un dossier.

— Ma nounou est partie sans prévenir.

— J'en suis désolée pour vous, mais…

— Mademoiselle… excusez-moi, j'ai oublié votre nom.

— Kitty Shum.

— Mademoiselle Kitty. Vous voyez cette voiture verte, là-bas ?

Kitty regarda par la fenêtre. Ses yeux s'étrécirent.

— Cet individu vous importune ? Vous voulez qu'on appelle la police ?

— C'est une voiture de police banalisée. J'ai perdu mon mari récemment. Il a été assassiné.

— Oui, j'ai vu ça dans le journal, dit Kitty. Toutes mes condoléances.

— Merci. Il se trouve que cet officier de police doit me conduire au poste. Je ne sais pas très bien pourquoi. Il est passé à la maison. J'ai donc le choix. J'emmène Lily avec moi pendant qu'on m'interroge sur le meurtre de son père…

— Madame Burkett…

— Maya.

— Maya, répéta Kitty sans quitter des yeux la voiture de Kierce. Vous savez comment télécharger notre application sur votre téléphone ?

— Oui.

Kitty hocha la tête.

— Évitons les adieux déchirants, ça vaudra mieux pour votre petite fille.

— Je vous remercie.

Lorsqu'ils arrivèrent au commissariat de Central Park, Maya demanda :

— Maintenant, vous pouvez me dire ce qu'on fait là ?

Kierce avait à peine desserré les dents durant le trajet. Ce qui arrangeait plutôt Maya. Il lui fallait du temps pour réfléchir à tout ceci : la caméra espion, la vidéo, Isabella, la chemise vert forêt.

— J'ai besoin de vous pour une identification.

— Qui dois-je identifier ?

— Je ne veux pas influencer votre réponse.

— Il ne peut pas s'agir des agresseurs. Je vous l'ai dit. Ils portaient des cagoules.

— Noires d'après vous. Avec des ouvertures pour les yeux et la bouche ?

— Oui.

— Parfait. Venez avec moi.

— Je ne comprends pas.

— Vous allez comprendre.

Tout en lui emboîtant le pas, Maya consulta l'application de la crèche. Celle-ci permettait de régler les factures, réserver des créneaux horaires, suivre le « cursus d'activités » de l'enfant, accéder au curriculum de toutes les éducatrices. Cerise sur le gâteau – et raison principale pour laquelle elle avait choisi cette crèche-là –, il y avait une fonctionnalité supplémentaire. Maya cliqua dessus. On pouvait naviguer entre la salle rouge, la salle verte et la salle jaune. Les enfants du groupe d'âge de Lily étaient dans la salle jaune. Maya sélectionna l'icône jaune.

Kierce ouvrit la porte.

— Maya ?

— Une seconde.

L'écran de son téléphone s'anima, lui offrant une vue en direct de la salle jaune. On aurait pu croire qu'elle avait eu son content de vidéos de surveillance pour aujourd'hui, mais non. Elle tourna son téléphone de côté pour agrandir l'image. Lily était là. Saine et sauve. Une éducatrice – plus tard, Maya pourrait jeter un œil sur son curriculum – était en train d'empiler des cubes avec elle et un petit garçon de son âge.

Soulagée, Maya sourit presque. Elle aurait dû insister dès le départ pour mettre Lily dans un établissement de ce style. Confier son enfant à une nounou vous rendait dépendant d'une seule personne, sans aucune surveillance et avec peu de frein et de contrepoids. Ici, il y avait des témoins, des caméras de surveillance, la socialisation. C'était forcément plus sûr, non ?

— Maya ?

Kierce, à nouveau. Elle ferma l'application et glissa le téléphone dans sa poche. Ils entrèrent dans une pièce où se trouvaient déjà deux autres personnes : une procureure chargée du dossier et un avocat de la défense. Maya essaya de se concentrer, mais l'histoire d'Isabella et de la caméra espion l'obsédait. Les effets à retardement du spray au poivre lui rongeaient les poumons et les muqueuses nasales. Elle ne cessait de renifler comme une cocaïnomane.

— Je demande encore une fois qu'on prenne note de mon objection, déclara l'avocat.

Ses cheveux longs noués en catogan lui retombaient dans le dos.

— Le témoin ici présent a admis n'avoir jamais vu leur visage.

— C'est noté, acquiesça Kierce. Et nous sommes d'accord.

Catogan écarta les mains.

— Alors que faisons-nous ici ?

Maya se posait la même question.

Kierce tira sur le cordon, et le store remonta. Se penchant vers un micro, il dit :

— Envoyez le premier groupe.

Six individus entrèrent dans la pièce. Tous cagoulés.

— C'est absurde, déclara Catogan.

Maya ne s'attendait pas à cela.

— Madame Burkett, fit Kierce, articulant comme s'il était enregistré, ce qui était probablement le cas, reconnaissez-vous quelqu'un dans cette pièce ?

Il la regarda d'un air interrogateur.

— Le numéro quatre, dit Maya.

— C'est n'importe quoi, piaffa Catogan.

— Et comment avez-vous fait pour reconnaître le numéro quatre ?

— « Reconnaître » est un grand mot, répondit Maya. Mais il est de la même taille et il a la même carrure que l'homme qui a tiré sur mon mari. Et il porte les mêmes vêtements.

— Ils sont plusieurs ici à porter les mêmes vêtements, observa Catogan. Comment pouvez-vous en être si sûre ?

— Je vous l'ai dit, c'est une question de taille et de carrure.

— Vous en êtes certaine ?

— Oui. Le numéro deux se rapproche le plus, mais il porte des baskets bleues. L'homme qui a tué mon mari avait des baskets rouges.

— Que les choses soient claires, déclara Catogan. Vous ne pouvez affirmer avec certitude que le numéro quatre est l'homme qui a tiré sur votre mari. D'après vos souvenirs, il est à peu près de la même taille et porte une tenue similaire…

— Pas similaire, interrompit Maya. Identique.

Catogan pencha la tête.

— Comment pouvez-vous le savoir, madame Burkett ? Des Converse rouges, ce n'est pas ça qui manque dans les rues. Admettons que je vous en présente quatre paires : serez-vous en mesure de m'indiquer celle que votre agresseur portait ce soir-là ?

— Non.

— Je vous remercie.

— Sauf que la tenue n'est pas « similaire ». Ce n'est pas comme s'il portait des Converse blanches au lieu de rouges. Le numéro quatre est habillé exactement comme le tireur.

— Ce qui m'amène au point suivant, enchaîna Catogan. Vous ne pouvez être certaine qu'il s'agit du tireur, n'est-ce pas ? L'homme cagoulé pourrait porter les mêmes vêtements et être de la même taille que le tireur. Est-ce exact ?

Maya hocha la tête.

— Oui, c'est exact.

— Merci.

Catogan en avait fini pour le moment. Kierce se pencha vers le micro.

— Vous pouvez partir. Envoyez le second groupe.

Six autres hommes entrèrent, cagoulés eux aussi. Maya les examina.

— Il se pourrait que ce soit le numéro cinq.

— Il se pourrait ?

— Le numéro deux est habillé pareil et il est presque de la même taille. Je dirais que c'est le numéro cinq, mais ils sont si semblables que je ne le jurerais pas.

— Merci, dit Kierce.

Et il ajouta dans le micro :

— Ce sera tout, merci.

Elle le suivit hors de la salle.

— Vous pouvez m'expliquer ce qui se passe ?

— Nous avons arrêté deux suspects.
— Comment les avez-vous retrouvés ?
— D'après votre signalement.
— Vous pouvez me montrer ?
Kierce hésita brièvement.
— OK, venez.
Il la conduisit vers une table avec un grand écran, trente pouces, peut-être plus. Ils s'assirent, et il pianota sur le clavier.
— Nous avons épluché toutes les caméras de vidéosurveillance du quartier le soir du meurtre. Comme vous pouvez l'imaginer, ça a pris du temps. Bref, il y a un immeuble au coin de la 74e Rue est et la Cinquième Avenue. Regardez.
La caméra avait filmé les deux hommes d'en haut.
— Ce sont eux ?
— Oui, fit Maya. Ou préférez-vous que je noie le poisson en parlant de la similitude de la taille et des vêtements ?
— Non, notre conversation n'est pas enregistrée. Comme vous le constatez, ils ne portent pas de cagoules. Ils n'allaient pas les mettre dans la rue : ça aurait éveillé les soupçons.
— N'empêche, je ne vois toujours pas comment vous avez fait pour les identifier sur ces images.
— Je sais. La caméra est trop en hauteur. C'est exaspérant. Vous n'imaginez pas le nombre de fois où cela nous arrive. Avec ces caméras haut perchées, les criminels n'ont qu'à rentrer le menton ou mettre une casquette pour qu'on ne puisse pas voir leur visage. Mais bon, une fois qu'on a eu ça, on a su qu'ils étaient dans les parages. On a donc continué à chercher.

— Et vous les avez repérés à nouveau ?

Kierce hocha la tête et se remit à taper.

— Ouais. Dans une supérette, une demi-heure plus tard.

Il lança la vidéo. Cette fois, les images étaient en couleur, prises depuis une caisse enregistreuse. On voyait leurs visages maintenant. L'un des deux hommes était noir. L'autre, au teint plus clair, peut-être un Latino. Ils payèrent en liquide.

— C'est gonflé, fit Kierce.

— Quoi ?

— Regardez l'horodatage. Ça se passe un quart d'heure après qu'ils ont abattu votre mari. Or les voici, peut-être à cinq cents mètres de l'endroit où ils l'ont tué, en train d'acheter des Red Bull et des Doritos.

Maya avait les yeux rivés sur l'écran.

— Je les trouve drôlement gonflés.

Elle se tourna vers lui.

— Ou alors je me suis trompée.

— Ça m'étonnerait.

Kierce mit la vidéo sur pause, figeant les deux hommes. Des hommes jeunes, certes, mais Maya en avait côtoyé suffisamment du même âge dans l'armée pour les considérer comme des garçons.

— Jetez un œil là-dessus.

Il tapa sur une flèche : la caméra zooma, agrandissant l'image. Kierce focalisa sur le Latino.

— C'est l'autre gars, hein ? Celui qui était avec le tireur ?

— Oui.

— Vous ne remarquez rien ?

— Pas vraiment.

Il zooma plus près, à la hauteur de sa taille.

— Regardez bien.

Maya hocha la tête.

— Port d'arme illégal.

— Exact. De près, on voit la crosse qui dépasse.

— Pas très fin, dit-elle.

— Eh non. Je me demande comment réagiraient vos copains patriotes, adeptes du port ouvert, en voyant ces deux-là se balader équipés de la sorte.

— Vous avez retrouvé l'arme ?

— Vous le savez bien.

Il soupira et se leva.

— Je vous présente Emilio Rodrigo. Un casier impressionnant pour un jeune punk. Pareil pour son petit camarade. M. Rodrigo avait le Beretta M9 sur lui quand nous l'avons interpellé. Détention illégale. C'est la prison assurée.

Il s'interrompit.

— J'entends un « mais », fit Maya.

— On a perquisitionné à leur domicile, à l'un et à l'autre. C'est là qu'on a découvert les vêtements que vous avez décrits et identifiés.

— Ça va jouer au procès ?

— J'en doute. Comme dit notre ami à la queue-de-cheval, n'importe qui peut avoir des Converse rouges chez lui. En revanche, il n'y avait aucune trace de cagoules, ce que je trouve bizarre. S'ils ont gardé les habits, pourquoi avoir jeté les cagoules ?

— Je n'en sais rien.

— Ils ont dû les balancer dans une poubelle. Direct. Ils tirent, ils prennent la fuite, ils arrachent les cagoules et s'en débarrassent aussi sec.

— Ça tombe sous le sens.

— Ouais, sauf qu'on a fouillé toutes les poubelles des environs. Mais bon, ils auraient pu les déposer ailleurs. Les jeter dans un égout, par exemple.

Kierce hésita.

— Qu'y a-t-il ?

— Eh bien, nous avons localisé le Beretta. Mais on n'a pas retrouvé l'arme du crime. Le 38.

Maya se redressa.

— Ce serait surprenant qu'ils l'aient gardé, ne croyez-vous pas ?

— Possible. Sauf que…

— Sauf que quoi ?

— Ces gars-là jettent rarement un flingue. Contrairement à ce qu'on pourrait penser. Ça vaut de l'argent. Généralement, ils le réutilisent ou le revendent à un pote.

— Mais là, ils n'ont pas affaire à n'importe qui. Vu le statut social, plus tout le battage médiatique.

— C'est vrai aussi.

Elle scruta son visage.

— Mais vous n'y croyez pas, n'est-ce pas ? Vous avez une autre explication.

— En effet.

Kierce détourna le regard.

— Seulement elle ne tient pas debout.

— Quoi ?

Il se gratta le bras, un genre de tic nerveux, probablement.

— Les projectiles prélevés sur le corps de votre mari, de calibre 38. Nous les avons soumis à l'examen balistique pour voir s'ils correspondaient à d'autres cas dans notre fichier.

Maya le regarda. Il se grattait toujours.

— Et d'après votre tête, dit-elle, vous avez établi une correspondance.

— Oui.

— Donc ces deux-là avaient déjà tué.

— Je ne crois pas.

— Mais vous venez de dire…

— La même arme, pas forcément les mêmes gars. En fait, Fred Katen, celui que vous avez identifié comme étant le tireur, avait un alibi en béton pour le premier meurtre. Il était en taule. Ce n'était donc pas lui.

— Quand ça ?

— Quand quoi ?

— Ça date de quand ?

— Quatre mois.

Un courant d'air glacé traversa la pièce. Kierce n'eut pas besoin d'en dire plus. Il savait. Elle savait. Évitant son regard, il hocha la tête.

— L'arme qui a tué votre mari est aussi celle qui a tué votre sœur.

8

— Ça va ? demanda Kierce.
— Très bien.
— Je sais que ça fait beaucoup à la fois.
— Ne me traitez pas comme si j'étais une demeurée, inspecteur.
— Désolé. Vous avez raison. On reprend depuis le début, OK ?
Maya acquiesça, le regard fixé droit devant elle.
— Il faut revoir les choses sous un jour entièrement nouveau. Les deux meurtres semblaient avoir été commis au hasard, sans aucun lien entre eux, mais maintenant, sachant qu'il s'agit d'une seule et même arme…
Elle ne dit rien.
— Au moment de l'assassinat de votre sœur, vous étiez stationnée au Moyen-Orient, n'est-ce pas ?
— À Camp Arifjan, oui. Au Koweït.
— Je sais.
— Quoi ?
— Nous avons vérifié. Pour plus de sûreté.
— Plus de sûreté ?
Elle sourit presque.

— Comme si j'étais rentrée en catimini pour tuer ma sœur, puis que j'étais repartie au Koweït et que j'avais attendu quatre mois pour assassiner mon mari ?

Kierce ne releva pas.

— Tout a été confirmé. Votre alibi est solide comme un roc.

— Génial.

Maya repensa au coup de fil de Joe. Les larmes. Le choc. Ce maudit coup de fil qui avait changé à jamais le cours de son existence. C'est ce qu'on appelle l'ironie du sort. On part à l'autre bout du monde combattre un ennemi enragé. On croit que le danger vient de là, d'un combattant armé, que si votre vie doit voler en éclats ce sera dû à un lance-roquettes, à un engin explosif ou aux balles du fusil d'assaut d'un fanatique.

Mais non, l'ennemi avait frappé, comme c'est souvent le cas, là où on l'attendait le moins, sur ce bon vieux sol américain.

— Maya ?

— Je vous écoute.

— Les policiers chargés d'enquêter sur le meurtre de votre sœur pensaient que c'était l'œuvre d'un intrus. Elle a été… Vous connaissez les détails ?

— Suffisamment, oui.

— Je suis désolé.

— Je vous ai demandé de ne pas me prendre pour une demeurée.

— Ça n'a rien à voir. Je réagis en tant que simple être humain. Ce qu'elle a subi…

Maya sortit son portable. Elle avait envie de voir le visage de sa fille. Elle avait besoin de cet ancrage.

Puis elle se ravisa. Non. Pas maintenant. Ne mêle pas Lily à ça. Même de la manière la plus anodine qui soit.

— Au moment du crime, les flics se sont aussi intéressés de près au mari…

Il fouilla parmi ses papiers.

— Eddie.

— C'est ça. Edward Walker.

— Il n'aurait pas fait ça. Il l'aimait.

— Oui, il a été blanchi, admit Kierce. Mais maintenant, il faut qu'on se penche de plus près sur sa vie de famille. On repart de zéro.

Maya, qui venait de comprendre, eut un sourire sans joie.

— Cela fait combien de temps, inspecteur ?

Il avait toujours le nez dans ses papiers.

— Pardon ?

— Le rapport balistique. Cela fait combien de temps que vous étiez au courant ?

Kierce continuait à compulser le dossier.

— Un moment déjà, hein ? Vous saviez que la même arme avait tué Claire et Joe.

— Qu'est-ce qui vous fait dire ça ?

— Quand vous êtes venu chez moi jeter un œil sur mon Smith & Wesson, c'était pour vous assurer, j'imagine, que ce n'était pas l'arme du crime… ni dans l'un ni dans l'autre cas.

— Ça ne veut rien dire.

— Non, mais vous avez laissé entendre que je ne faisais plus partie des suspects. Vous vous souvenez ?

Il ne répondit pas.

— Parce que vous saviez déjà que j'avais le parfait alibi. Vous saviez que la même arme avait servi à tuer ma sœur. Et qu'à l'époque j'étais basée à l'étranger. Vous n'aviez pas encore trouvé les deux types encagoulés. J'aurais donc pu tout inventer. Mais, une fois que vous avez eu le rapport balistique, il vous a suffi de vous informer sur mes faits et gestes auprès du commandement militaire. Pareille procédure demande beaucoup plus qu'un simple coup de fil. Alors, depuis combien de temps aviez-vous ce rapport ?

Il baissa la voix.

— Depuis l'enterrement.

— OK. Et quand avez-vous épinglé Emilio Rodrigo et Fred Katen et obtenu la confirmation de mon séjour au Koweït ?

— Hier soir tard.

Maya hocha la tête… exactement ce qu'elle avait pensé.

— Allons, Maya, ne soyez pas naïve. Comme je vous l'ai dit, nous nous sommes penchés de près sur votre beau-frère au moment du meurtre de votre sœur. S'il y a un domaine où il n'y a pas de sexisme, c'est bien celui-là. Réfléchissez un peu. Vous êtes l'épouse. Vous étiez seuls dans le parc. À ma place, qui soupçonneriez-vous en premier ?

— Surtout, ajouta Maya, si l'épouse en question a servi dans l'armée et qu'elle est à vos yeux une allumée de la gâchette.

Il ne prit pas la peine de protester.

— Alors maintenant qu'on a éclairci tout ça, poursuivit-elle, que fait-on ?

— On cherche les éléments en commun entre votre sœur et votre mari.

— Le principal étant moi.

— Oui, mais pas seulement.

Maya acquiesça.

— Ils travaillaient ensemble.

— Tout à fait. Joe a fait entrer votre sœur dans sa société de capital-investissement. Pourquoi ?

— Parce que Claire était quelqu'un de brillant.

Rien que de prononcer son prénom lui faisait mal.

— Parce que Joe savait qu'elle travaillait dur et qu'on pouvait compter sur elle.

— Et parce qu'elle faisait partie de la famille ?

Maya réfléchit.

— Oui, mais rien à voir avec le népotisme.

— C'est quoi, alors ?

— Les Burkett sont très attachés à leur famille. Ils forment une sorte de clan à l'ancienne.

— Et ils ne font pas confiance aux gens qui n'en font pas partie ?

— Ils ne *veulent* pas faire confiance aux gens du dehors.

— OK, je vois, dit Kierce, mais si je devais travailler tous les jours avec ma belle-sœur… au secours ! Vous me comprenez ?

— Oui.

— Évidemment, ma belle-sœur est une emmerdeuse comme il n'y en a pas deux. Je suis sûr que votre sœur…

Il se racla la gorge.

— Cette collaboration entre eux, entre Joe et Claire… était-elle source de tensions ?

— Ça m'a préoccupée, répondit Maya. J'avais un oncle chef d'entreprise. Sa boîte marchait du feu de Dieu. Mais d'autres membres de la famille ont voulu leur part de gâteau, et ça a tout fichu par terre. L'argent et la famille ne font pas bon ménage. Il y a toujours quelqu'un qui se sent lésé dans l'affaire.

— Mais ça n'a pas été le cas ici ?

— Pas du tout. Joe et Claire ont noué cette nouvelle relation sympa. Une relation de travail. Ils parlaient boutique tout le temps. Elle l'appelait pour lui soumettre une idée. Il lui envoyait des SMS pour des choses à faire le lendemain.

Elle haussa les épaules.

— En même temps…

— En même temps ?

Maya leva les yeux.

— Je n'étais pas souvent là.

— Vous étiez en mission à l'étranger.

— Oui.

— De toute façon, dit Kierce, ça ne tient pas debout. Pourquoi quelqu'un aurait-il tué Claire, gardé l'arme pendant quatre mois, puis l'aurait donnée à ce type, Katen, pour abattre Joe ?

— Yo, Kierce ?

Un jeune flic lui faisait signe à l'autre bout de la pièce.

— Vous voulez bien m'excuser ?

Kierce le rejoignit, et les deux hommes tinrent un conciliabule à voix basse. Maya les regardait, l'esprit ailleurs, loin de Kierce et de son commissariat.

Elle repensait à la vidéo filmée par la caméra espion.

Normal, il n'avait pas vu les images. Lui, il s'intéressait aux faits, et même s'il n'avait pas pris ses paroles pour les élucubrations d'un cerveau malade, il avait dû croire qu'elle imaginait des choses. À dire vrai, Maya l'avait envisagé elle-même.

Kierce revint vers elle.

— Un problème ?

Attrapant son veston, il le jeta par-dessus son épaule façon Frank Sinatra au Sands.

— Venez, je vous ramène chez vous. On finira cette conversation en chemin.

Ils roulaient depuis dix minutes quand Kierce demanda :

— Vous m'avez vu parler avec mon collègue avant notre départ, hein ?

— Oui.

— C'était au sujet de votre… euh, situation.

Il gardait les yeux sur la route.

— De ce que vous m'avez dit à propos de la caméra espion, du spray au poivre et tout le toutim.

Il n'avait donc pas oublié.

— Oui, eh bien ?

— Écoutez, pour l'instant on fait l'impasse sur le contenu, OK ? Tant que je ne l'ai pas vue et qu'on ne l'a pas analysée tous les deux, il n'y a pas de raison d'infirmer ni de confirmer le contenu de cette vidéo. C'était quoi déjà… une clé USB ?

— Une carte SD.

— Ah oui, une carte SD. Pour le moment, on va laisser de côté le facteur immatériel. Ce qui ne signifie pas qu'on reste les bras ballants.

— J'ai du mal à vous suivre.

— Vous avez été agressée. Cela est un fait. Notez bien : vous avez reçu du spray au poivre ou une autre substance du même genre. Vos yeux sont rouges. Je vois bien que vous en subissez encore le contrecoup.

Quoi qu'on puisse penser, il est clair qu'il vous est arrivé quelque chose.

Il prit un virage, coulant un regard dans sa direction.

— Vous dites que c'est votre nounou, Isabella, qui vous a agressée ?

— C'est exact.

— J'ai envoyé quelqu'un chez elle. Pour vérifier vos allégations.

Ses « allégations ». Jolie formule.

— Et il l'a trouvée ?

Kierce fixait à nouveau la route.

— Laissez-moi d'abord vous poser une question.

Cela ne lui disait rien qui vaille.

— Allez-y.

— Pendant cette altercation, commença-t-il en choisissant ses mots avec soin, avez-vous menacé ou tenté d'étrangler Isabella Mendez ?

— Elle vous a dit ça ?

— Il s'agit d'une simple question.

— La réponse est non.

— Vous ne l'avez pas touchée ?

— Je l'ai peut-être touchée, mais…

— Peut-être ?

— Voyons, inspecteur. J'ai pu la toucher pour solliciter son attention. Comme on le fait entre femmes.

— Entre femmes ?

Il réprima un sourire.

— Vous jouez la carte de la féminité maintenant ?

— Je ne lui ai fait aucun mal.

— L'avez-vous empoignée ?

Elle voyait bien où il voulait en venir.

— Votre collègue l'a donc trouvée ?

— En effet.

— Et elle… a prétendu m'avoir aspergée de poivre pour se défendre ?

— Plus ou moins. D'après elle, vous vous comportiez de façon irrationnelle.

— Comment ça ?

— Vous racontiez avoir vu Joe sur une vidéo.

Maya se demandait comment elle allait s'en sortir.

— Et quoi d'autre ?

— Vous lui avez fait peur. Vous l'avez attrapée par le col de son chemisier d'un air menaçant.

— Je vois.

— Est-ce la vérité ?

— A-t-elle mentionné que je lui avais montré la vidéo ?

— Oui.

— Et ?

— Elle dit que l'écran était noir.

— Nom d'un chien, fit Maya.

— Elle craignait que vous n'ayez des hallucinations. Et comme vous avez été militaire de carrière, vous étiez souvent armée. Quand on additionne le tout : votre passé, vos divagations, vos hallucinations, l'agression physique contre sa personne…

— Agression ?

— Vous avez reconnu vous-même, Maya, l'avoir touchée.

Elle fronça les sourcils, mais ne dit rien.

— Isabella déclare qu'elle s'est sentie menacée. Du coup, elle a sorti son spray au poivre, puis a pris la fuite.

— Votre collègue lui a parlé de la carte SD volatilisée ?

— Oui.

— Laissez-moi deviner. Elle ne l'a pas prise et elle ne sait rien.

— Gagné.

Kierce mit le clignotant.

— Vous souhaitez toujours porter plainte ?

Maya voyait déjà le tableau. Une ex-militaire accro aux armes à feu avec un passé controversé clame qu'elle a vu son mari assassiné jouer avec sa fille dans une vidéo, puis elle saisit la nounou au collet… pour l'accuser ensuite de l'usage injustifié de spray au poivre ? Ah oui, et d'avoir volé la vidéo de son défunt mari.

Mais bien sûr.

— Pas pour l'instant, répondit-elle.

Kierce la déposa devant chez elle et promit de l'informer dès qu'il y aurait du nouveau. Maya le remercia. Elle hésita à aller chercher Lily à la crèche, mais après un coup d'œil sur sa nouvelle application – c'était l'heure des histoires, et même sur l'écran de son téléphone on voyait bien que Lily était captivée –, elle décida qu'il n'y avait pas le feu.

Sa messagerie était saturée d'appels et de SMS provenant de la famille de Joe. Zut. Elle avait raté la lecture du testament. En ce qui la concernait, ce n'était pas bien grave, mais sa belle-famille devait grimper aux rideaux. Elle prit le téléphone et appela la mère de Joe.

Judith décrocha dès la première sonnerie.

— Maya ?

— Désolée pour ce matin.

— Tout va bien ?
— Oui, ça va.
— Et Lily ?
— Aussi. J'ai eu un contretemps. Je ne voulais pas vous inquiéter.
— Quelque chose de plus important que…
— La police a retrouvé les assassins, l'interrompit Maya. Ils avaient besoin de moi pour les identifier.
Judith étouffa une exclamation.
— Et tu as réussi à le faire ?
— Oui.
— Ils sont donc en prison ? C'est fini ?
— C'est plus compliqué que ça, répondit Maya. Pour le moment, ils n'ont pas assez d'éléments pour les arrêter.
— Je ne comprends pas.
— Ils portaient des cagoules. Du coup, je n'ai pas vu leur visage. La carrure et les vêtements ne suffisent pas.
— Alors… on les a laissés partir ? Les deux hommes qui ont tué mon fils se promènent tranquillement dans la nature ?
— Ils en ont épinglé un pour port d'armes illégal. Je vous l'ai dit, c'est compliqué.
— On pourra peut-être en parler quand tu seras là demain matin ? Heather Howell préfère attendre que tout le monde soit réuni avant l'ouverture du testament.
Heather Howell était l'avocate de la famille. Maya raccrocha, contempla sa cuisine. Tout était design et flambant neuf. Dieu que cette table en formica de Brooklyn lui manquait !

Mais que faisait-elle ici, bon sang ? Elle ne s'était jamais sentie chez elle dans cette maison.

Elle s'approcha du cadre numérique sur l'étagère. Peut-être la carte SD était-elle encore dedans. Maya n'y croyait pas vraiment, mais elle était prête à envisager toutes les possibilités. Avait-elle réellement vu Joe sur cette vidéo ? Oui. Y avait-il une chance qu'il soit encore en vie ? Non. Avait-elle tout imaginé ?

Non.

Son père avait été grand amateur de romans policiers. Il leur lisait Arthur Conan Doyle, à Claire et elle, autour de cette fameuse table en formica. C'était quoi déjà, cette phrase de Sherlock Holmes ? « Lorsque vous avez éliminé l'impossible, ce qui reste, si improbable soit-il, est nécessairement la vérité. »

Maya prit le cadre, le retourna.

Pas de carte SD.

Lorsque vous avez éliminé l'impossible...

La carte mémoire avait disparu. Donc, Isabella l'avait embarquée. Donc, Isabella avait menti. Elle avait neutralisé Maya avec du spray au poivre pour pouvoir s'emparer de la carte SD. Isabella était dans le coup.

Oui, mais lequel ?

Une chose à la fois.

Maya allait remettre le cadre à sa place quand quelque chose l'arrêta. Elle regarda défiler les photos téléchargées par Eileen, taraudée par la même question.

Pourquoi Eileen lui avait-elle offert cette caméra espion ?

Elle lui avait donné ses raisons. Maya était seule à présent. Elle laissait Lily avec une nounou. Avoir une caméra espion ne pouvait pas faire de mal. Mieux vaut des remords que des regrets. Tout cela était somme toute logique.

Elle continuait à scruter le cadre. En se penchant de près, on distinguait le minuscule œil de la caméra dans la partie supérieure. Bizarre quand on y pensait. Certes, une caméra espion offrait plus de sécurité, mais quand on faisait entrer une caméra chez soi…

Faisait-on entrer quelqu'un d'autre en même temps ?

Quelqu'un qui pouvait vous surveiller ?

Holà, doucement avec la parano.

Sauf que, réflexion faite, quelqu'un avait conçu ces caméras. Qu'on pouvait sûrement relier à une source pour suivre les événements en direct. Ce n'était pas forcément le cas ici… ça voulait juste dire que c'était possible. Le fabricant pouvait l'observer secrètement par un trou de serrure de la même façon qu'elle surveillait Lily à la crèche.

Nom de Dieu. Pourquoi avait-elle laissé entrer un truc pareil sous son toit ?

La voix d'Eileen résonna à ses oreilles.

Tu as donc confiance en elle ?

Puis :

Tu n'as confiance en personne, Maya.

Ce n'était pas vrai. Elle faisait confiance à Shane. Elle avait fait confiance à Claire. Et Eileen ?

Maya était encore en terminale quand Claire, d'un an son aînée, était partie étudier à Vassar. Maya l'avait accompagnée en voiture pour l'aider à s'installer. À leur arrivée, elle apprit qu'elle devait partager sa chambre avec Eileen. Maya se rappelait avoir trouvé Eileen supercool. Elle était jolie, drôle et jurait comme un charretier. Elle était exubérante, remuante et caustique. Quand Claire la ramenait chez eux, à Brooklyn, pendant les vacances scolaires, elle polémiquait des heures avec leur père, et il n'avait pas toujours le dernier mot.

Maya l'avait toujours considérée comme une forte tête. Mais la vie, ça vous change les gens. Ça mine les natures les plus indomptables. Le temps les pacifie. Cette fille pétillante qu'on a connue au lycée… qu'est-elle devenue ? Les hommes sont moins concernés. Ces garçons-là deviennent souvent les maîtres du monde. Et les filles auxquelles tout réussit ? Elles meurent d'une lente suffocation sociétale.

Pourquoi Eileen lui avait-elle offert cette caméra ?

Maya descendit au sous-sol, ouvrit le coffre avec son index. Le Beretta M9 était bien à sa place, mais elle prit le Glock 26, plus petit, plus facile à dissimuler.

Normalement, elle n'avait pas besoin d'une arme, mais ça, c'est ce que tout le monde se dit.

9

Eileen était dans le jardin en train de tailler ses rosiers. Elle lui adressa un signe de la main. Maya se gara et lui rendit son salut.

Elle n'avait jamais compté beaucoup de femmes parmi ses amis.

Claire et elle avaient grandi au rez-de-chaussée et au premier étage d'une maison de ville située dans le quartier de Greenpoint à Brooklyn. Leur père avait été professeur à l'université de New York. Leur mère avait exercé six ans comme avocate avant de démissionner pour s'occuper de ses enfants. Sans être pacifistes ni socialistes, ils penchaient clairement à gauche. Ils avaient poussé leurs filles à apprendre à jouer d'un instrument de musique et à lire les classiques. Tout en leur donnant une éducation religieuse, ils ne leur avaient pas caché que, à leurs yeux, tout cela n'était que mythes et allégories. Ils ne possédaient pas d'armes à feu. Ils ne chassaient pas, n'allaient pas à la pêche, ne s'adonnaient à aucune sorte d'activité de plein air.

Très jeune, Maya avait été attirée par l'aviation. Personne n'aurait su dire pourquoi. Personne d'autre dans la famille ne s'intéressait de près ou de loin au pilotage ou à la mécanique. Ses parents avaient cru à une lubie passagère. Ils s'étaient trompés. Ils n'avaient ni soutenu ni désapprouvé sa décision d'entrer à l'école de l'armée de l'air. Cela leur était passé totalement au-dessus de la tête.

Pendant sa formation de base, Maya avait reçu un Beretta M9, et alors que les gens avaient tendance à chercher tout un tas d'explications psychologiques, elle aimait tout simplement tirer. Bien sûr, elle avait conscience du danger potentiel des armes à feu et de la façon insensée dont les hommes s'en servaient pour pallier leurs propres insuffisances. Elle voyait bien que certains affectionnaient les armes en raison du pouvoir qu'elles leur conféraient, qu'il y avait comme une sorte de transfert malsain là-dessous et que souvent ça finissait mal.

Mais, dans son cas, elle était juste bonne au tir, et ça lui plaisait, voilà tout. Elle aimait le tir comme d'autres peuvent aimer nager, jouer au basket, collectionner des objets d'art ou sauter en parachute.

Eileen se redressa et s'épousseta les genoux, sourit et vint à sa rencontre. Maya descendit de voiture.

— Salut, toi ! dit Eileen.

— Pourquoi m'as-tu donné cette caméra espion ?

Tel quel, de but en blanc.

Eileen s'arrêta net.

— Pourquoi ? Qu'est-ce qui s'est passé ?

Par moments, la fougueuse étudiante d'antan refaisait surface. Avec le temps, les blessures s'étaient refermées, mais pas complètement. L'Eileen douée, énergique, délurée avait mal choisi son compagnon de route. C'était aussi simple que ça.

Au début, Robby avait été fou d'elle. Il l'encensait en public et en privé. Il était fier d'elle, mais, à force, cette fierté s'était muée en quelque chose qui frôlait l'obsession. Claire se faisait du souci, mais Maya fut la première à remarquer les bleus. Eileen s'était mise à porter des manches longues. Aucune des deux sœurs n'avait réagi car, tout bêtement, elles n'arrivaient pas à le concevoir. Maya croyait que les victimes de violences conjugales étaient plus… victimaires ? Des femmes faibles, pauvres, sans instruction, des femmes sans caractère : celles-là pouvaient s'attirer les coups et les humiliations.

Mais les fortes personnalités comme Eileen ? C'était inconcevable.

— Réponds à ma question, fit Maya. Pourquoi m'as-tu donné cette caméra ?

— À ton avis ? riposta Eileen du tac au tac. Tu es veuve avec un enfant en bas âge.

— Pour me protéger ?

— Tu ne l'as pas compris ?

— Où l'as-tu acheté ?

— Quoi ?

— Le cadre numérique avec la caméra cachée. Où l'as-tu trouvé ?

— Sur Internet.

— Quelle boutique ?

— Tu rigoles ou quoi ?

Maya se borna à la regarder.

— Oh, flûte, OK, je l'ai acheté sur Amazon. Que se passe-t-il, Maya ?

— Montre-moi.

— Tu es sérieuse ?

— Si tu l'as commandé sur Internet, il apparaîtra dans ta liste d'achats. Montre-moi.

— Je n'y comprends rien. Qu'est-ce qui t'arrive ?

Maya avait eu beaucoup d'admiration pour Eileen. Sa sœur avait un côté bonne pâte. Eileen était plus décomplexée. Avec elle, Maya se sentait bien. Au diapason.

C'était il y avait longtemps.

D'un geste rageur, Eileen retira ses gants de jardin et les jeta à terre.

— Très bien.

Maya lui emboîta le pas. Lorsqu'elle la rattrapa, elle vit que son visage s'était fermé.

— Eileen…

— Tu avais raison.

— À propos de quoi ?

Elle avait les larmes aux yeux.

— Robby. C'est de cette façon que je me suis débarrassée de lui pour de bon.

Eileen habitait une maison mitoyenne construite dans les années soixante. Au salon, tout un pan de mur était tapissé de photos de Kyle et Missy. Aucune photo d'Eileen. Aucune photo de Robby. Mais ce fut le poster sur l'autre mur qui attira le regard de Maya. Claire avait le même dans son salon à elle. Un montage de quatre clichés noir et blanc montrant les différentes étapes de la construction de la tour Eiffel. Eileen et Claire les avaient achetés lors de leur voyage à toutes les trois en France, l'été de leurs vingt et dix-neuf ans.

La première semaine de leur séjour, les filles étaient sorties chaque soir avec un homme différent. Un simple flirt, rien de plus, et une nuit entière passée à glousser parce que Nicolas, Christophe ou Guillaume étaient vraiment trop mignons. Puis Claire rencontra Pierre-Alain, avec qui elle vécut le parfait amour de vacances : intense, passionné, romantique, plein de DPA (démonstrations publiques d'affection que Maya et Eileen trouvaient écœurantes) et tristement condamné à mourir au bout de six semaines.

Un bref instant, vers la fin du séjour, Claire avait envisagé de ne pas retourner à Vassar. Elle était amoureuse. Pierre-Alain était amoureux. Il l'avait suppliée de rester. Il était un « romantique réaliste », clamait-il. Il était conscient des obstacles, mais savait qu'ils pouvaient les surmonter. Il l'aimait.

S'il te plaît, Claire, je sais qu'on peut y arriver.

Claire était simplement trop pragmatique. Le cœur brisé, elle rentra chez elle, pleura, puis reprit le cours de sa vie.

Où était Pierre-Alain maintenant ? se demanda Maya. Était-il marié ? Heureux ? Avait-il des gosses ? Pensait-il encore à Claire ? Avait-il su, *via* Internet ou autre, qu'elle était morte ? Si oui, quelle avait été sa réaction ? Choc, colère, déni, douleur, mélancolique haussement d'épaules ?

Et que serait-il arrivé si Claire était restée avec lui en France ? Leur idylle aurait vraisemblablement duré quelques semaines ou quelques mois de plus avant qu'elle ne rentre aux États-Unis. Elle aurait manqué un semestre et terminé ses études un peu plus tard.

La belle affaire.

Elle aurait dû rester. Si seulement elle n'avait pas été aussi terre à terre.

— Je sais, tu croyais m'avoir débarrassée de Robby, dit Eileen. Et je t'en remercie. Tu m'as sauvé la vie.

Le SMS qu'elle avait envoyé à Maya à minuit était concis et précis :

Il va me tuer. S'il te plaît, aide-moi.

Maya avait débarqué chez elle avec la même arme dans son sac à main. Ivre et furibond, Robby avait traité Eileen de sale pute et pire. Il l'espionnait et l'avait vue sourire à quelqu'un dans la salle de fitness. Quand Maya arriva, il était en train de balancer tout ce qui lui tombait sous la main, pendant que sa femme se terrait au sous-sol.

— Tu lui as fait peur.

Maya avait peut-être poussé le bouchon un peu trop loin ce soir-là, néanmoins, parfois, c'est la seule solution.

— Mais quand il a su que tu étais repartie en mission, il est revenu.

— Pourquoi tu n'as pas appelé la police ?

Eileen haussa les épaules.

— Ils ne me croient pas. Ils ont un discours formaté. Et puis tu connais Robby. Il peut être si charmant.

Et tu n'as jamais porté plainte, pensa Maya. Le cercle vicieux de la violence alimenté par un mélange de faux optimisme et de peur.

— Et que s'est-il passé ?

— Il est revenu et il m'a battue. J'ai eu deux côtes cassées.

Maya ferma les yeux.

— Eileen…

— Je ne pouvais plus vivre dans la peur. J'ai pensé me procurer une arme. Ça aurait été de la légitime défense, non ?

Maya ne répondit pas.

— Mais après, hein ? Les flics se seraient demandé pourquoi tout à coup j'avais décidé de m'armer. J'aurais probablement écopé d'une peine de prison. Et même si je m'en tirais, tu imagines les conséquences pour Kyle et Missy ? Maman avait flingué papa. Tu penses qu'ils l'auraient compris un jour ?

Oui, se dit Maya. Mais elle le garda pour elle.

— Je n'en pouvais plus. Alors je me suis arrangée pour prendre une dernière raclée. Si j'arrivais à m'en sortir, il y avait des chances pour qu'il me fiche la paix.

Maya comprit où elle voulait en venir.

— Tu l'as filmé avec la caméra espion.

Eileen acquiesça.

— J'ai remis la vidéo à mon avocat. Il voulait la montrer aux flics, mais moi, ma seule envie était que ça s'arrête. Alors il a parlé à l'avocat de Robby. Robby a renoncé à demander la garde partagée. Il sait que la vidéo est chez mon avocat et que s'il revient… Ce n'est pas le Pérou, mais je vis mieux maintenant.

— Pourquoi ne m'as-tu rien dit ?

— Parce que tu n'y pouvais rien. Parce que tu as toujours veillé sur tout le monde. Je voulais que ça cesse. Je voulais que tu sois en paix.

— Mais je suis en paix.

— Non, Maya, tu sais que ce n'est pas vrai.

Eileen se pencha sur l'ordinateur.

— Combien de personnes, à ton avis, aimeraient que les flics soient équipés de caméras en permanence ? Quatre-vingt-douze pour cent de la population. Et après tout, pourquoi pas ? Je me demande si on ne devrait pas tous porter une caméra sur nous. Réagirait-on autrement ? Se comporterait-on mieux vis-à-vis des autres ? Plus j'y pensais, plus je me disais qu'on devrait enregistrer tout ce qu'on pouvait. C'est pour cette raison que j'ai acheté les caméras cachées. Tu comprends ?

— Montre-moi la commande, s'il te plaît.

— OK.

Eileen ne protestait plus.

— Tiens, c'est là.

Maya regarda l'écran et vit une commande pour trois cadres numériques équipés d'une caméra cachée.

— Ça remonte à un mois.

— J'en ai commandé trois pour moi. Je t'ai donné l'un des miens.

Un mois. Il était donc peu vraisemblable qu'Eileen soit mêlée à toute cette affaire. Il y a un mois, personne n'aurait pu prédire ce qui allait arriver. Et d'ailleurs, quel intérêt Eileen aurait-elle eu à faire ça ?

Tout cela n'avait aucun sens.

— Maya ?

Elle se tourna vers Eileen.

— Passons sur le fait que tu n'as pas confiance en moi.

— J'ai vu quelque chose…

— Je m'en suis doutée. Quoi ?

Mais Maya n'était pas d'humeur à lui conter cette histoire à dormir debout. Qu'elle la croie ou non, ce serait trop long à expliquer, et puis elle ne voyait pas en quoi Eileen pourrait l'aider sur ce point particulier.

— La police a découvert un truc bizarre à propos du meurtre de Claire.

— Une piste ?

— Peut-être bien.

— Après tout ce temps ?

Eileen secoua la tête.

— Ben, mon cochon.

— De quoi te souviens-tu exactement ?

— Au sujet du meurtre ?

— Oui.

Eileen haussa les épaules.

— Je sais juste que la police a parlé de vagabonds qui seraient entrés par effraction.

— Ce n'étaient pas des vagabonds. Ni une effraction.

— C'était quoi, alors ?

— L'arme qui a tué Claire, dit Maya, est aussi celle qui a tué Joe.

Eileen ouvrit de grands yeux.

— Mais… c'est impossible.

— Il faut croire que non.

— Et tu as vu ça sur la caméra cachée ?

— Non. Ce sont les résultats de l'examen balistique. Les flics les ont confrontés aux données qu'ils conservaient dans leurs fichiers.

— Et il s'agissait des mêmes balles ?

Eileen s'effondra sur sa chaise.

— Oh, mon Dieu !

— C'est là que j'ai besoin de toi, Eileen.

Eileen la contempla comme dans un brouillard.

— Tout ce que tu voudras.

— Essaie de remonter le temps.

— OK.

— Claire était-elle comme d'habitude avant le meurtre ? Tu n'avais rien remarqué d'anormal ?

— J'ai toujours cru que c'était le hasard.

Eileen était sous le choc.

— Un cambriolage qui aurait mal tourné.

— Nous savons maintenant que ce n'était pas le cas. Concentre-toi, Eileen. Claire est morte. Joe est mort. La même arme a servi à les assassiner tous les deux. Ils étaient peut-être mêlés à quelque chose…

— Mêlés à quelque chose ? Claire ?

— Rien d'illicite. Mais visiblement il s'était passé quelque chose. Les impliquant l'un et l'autre. Réfléchis, Eileen. Tu connaissais Claire mieux que personne.

Eileen baissa la tête.

— Eileen ?

— Ça n'a sûrement rien à voir…

Maya ressentit comme une décharge électrique.

— Dis-moi, fit-elle en s'efforçant de garder son sang-froid.

— Claire n'était pas… bizarre, non… mais je me souviens d'un truc.

Maya l'incita à poursuivre d'un signe de la tête.

— On déjeunait chez Baumgart's. Une ou deux semaines avant sa mort. Son portable a sonné. Elle est devenue toute blanche. D'habitude, elle répond devant moi. On n'a pas de secrets l'une pour l'autre.

— Continue.

— Mais cette fois, elle a pris son téléphone et s'est précipitée dehors. J'ai regardé par la vitrine. Elle avait l'air tout excitée. Au bout de cinq minutes, elle est revenue.

— Elle ne t'a pas dit qui c'était ?

— Non.

— Tu le lui as demandé ?

— Oui. Elle a répondu que ce n'était rien…

— J'entends un « mais ».

— Mais de toute évidence, ce n'était pas rien.

Eileen réprima un soupir.

— Pourquoi ne l'ai-je pas fait parler ? Pourquoi ai-je juste… ? Bref, j'ai senti qu'elle avait la tête ailleurs pendant le reste du déjeuner. J'ai bien essayé de remettre le sujet sur le tapis, mais elle m'a envoyée sur les roses. Bon sang ! J'aurais dû insister.

— Je ne vois pas ce que tu aurais pu faire de plus.

Maya réfléchit brièvement.

— De toute façon, la police a dû éplucher tous ses coups de fil.

— Justement.

— Quoi ?

— Ce téléphone.

— Eh bien ?

— Ce n'était pas le sien.

Maya se pencha en avant.

— Redis-moi ça ?

— Son portable, avec la photo de ses gosses sur la coque, était resté sur la table, dit Eileen. Claire avait un second téléphone sur elle.

10

Les domestiques des Burkett étaient logés dans un ensemble de maisonnettes à l'extrême limite de la propriété, à gauche de l'entrée de service. Les constructions, toutes de plain-pied, faisaient penser à des baraquements de l'armée. La plus spacieuse appartenait aux Mendez. Rosa, la mère d'Isabella, travaillait toujours dans la grande maison, mais Maya n'aurait su dire quelles étaient ses fonctions, maintenant qu'il n'y avait plus d'enfants à élever.

Elle frappa à la porte d'Isabella. Elle n'aperçut aucun signe de vie à l'intérieur, mais il faut dire que ces gens-là avaient un emploi du temps surchargé. Maya s'amusait d'entendre les Burkett se plaindre de leur personnel, affirmant qu'il fallait mériter son pain ; tout ce qu'eux-mêmes possédaient leur avait été servi sur un plateau d'argent par un aïeul qui, deux générations plus tôt, s'était débrouillé pour exploiter toutes les ressources que lui offrait la législation sur la propriété foncière. La plupart d'entre eux ne tiendraient pas huit jours avec les horaires qu'ils imposaient à leurs domestiques.

Le Dodge Ram d'Hector arriva derrière elle. Il se gara à bonne distance et descendit.

— Madame Burkett ?

Il avait l'air affolé.

— Où est Isabella ?

— Vous ne devriez pas rester là.

Maya secoua la tête.

— Il faut que je lui parle d'abord.

— Elle n'est pas ici.

— Où est-elle ?

— Elle est partie.

— Partie où ?

Hector se borna à hausser les épaules.

— Je voudrais juste m'excuser, dit Maya. Tout ce qui s'est passé n'est qu'un malentendu.

— Je lui transmettrai.

Il se dandina d'un pied sur l'autre.

— Vous devriez vous en aller maintenant.

— Où est-elle, Hector ?

— Je ne vous le dirai pas. Vous lui avez fait trop peur.

— J'ai besoin de lui parler. Vous pourrez rester à côté d'elle. Pour vous assurer qu'elle ne risque rien.

— Il n'en est pas question, fit une voix derrière elle.

Se retournant, Maya vit la mère d'Isabella sur le pas de la porte. Rosa la fusilla du regard.

— Allez-vous-en.

— Non.

Ses yeux se posèrent sur son fils.

— Rentre, Hector.

Il décrivit un large cercle pour contourner Maya et pénétra dans la maison. La porte se referma sur la mère et le fils.

C'était à prévoir.

Arrière toute, se dit-elle. *Prends le temps de réfléchir.*

Son portable sonna. C'était Shane.

— Salut, dit-elle.

— J'ai identifié ta plaque d'immatriculation, annonça-t-il sans préambule. Ta Buick Verano a été louée à une société qui s'appelle WTC Limited.

WTC. Ce nom ne lui disait rien.

— Tu ne sais pas à quoi ça correspond ?

— Aucune idée. L'adresse est celle d'une boîte postale à Houston, Texas. Ça m'a l'air d'être une sorte de holding.

— Genre société écran ?

— Ouais. Si on veut en savoir plus, j'aurai besoin d'un mandat. Et pour ça, il me faut un motif.

— Laisse tomber, fit Maya.

— Si tu le dis.

— C'est sans importance.

— Ne me mens pas, Maya. J'ai horreur de ça.

Elle ne répondit pas.

— Quand tu seras prête à cracher le morceau, appelle-moi.

Et Shane raccrocha.

Eddie n'avait pas changé les serrures.

Maya n'avait pas remis les pieds dans cette maison depuis qu'elle avait déculotté le coach Phil. Il n'y avait pas de voiture dans l'allée. Personne ne vint lui ouvrir. Elle sortit sa clé et s'introduisit dans la maison.

La mort te colle aux basques, Maya.

Eddie avait peut-être raison. Et si c'était le cas, avait-elle le droit de mettre en danger Daniel et Alexa ?

Ou Lily, par la même occasion ?

Les cartons avec les affaires de Claire n'avaient toujours pas bougé. Maya songea au mystérieux téléphone dont Eileen lui avait parlé. Le genre de téléphone qu'on achète quand on veut passer des appels en toute discrétion.

Qu'était-il devenu ?

Si Claire l'avait eu sur elle au moment de sa mort, la police l'aurait confisqué. Ce n'était pas impossible. Confisqué et conclu que c'était sans intérêt. Mais Maya en doutait. Shane avait des contacts dans la police. Il avait jeté un coup d'œil sur le rapport d'enquête. Il n'y avait aucune mention de second téléphone ni d'appels inexpliqués.

Autrement dit, on ne l'avait pas encore retrouvé.

Les cartons n'étaient pas étiquetés. Eddie semblait les avoir remplis à la hâte, aveuglé par le chagrin, mélangeant vêtements et articles de toilette, bijoux et paperasses, chaussures et bibelots. Claire adorait les souvenirs ringards. Les antiquités et autres objets de collection n'étant pas dans ses moyens, elle ne repartait jamais sans sa boule à neige lorsqu'elle visitait une ville ou un lieu touristique. Elle avait un verre à liqueur de Tijuana. Une tirelire en forme de tour de Pise. Une assiette à l'effigie de lady Di, une vahiné qui se tortillait sur la lunette arrière de sa voiture, une paire de dés usés venant d'un casino de Las Vegas.

Imperturbable, Maya fouilla dans ce bric-à-brac de babioles kitschissimes qui, à un moment ou un autre, avaient dû faire sourire sa sœur. Elle était en mode mission à présent. D'un côté, le fait de fouiner parmi les trésors cachés de Claire réveilla la douleur, suivie de près par le remords.

Ton mari a raison. J'ai laissé entrer la mort. J'aurais dû être là. J'aurais dû te protéger...

Mais, d'un autre côté, la douleur et le remords lui furent d'un grand soutien dans sa tâche. Ils rendirent sa mission plus tangible. Être conscient de la gravité de l'enjeu vous motive, vous aide à vous concentrer. Vous donne de la force.

Mais aucun des cartons ne contenait de téléphone portable.

Le dernier carton passé au peigne fin, Maya se laissa tomber par terre. *Réfléchis*, se dit-elle. *Mets-toi à la place de Claire.* Sa sœur avait un téléphone dont personne ne devait soupçonner l'existence. Où l'aurait-elle caché ?...

Un souvenir lui revint en mémoire. Claire était en classe de première, Maya en seconde. Dans un de ses rares accès de rébellion, Claire s'était mise à fumer. Leur père, qui avait un nez hypersensible, avait senti l'odeur de la cigarette sur ses vêtements.

C'était plutôt quelqu'un d'indulgent : en tant que prof d'université, il en avait vu de toutes les couleurs. Mais la cigarette, ça touchait un point sensible. Sa propre mère était morte dans d'atroces souffrances d'un cancer du poumon. Vers la fin, mamie s'était installée dans la petite chambre d'amis. Maya se rappelait les bruits surtout, les horribles râles et gargouillis provenant de sa chambre. Les derniers jours de sa vie, lentement, douloureusement, mamie avait suffoqué à en mourir.

Maya avait eu beaucoup de mal à remettre les pieds dans cette chambre. L'odeur de la mort semblait imprégner les murs. Pis encore, elle avait l'impression d'entendre parfois des gargouillis et des râles. Elle avait lu quelque part que ces sons-là ne disparaissent jamais, mais s'estompent tout doucement.

Comme le vacarme des rotors d'hélicoptère. Les déflagrations. Les cris des mourants.

Peut-être était-ce là, pensa-t-elle, dans cette chambre sordide, que la mort s'était attachée à ses pas.

Assise par terre, elle ferma les yeux et s'efforça de respirer calmement pour éloigner les bruits.

Le même souvenir revint la hanter : leur père ne supportait pas les fumeurs.

OK, Claire s'était mise à fumer, et il avait pété les plombs. Il fouillait sa chambre en pleine nuit, trouvait le paquet de clopes et piquait une crise. L'épisode cigarettes avait été de courte durée. Mais, pendant ce temps, Claire avait trouvé une planque où leur père n'aurait jamais eu l'idée de chercher.

Le regard de Maya s'éclaira. Elle se releva d'un bond.

La vieille malle – la malle de mamie, précisément – était toujours là. Claire l'avait convertie en table basse. Il y avait des photos de famille sur le dessus. Maya entreprit de les enlever. Les photos de Daniel et Alexa principalement, mais aussi une photo du mariage de Claire et Eddie. Maya scruta leurs visages. Ils avaient l'air si jeunes, si confiants, si heureux. Ils ne se doutaient pas le moins du monde de ce que la vie leur réservait. Mais ça, personne ne le sait.

À l'intérieur de la malle, il y avait des nappes et des napperons. Maya les sortit et se mit à palper le fond.

— Mon père a rapporté cette malle de Kiev, leur avait dit mamie un jour qu'elles étaient venues la voir.

C'était bien avant que le cancer ne l'étouffe à mort. À l'époque, mamie était alerte et en bonne santé ; elle les emmenait à la piscine et leur apprenait à jouer au tennis.

— Vous voyez ça ?

Les deux fillettes s'étaient penchées sur la malle.

— Il l'a fabriqué lui-même. C'est un compartiment secret.

— Pourquoi secret, mamie ? avait demandé Claire.

— Pour cacher de l'argent et les bijoux de sa mère. Tout inconnu est un voleur potentiel. Souvenez-vous-en. Vous deux, les filles, quand vous serez grandes, vous serez toujours là l'une pour l'autre. Mais ne laissez jamais vos objets de valeur là où n'importe qui pourrait les trouver.

Maya sentit la fine bordure sous ses doigts. Elle appuya, entendit le déclic et fit coulisser le panneau secret. Puis, comme lorsqu'elle était enfant, elle se pencha et regarda à l'intérieur.

Le téléphone était là.

Elle le brandit avec un sourire triomphant. Si elle avait été croyante, elle aurait juré que sa sœur et sa mamie la regardaient depuis les cieux. Elle n'était pas croyante, c'était bien là le problème.

Elle voulut allumer le portable, mais la batterie était à plat. Pas étonnant : personne n'y avait touché depuis la mort de Claire. Maya le retourna et examina la prise pour le recharger. Celle-ci lui parut familière. Elle arriverait bien à trouver un chargeur quelque part.

— Qu'est-ce que tu fais là ?

La voix la fit sursauter. Instinctivement, Maya se redressa, prête à se défendre.

— Bon sang, Eddie.

Il était tout rouge.

— Je te demande…

— J'ai entendu. Laisse-moi une seconde pour reprendre mon souffle.

Au temps pour la concentration. Elle était tellement fière de sa trouvaille qu'Eddie avait pu entrer et la surprendre à son insu.

— Qu'est-ce que tu… ?

— J'étais en train de fouiller dans ses affaires, répondit Maya.

Eddie fit un pas en avant. Il vacillait légèrement.

— Je t'ai dit de nous fiche la paix.

— En effet.

Il portait la même chemise en flanelle rouge aux manches retroussées sur ses avant-bras noueux. Eddie était aussi sec et nerveux qu'un poids welter. C'est ce qui avait plu à Claire. Ses yeux étaient injectés de sang.

Il tendit la main, paume vers le haut.

— Je veux ta clé. Tout de suite.

— Non, Eddie.

— Je peux changer les serrures.

— Tu as déjà du mal à changer de vêtements.

Il regarda les cadres et les nappes qui jonchaient le sol.

— Qu'est-ce que tu cherchais dans cette malle ?

Maya ne répondit pas.

— Je t'ai vue prendre quelque chose. Rends-le-moi.

— Non.

Il la toisa en serrant les poings.

— Je peux t'obliger…

— Non, Eddie, tu ne peux pas. Est-ce qu'elle avait un amant ?

Voilà qui l'arrêta net. Il la dévisagea, bouche bée. Puis :

— Va au diable.

— Tu étais au courant ?

Les larmes lui montèrent aux yeux. Un bref instant, le regard de Maya effleura la photo de mariage, le sourire radieux et confiant d'Eddie. Tout compte fait, s'il avait les yeux rouges, ce n'était pas seulement à cause de l'alcool. Eddie regarda la photo, lui aussi, et ses forces semblèrent l'abandonner. Il s'effondra sur le canapé et se cacha le visage dans les mains.

— Eddie ?

Dans un murmure à peine audible, il demanda :

— Qui était-ce ?

— Je ne sais pas. Eileen prétend que Claire recevait des appels en cachette. Je viens de retrouver un téléphone qu'elle avait planqué dans cette malle.

Sans changer de position, il dit d'une voix blanche :

— Je n'y crois pas.

— Que s'est-il passé, Eddie ?

— Rien.

Il leva la tête.

— On avait nos petits soucis, oui. Dans tous les couples, il y a des hauts et des bas. Je ne t'apprends rien, hein ?

— Il ne s'agit pas de moi.

Eddie baissa à nouveau la tête.

— Peut-être. Et peut-être pas.

— Ça veut dire quoi ?

— Claire travaillait, fit-il en détachant chaque syllabe, pour ton mari.

Ce qu'il semblait laisser entendre déplut à Maya.

— Et alors ?

— Son excuse, quand je lui ai posé la question, a été qu'elle travaillait tard.

Leurs regards se croisèrent. Maya alla droit au but.

— Si tu insinues que Claire et Joe…

Elle ne finit pas sa phrase, tellement c'était absurde.

— C'est toi qui dis qu'elle avait un amant.

Eddie haussa les épaules et se remit debout.

— Je t'explique juste où elle était.

— Et tu as le pressentiment qu'il y avait quelqu'un d'autre ?

— Je n'ai pas dit ça.

— Si. Comment se fait-il que tu n'en aies pas parlé aux flics ?

Ce fut à son tour de se taire.

— Ah oui, je vois, reprit Maya. Tu es le mari. Ils t'avaient à l'œil. Imagine s'ils avaient su que tu la soupçonnais de te tromper.

— Maya ?

Il fit un pas vers elle. Elle recula.

— Donne-moi ce fichu téléphone, ordonna-t-il, et va-t'en.

— Le téléphone, je le garde.

Eddie lui barra le passage.

— Tu me cherches, hein ?

Maya songea au pistolet dans son sac. C'est une chose qu'on ne risque pas d'oublier. Quand on a une arme sur soi, elle ne quitte pas vos pensées, elle vous pèse ou vous tire par la manche. Ça reste toujours une solution, pour le meilleur ou pour le pire.

Eddie s'avança vers elle.

Mais pas question qu'elle lui donne le téléphone. Sa main se posa sur son sac lorsqu'elle entendit deux autres voix familières :

— Tatie Maya !

— Ouiiii !

Daniel et Alexa firent irruption dans la maison et se jetèrent sur elle. Maya les embrassa, prenant garde à ne pas les serrer contre son sac. Puis elle s'excusa précipitamment et se glissa dehors avant qu'Eddie ne commette une bêtise.

Cinq minutes plus tard, il l'appela sur son portable.

— Je suis désolé, dit-il. J'aimais Claire. Dieu que je… Tu le sais, tout ça. On avait des problèmes, mais elle m'aimait aussi.

Maya était au volant de sa voiture.

— Je sais, Eddie.

— Rends-moi un service, Maya.

— Lequel ?

— Quoi que tu trouves sur ce téléphone, même si c'est grave, il faut me le dire. Je veux savoir la vérité.

Par la lunette arrière, Maya repéra à nouveau la Buick rouge.

— Promets-moi, Maya.

— Je te le promets.

Elle jeta un coup d'œil dans le rétroviseur, mais la Buick avait disparu. Vingt minutes plus tard, lorsqu'elle arriva à la crèche, Mlle Kitty lui fit remplir tous les papiers et régler les frais d'inscription. Lily n'avait pas envie de partir, ce qui était plutôt bon signe.

Une fois à la maison, après avoir installé Lily sur le canapé, Maya alla ouvrir le « tiroir aux câbles ». Comme beaucoup de gens, elle ne jetait jamais un câble d'alimentation. Le tiroir était rempli à ras bord, genre nid de serpents ; il y avait là des dizaines de câbles... peut-être même, en cherchant bien, un qu'on aurait pu relier à un Betamax.

Maya trouva un chargeur qui correspondait au portable de Claire, le brancha et attendit que la batterie se recharge un peu. Cela prit une dizaine de minutes. Le téléphone était rudimentaire, mais il y avait bel et bien un journal d'appels. Elle l'ouvrit et fit défiler la liste.

Toujours le même numéro.

Maya compta seize coups de fil. Le numéro lui était inconnu. L'indicatif était 201. Le nord du New Jersey.

À qui diable Claire téléphonait-elle ?

Elle vérifia les dates. Cela avait commencé trois mois avant sa mort. Le dernier appel remontait à quatre jours avant le meurtre. Qu'est-ce que cela signifiait ? La fréquence était inégale : beaucoup d'appels au début et à la fin, quelques-uns, sporadiques, au milieu.

Était-ce pour fixer des rendez-vous ?

Maya repensa à Pierre-Alain, et son imagination se mit à galoper. Et si, après toutes ces années, Pierre-Alain avait recontacté Claire ? Ce sont des choses qui arrivent, surtout à l'ère d'Internet. Impossible de perdre un ex de vue quand on est sur Facebook.

Mais non, ce n'était pas Pierre-Alain. Claire le lui aurait dit.

Et pourtant… À l'évidence, elle manigançait quelque chose qu'elle n'avait pas jugé bon de partager avec sa sœur. Elle avait toujours cru qu'elles n'avaient pas de secrets l'une pour l'autre. Sauf que, pour être tout à fait juste, pendant ce temps Maya combattait au fin fond du désert au lieu d'être là, auprès de sa sœur.

Claire la cachottière.

Et maintenant ?

Le plus simple était de chercher le numéro de téléphone sur Google. Avec un peu de chance, celui-ci la mènerait quelque part. Maya tapa les chiffres et pressa la touche entrée.

Bingo ! Enfin, si on veut…

Elle fut surprise de voir le numéro s'afficher instantanément. Souvent, quand on fait ce genre de recherche, on vous propose de vous vendre des informations ou d'enquêter sur l'identité du détenteur du numéro. C'était un numéro professionnel, mais, comme le reste des événements formant le tourbillon insensé de ces dernières semaines, il suscitait plus de questions que de réponses. C'était effectivement dans le nord du New Jersey, près du pont George-Washington, d'après Google Maps. Et ça s'appelait Cuir et Dentelles… club privé.

Club privé. Un euphémisme pour club de strip-tease.

Maya cliqua sur le lien, juste pour être sûre, et l'écran se remplit de filles dévêtues. Aucun doute possible. Une boîte de strip-tease. Sa sœur s'était procuré un téléphone secret et l'avait caché dans la vieille malle de leur grand-mère pour pouvoir appeler une boîte de strip-tease.

Ça ne tenait pas debout.

Maya ajouta cette nouvelle information à la mixture. Lorsqu'on additionnait le tout – Claire, Joe, la caméra espion, le téléphone, le club de strip-tease –, on avait beau tourner les différents éléments dans tous les sens, ça ne donnait rien. Rien du tout. Elle envisagea les hypothèses les plus folles. Peut-être que Claire trompait son mari et que son amant travaillait là-bas. Peut-être que le club était géré par Pierre-Alain. Le site Web offrait à sa clientèle « triée sur le volet » une prestation appelée *French lap dance* : Maya ignorait en quoi cela consistait et ne tenait pas à le savoir. Peut-être Claire menait-elle une double vie – mère de famille le jour, effeuilleuse la nuit –, comme dans un film de série Z.

Stop.

Maya décrocha le téléphone et appela Eddie.

— Tu as trouvé quelque chose ? demanda-t-il.

— Écoute, Eddie, si chaque fois je dois faire la danse du ventre…

Elle prit conscience de ce qu'elle disait au moment même où les mots sortaient de sa bouche.

— … ou stresser parce que je dois faire mon rapport, je n'avancerai pas, OK ?

— Oui, pardon, qu'est-ce qu'il y a ?

— Il t'arrive d'aller dans des clubs de strip-tease ?

Silence. Puis :

— Si ça m'est déjà arrivé ?

— Oui.

— L'an dernier, des gars du boulot ont organisé un enterrement de vie de garçon dans un de ces clubs.

— Et depuis ?

— C'est tout.

— Où était ce club ?

— Attends, qu'est-ce que ça… ?

— Je veux juste une réponse, Eddie.

— Près de Philadelphie. Du côté de Cherry Hill.

— Et rien d'autre ?

— Rien.

— Un club qui s'appelle Cuir et Dentelles, ça te dit quelque chose ?

— C'est une plaisanterie ?

— Eddie ?

— Non, ça ne me dit rien.

— OK, merci.

— Tu ne veux pas m'expliquer ce que tout ça signifie ?

— Pas pour le moment. Bye.

Maya contempla la page d'accueil du site. Pourquoi Claire aurait-elle téléphoné chez Cuir et Dentelles ?

Inutile de se perdre en conjectures. Elle aurait bien pris la voiture pour s'y rendre, mais elle n'avait personne pour garder Lily. La crèche fermait à vingt heures.

Demain, se dit-elle. Demain elle irait tâter, en quelque sorte, Cuir et Dentelles.

11

Cette nuit-là, Maya fit un rêve très bizarre à propos de l'ouverture du testament de Joe. Un rêve surréaliste, une de ces vaseuses épopées nocturnes dont on se souvient sans se souvenir vraiment. À un détail près.

Joe était là.

Assis dans le grand fauteuil en cuir bordeaux, vêtu du smoking qu'il portait le soir de leur rencontre. Il était beau comme un dieu, les yeux rivés sur la silhouette floue en train de lire un document. Maya n'entendait rien de ce qu'elle disait – c'était comme écouter l'institutrice de Charlie Brown –, mais elle savait qu'elle lisait le testament. Maya s'en moquait ; tout ce qui l'intéressait, c'était Joe. Elle l'appelait, essayait d'attirer son attention. En vain. Il ne la regardait pas.

Elle fut réveillée par des bruits familiers : des cris, des rotors, des coups de feu. Elle attrapa l'oreiller et le plaqua sur sa tête pour se boucher les oreilles. Elle savait que ce serait inutile, que les bruits venaient de l'intérieur, que ses efforts pour les étouffer ne feraient que les amplifier. Mais elle le fit quand même.

En général, ça ne durait pas. Il suffisait de fermer les yeux, et ils finissaient par s'évanouir.

Une fois la crise passée, elle se leva et alla dans la salle de bains. Elle jeta un œil dans le miroir et, sagement, ouvrit l'armoire à pharmacie pour ne plus voir ses traits tirés. Les flacons de petits comprimés bruns étaient là. Elle hésita à en prendre un ou deux, mais non, face à la famille de Joe, elle aurait besoin de toute sa lucidité.

Maya prit une douche et choisit le tailleur-pantalon Chanel que Joe lui avait offert. Joe prenait plaisir à lui acheter des habits. Elle l'avait essayé pour ne pas le vexer : elle adorait la coupe et le tissu, mais elle avait feint de ne pas l'aimer en raison de son prix exorbitant. Sauf que Joe ne fut pas dupe. Le lendemain, il était retourné à la boutique pour l'acheter. Elle l'avait trouvé à son retour à la maison, étalé sur le lit comme maintenant.

Maya enfila le tailleur et alla réveiller Lily.

Une demi-heure plus tard, elle la déposait à la crèche. Mlle Kitty portait une robe de princesse comme dans un film de Disney.

— Tu veux qu'on t'habille en princesse aussi, Lily ? demanda-t-elle.

Lily hocha la tête et suivit la princesse Kitty sans prendre la peine de dire au revoir à sa mère. Maya remonta dans sa voiture et ouvrit l'application de la crèche. À l'écran, Lily était en train de mettre le costume d'Elsa dans *La Reine des neiges*.

— *Libérée*, chantonna Maya en démarrant.

Elle alluma la radio pour chasser la rengaine de son esprit au profit de quelque inepte émission matinale.

Les animateurs de ces programmes-là ne s'imaginent pas à quel point ils peuvent être drôles. Elle passa en AM – qui écoute encore les ondes moyennes de nos jours ? – et sélectionna une station d'info en continu. Il y avait quelque chose de rassurant dans sa prédictibilité et sa précision quasi militaire. Sports tous les quarts d'heure. Trafic toutes les dix minutes. Elle écoutait d'une oreille distraite quand un flash actualité retint son attention.

« Le célèbre hacker Corey la Vigie annonce un festival de nouvelles révélations qui, promet-il, vont non seulement mettre dans l'embarras un haut fonctionnaire de l'administration au pouvoir, mais très certainement conduire à la démission et peut-être à la mise en examen… »

Malgré tout, et bien qu'elle ait affirmé n'avoir plus rien à craindre de la part de Corey, Maya sentit un frisson la parcourir. Shane s'était demandé pourquoi Corey n'avait pas tout divulgué et s'il attendait le moment propice pour – l'expression était tristement de circonstance – lui porter le coup de grâce. Elle se posait la même question. Maya Stern, c'était du réchauffé maintenant, mais le potentiel était là. Un grand secret ne reste jamais caché. Un beau jour, quand on s'y attend le moins, il vous explose à la figure et, pour employer encore une fois le jargon de l'armée, provoque d'énormes dommages collatéraux.

Farnwood était une riche propriété à la mode de jadis. Avant sa rencontre avec Joe, Maya avait cru que ce genre de demeure n'existait que dans les romans ou les livres d'histoire. Elle freina devant le portail gardé par Morris. Morris occupait ce poste depuis les années quatre-vingt et habitait le même lotissement que la famille d'Isabella.

— Bonjour, Morris.

Il se renfrogna comme à son habitude, façon de lui rappeler qu'elle n'était qu'une pièce rapportée, pas un vrai membre de la famille. Ou peut-être plus que d'habitude ; était-ce l'atmosphère de deuil ou les rumeurs concernant Isabella et l'attaque au spray au poivre, Maya n'aurait su le dire. Morris pressa le bouton à contrecœur, et le portail s'ouvrit si doucement que c'en était presque imperceptible à l'œil nu.

Maya gravit la colline en pente douce, passa devant un court de tennis gazonné et un terrain de foot grandeur nature – où elle n'avait jamais vu qui que ce soit jouer – et arriva au manoir qui lui faisait penser à celui de Bruce Wayne dans la vieille série télé *Batman*. Mais, au lieu d'une chasse à courre, ce fut Judith, sa belle-mère, qui l'accueillit, seule sur le pas de la porte. Maya se gara près du sentier dallé.

Judith était une belle femme. Menue, avec de grands yeux ronds et des traits délicats de poupée. Elle ne faisait pas son âge. Il y avait de l'artifice là-dessous – Botox, peut-être une petite retouche des paupières –, mais c'était fait avec goût, et son allure juvénile, elle la devait surtout à ses gènes et à la pratique quotidienne du yoga. On se retournait toujours sur son passage. Séduisante, intelligente, fortunée, elle avait beaucoup de succès auprès des hommes, mais Maya ignorait s'il y avait quelqu'un dans sa vie.

— Je crois qu'elle a des amants cachés, lui avait dit Joe.

— Pourquoi cachés ?

Il s'était borné à hausser les épaules.

On racontait que, dans le temps, elle avait été hippie sur la côte Ouest. Maya trouvait cela plausible. À y regarder de près, une sorte de lueur mutine illuminait encore ses yeux et son sourire.

Judith descendit à sa rencontre, mais s'arrêta sur l'avant-dernière marche pour arriver à la hauteur de Maya. Elles s'embrassèrent, Judith regardant tout le temps par-dessus l'épaule de Maya.

— Où est Lily ?

— À la crèche.

Maya s'attendait à lire la surprise sur son visage, mais sa belle-mère ne laissa rien paraître de ses sentiments.

— Il faut que tu règles cette histoire avec Isabella.

— Elle vous en a parlé ?

Judith ne se donna pas la peine de répondre.

— Dans ce cas, aidez-moi, dit Maya. Où est-elle ?

— J'ai cru comprendre qu'elle était partie en voyage.

— Pour combien de temps ?

— Je ne sais pas. En attendant, je te propose de prendre Rosa.

— Je n'y tiens pas.

— Tu sais qu'elle a été la nounou de Joe.

— Oui.

— Et ?

— Je n'y tiens pas.

— Tu préfères la mettre à la crèche ?

Judith secoua la tête avec réprobation.

— Il y a des années, j'ai eu à travailler avec des crèches.

Elle était psychiatre et recevait encore des patients deux fois par semaine dans son cabinet de l'Upper East Side.

— Tu te souviens de ces affaires de maltraitance qui ont fait scandale dans les années quatre-vingt et quatre-vingt-dix ?

— Bien sûr. On a fait appel à vous en tant qu'expert.

— En quelque sorte.

— Je croyais que c'était du pipeau. Une sorte d'hystérie collective de la part des enfants.

— Oui, répondit Judith. Les éducateurs ont été disculpés.

— Et donc ?

— Les éducateurs ont été disculpés, répéta-t-elle, mais pas forcément le système.

— Je ne comprends pas.

— Les enfants des crèches ont été faciles à manipuler. Pourquoi ?

Maya haussa les épaules.

— Réfléchis. Toutes ces histoires sordides. Pourquoi ces enfants se sont-ils empressés de raconter ce que leurs parents avaient envie d'entendre ? Peut-être, je dis peut-être, si les parents leur avaient accordé plus d'attention…

Si ce n'était pas aller chercher midi à quatorze heures, pensa Maya.

— Le fait est que je connais Isabella. Je l'ai connue toute petite. J'ai confiance en elle. Les gens de la crèche, je ne les connais pas et je n'ai pas confiance en eux… pas plus que toi.

— J'ai mieux que la confiance, répliqua Maya.

— Pardon ?

— Je peux les surveiller.

— Explique-toi.

— L'union fait la force. Il y a plein de témoins, dont moi.

Elle leva son portable, cliqua sur l'icône, et Lily apparut dans son costume d'Elsa. Judith lui prit le téléphone et sourit en voyant l'image.

— Qu'est-ce qu'elle fait ?

Maya jeta un coup d'œil.

— À la voir virevolter, je dirais qu'elle danse sur un air de *La Reine des neiges.*

— Des caméras partout, fit Judith en secouant la tête. Le monde a bien changé.

Elle rendit le portable à Maya.

— Alors, que s'est-il passé entre toi et Isabella ?

Ce n'était guère le moment d'aborder le sujet, surtout juste avant l'ouverture du testament de Joe.

— Oh, rien de grave.

— Puis-je être franche ?

— Pourquoi, d'habitude vous ne l'êtes pas ?

Judith sourit.

— Là-dessus, on se ressemble, toi et moi. D'ailleurs, nous avons beaucoup de points communs. On a toutes les deux épousé un fils de famille. On est veuves toutes les deux. Et toutes les deux, on dit ce qu'on pense.

— Je vous écoute.

— Tu vois toujours ton thérapeute ?

Maya ne répondit pas.

— Ta situation n'est plus la même, Maya. Ton mari a été assassiné. Sous tes yeux. Tu aurais pu y rester toi aussi. Désormais, tu es seule pour élever ton enfant.

Quand on ajoute ces traumas récents au diagnostic déjà existant…

— Que vous a dit Isabella ?

— Rien.

Judith posa la main sur son épaule.

— Je pourrais te suivre moi-même, mais…

— Ce ne serait pas une bonne idée.

— Tout à fait. Ce serait déplacé. Je dois m'en tenir à mon rôle de mamie gâteau et de belle-mère affectueuse. Mais j'ai une consœur. Une amie plutôt. Nous avons étudié ensemble à Stanford. Je ne doute pas de la compétence des psychiatres du bureau des anciens combattants, mais, franchement, cette femme est la meilleure dans sa spécialité.

— Judith ?

— Oui ?

— Je vais bien.

— Maman ? fit une voix.

Judith se retourna. C'était Caroline, sa fille et la sœur de Joe. Les deux femmes se ressemblaient ; on voyait bien qu'elles étaient mère et fille. Mais, à côté d'une Judith forte et sûre d'elle, Caroline avait l'air d'une petite souris.

— *Hello*, Maya.

Nouvelles embrassades.

— Heather attend dans la bibliothèque, dit Caroline. Neil est déjà là-bas.

Le visage de Judith s'assombrit.

— Eh bien, allons-y.

Elle se plaça entre Caroline et Maya qui la prirent chacune par un bras. Elles traversèrent en silence le grand hall, passèrent devant la salle de bal. Un portrait de Joseph T. Burkett père trônait au-dessus de la cheminée. Judith fit une halte et le contempla quelques instants.

— Joe ressemblait beaucoup à son père, dit-elle.

— C'est vrai, reconnut Maya.

— Encore un point commun entre nous, fit Judith avec l'ombre d'un sourire. On aime le même genre d'hommes.

— Oui, le beau ténébreux, acquiesça Maya. Pas très original, je le crains.

Sa réponse plut à Judith.

— Très juste.

Caroline ouvrit les portes battantes, et elles entrèrent dans la bibliothèque. Était-ce d'avoir vu des petites filles déguisées ou peut-être parce qu'elle avait regardé récemment *La Belle et la Bête* avec Lily, mais la pièce lui fit penser au château de la Bête. Sur deux niveaux, elle était tapissée d'étagères en chêne massif du sol au plafond. Des tapis d'Orient aux motifs tarabiscotés recouvraient le parquet. Un lustre en cristal pendait du plafond. Il y avait deux échelles coulissantes montées sur des rails en fer forgé. Un grand globe terrestre à l'ancienne s'ouvrait sur un carafon de cognac. Neil, le seul fils survivant, s'était déjà servi.

— Salut, Maya.

Nouveaux baisers sur les joues, mais plus négligés cette fois. Tout chez Neil semblait négligé. C'était un garçon à la silhouette en bouteille d'Orangina qui, même tiré à quatre épingles, avait l'air débraillé.

— Tu en veux un ?

Il désigna le carafon.

— Non, merci, répondit Maya.

— Tu es sûre ?

Judith pinça les lèvres.

— Il est neuf heures du matin, Neil.

— Mais cinq heures de l'après-midi quelque part dans le monde. C'est ce qu'on dit toujours, non ?

Il rit. Personne ne se joignit à lui.

— Et puis, ce n'est pas tous les jours qu'on assiste à l'ouverture du testament de son frère.

Judith détourna les yeux. Neil était le petit dernier, le plus jeune des quatre enfants Burkett. Joe avait été l'aîné, suivi un an plus tard par Andrew qui avait « péri en mer », selon la formule consacrée, ensuite venait Caroline, et enfin Neil. Curieusement, c'était à lui que Joseph père, qui ne mélangeait jamais argent et sentiments, avait confié la direction de l'empire familial de préférence à son grand frère.

Joe avait expédié la question d'un haussement d'épaules.

— Neil n'a pas de scrupules, avait-il dit à Maya. Papa aime bien ça.

— Si on s'asseyait ? suggéra Caroline.

Maya regarda les fauteuils – profonds fauteuils en cuir bordeaux –, et repensa à son rêve. Un instant, elle revit Joe en smoking, jambes croisées, manchettes aux plis impeccables, le regard lointain, inaccessible.

— Où est Heather ? demanda Judith.

— Je suis là.

Toutes les têtes se tournèrent vers la porte. Heather Howell gérait les affaires de la famille depuis une dizaine d'années. Avant elle, cette tâche avait incombé à son père, Charles Howell III. Lequel avait succédé à son grand-père, Charles Howell II.

Quant au premier Charles Howell, personne ne savait qui il était.

— Parfait, dit Judith. Commençons.

Étonnant, la facilité avec laquelle elle passait de la chaleureuse figure maternelle à la psy, puis, comme en cet instant, à la matrone vieille école jusque dans sa voix teintée d'une pointe d'accent *british*.

Tout le monde prit place, sauf Heather qui resta debout. Judith la regarda.

— Il y a un problème ?

— J'en ai bien peur.

Heather Howell appartenait à cette catégorie d'avocats qui respirent la compétence et la confiance en soi. Quelqu'un qu'on avait envie d'avoir dans son camp. La première fois que Maya l'avait rencontrée, c'était juste après que Joe lui avait demandé sa main. Heather l'avait convoquée dans cette même pièce et avait posé sur la table un contrat de mariage. Sur un ton sans réplique, mais pas inamical, elle lui avait annoncé : « La signature de ce document n'est pas négociable. »

Aujourd'hui, pour la première fois, Heather Howell paraissait un peu perdue, ou du moins déboussolée.

— Que se passe-t-il ? demanda Judith.

— Je crains que nous ne soyons obligés de reporter la lecture du testament.

Judith se tourna vers Caroline. Rien. Elle regarda Maya qui ne broncha pas. Alors elle reporta son attention sur Heather.

— Vous voulez bien nous dire pourquoi ?

— Nous avons un certain protocole à respecter.

— Quel genre de protocole ?

— Rien qui puisse vous inquiéter, Judith.

Sa réponse déplut.

— Ai-je l'air de quelqu'un qui invite à la condescendance ?

— Non.

— Alors pourquoi ne peut-on pas ouvrir le testament de Joe ?

— Ce n'est pas qu'on ne puisse pas, répondit Heather en pesant soigneusement chaque mot.

— Mais ?

— C'est juste qu'il y a un délai.

— Encore une fois, pourquoi ?

— Un simple problème administratif, dit Heather.

— Comment ça ?

— Nous n'avons pas reçu… le certificat de décès légal.

Silence.

— Ça fait deux semaines qu'il est mort, déclara Judith. Il a été enterré.

Un cercueil fermé, se souvint Maya soudain.

Ce n'était pas elle qui l'avait décidé. Elle avait laissé faire la famille de Joe. Pour elle, cela n'avait pas d'importance. Un mort est un mort. À eux de choisir les rites qui les aideraient à mieux supporter le deuil. Un cercueil fermé, ça pouvait se comprendre. Joe s'était pris une balle dans la tête. Le meilleur des croque-morts n'aurait pu le rendre présentable.

Judith, à nouveau :

— Heather ?

— Oui, bien sûr… je veux dire, j'étais à l'enterrement. Mais la situation exige un certificat de décès, une sorte de preuve. Ce n'est pas une affaire ordinaire. J'ai chargé l'un de mes associés de consulter la législation en la matière. Dans la mesure où Joe a été… enfin… assassiné, il nous faut un papier officiel signé des autorités compétentes au sein de la police. On vient de m'informer que cela prendra plus de temps que prévu.

— Combien ? interrogea Judith.

— Je ne saurais le dire, mais j'espère que ce sera l'affaire d'un jour ou deux, pas plus.

Neil finit par sortir de son silence.

— De quelle preuve parlez-vous ? La preuve que Joe est mort ?

Heather Howell se mit à tripoter son alliance.

— Je n'ai pas encore tous les éléments, mais avant de parler succession, ce… disons, ce pataquès doit être résolu. J'ai mis mes meilleurs collaborateurs sur l'affaire. Je vous recontacterai très vite.

Et, pendant que la stupeur les laissait sans voix, Heather Howell pivota sur ses talons et quitta la pièce.

12

— Ce n'est rien, dit Judith en reconduisant Maya dans le vestibule.

Maya ne répondit pas.

— Les avocats sont comme ça. Tout doit être à la virgule près, en partie pour protéger le client, mais surtout pour gonfler la facture.

Elle essaya de sourire, sans y parvenir vraiment.

— Je suis persuadée que c'est juste une question de paperasse, compte tenu des circonstances…

Elle se tut brusquement, comme si elle venait de comprendre qu'elle parlait de Joe et non d'un problème administratif quelconque.

— Deux fils, fit-elle d'une voix blanche.

— Je suis désolée.

— Aucune mère ne devrait avoir à enterrer deux de ses fils.

Maya lui prit la main.

— Aucune, acquiesça-t-elle.

— Ni une jeune femme enterrer un mari et une sœur.

La mort te colle aux basques, Maya…

Peut-être aux basques de Judith aussi.

Judith lui tint la main un moment, puis la lâcha.

— S'il te plaît, reste en contact, Maya.

— Bien sûr.

Elles sortirent au soleil. La limousine noire de Judith attendait. Le chauffeur lui ouvrit la portière.

— Amène-nous Lily le plus tôt possible.

— Promis.

— Et, s'il te plaît, explique-toi avec Isabella.

— Plus vite je la verrai, répondit Maya, plus vite nous pourrons régler ce malentendu.

— Je verrai ce que je peux faire.

Judith se glissa sur la banquette arrière. Le chauffeur ferma la portière. Maya resta là sans bouger jusqu'à ce que la limousine s'éloigne dans l'allée.

En arrivant à sa voiture, elle tomba sur Caroline qui l'attendait.

— Tu as une minute ?

Pas vraiment. Maya était pressée de partir. Elle avait des choses à faire. Deux, plus précisément. Primo, elle voulait repasser chez Rosa pour essayer de la surprendre. Si ça ne marchait pas, elle avait un plan B pour localiser Isabella. Deuzio, elle devait faire un saut chez Cuir et Dentelles pour comprendre le lien qu'il pouvait y avoir entre ce « club privé » et sa sœur décédée.

Caroline posa la main sur son bras.

— S'il te plaît.

— OK, d'accord.

— Mais pas ici.

Caroline regarda à droite et à gauche.

— Allons faire un tour.

Maya ravala un soupir. Caroline s'engagea sur le sentier dallé. Son petit chien, Laszlo, un bichon havanais, suivit les deux femmes. Il n'était pas en laisse, mais, franchement, quel risque y avait-il à le lâcher dans un domaine aussi vaste ? Maya se demanda quel effet cela faisait de grandir dans un tel environnement, parmi tant d'opulence, de beauté et de tranquillité, où tout ce que l'on voyait – herbe, arbres, bâtiments –, tout, était à vous.

Caroline bifurqua à droite, Laszlo sur ses talons.

— Mon père l'a fait installer pour Joe et Andrew.

Elle sourit en direction du terrain de foot.

— Moi, c'était le tennis. J'aimais bien ça. Je jouais pendant des heures. Mon père a fait venir le meilleur entraîneur de Port Washington pour me donner des cours particuliers. J'étais arrivée première en simple dans mon lycée. Mais, pour passer au niveau supérieur, il faut que ça devienne une obsession. On ne peut pas faire semblant.

Maya hocha la tête, faute de mieux. Laszlo trottinait, la langue pendante. Caroline cherchait visiblement à rassembler son courage pour lui parler, et Maya ne voulait pas la brusquer.

— Mais Joe et Andrew… ils adoraient le foot. Et ils étaient très bons. Joe était buteur, comme tu le sais sûrement. Andrew était gardien de but. Tu n'imagines pas le temps qu'ils passaient ici. Joe s'exerçait à marquer des buts pendant qu'Andrew s'exerçait à les arrêter. Ce filet, il est à quatre cents mètres de la maison, qu'en penses-tu ?

— Possible.

— On les entendait rire par la fenêtre. Maman était assise au salon et souriait.

À ce souvenir, le visage de Caroline s'éclaircit. Elle avait le sourire de sa mère, le charme et le charisme en moins.

— Qu'est-ce que tu sais à propos d'Andrew ?

— Pas grand-chose, répondit Maya.

— Joe ne te parlait jamais de lui ?

Bien sûr que si. Joe lui avait révélé quelque chose d'énorme concernant la mort de son frère, mais elle n'était pas prête à partager ce secret avec Caroline, ni avec personne d'autre.

Tout le monde pense que mon frère est tombé du bateau...

Joe et elle étaient en vacances dans les îles Turques-et-Caïques, allongés nus sur le lit. Les yeux de Joe luisaient au clair de lune. La fenêtre était ouverte, et la brise marine lui picotait la peau. Maya lui avait pris la main.

En fait, Andrew a sauté...

— Pas beaucoup, répondit-elle.

— Ça devait être trop douloureux. Ils ont été si proches.

Caroline s'arrêta.

— Comprends-moi bien, Maya. Joe et Andrew m'aimaient tous les deux, et Neil... bref, c'était le petit frère exaspérant qu'ils toléraient. Mais, en vérité, il n'y en avait que pour eux. Ils étaient dans la même école privée quand Andrew est mort, tu le savais ?

Maya acquiesça.

— À Franklin-Biddle, du côté de Philadelphie. Ils logeaient dans le même bâtiment, jouaient dans la même équipe de foot. Cette maison est immense, et pourtant Joe et Andrew ont toujours tenu à partager la même chambre.

Andrew s'est suicidé, Maya. Tellement il souffrait, et moi je ne m'en suis pas rendu compte...

— Maya ?

Elle se tourna vers Caroline.

— Que penses-tu de ce qui s'est passé tout à l'heure ? De ce... report ?

— Je n'en sais rien.

— Pas la moindre idée ?

— D'après votre avocate, ce serait un pataquès administratif.

— Et tu y crois ?

Maya haussa les épaules.

— Dans l'armée, les pataquès administratifs étaient monnaie courante.

Caroline baissa les yeux.

— Qu'y a-t-il ? fit Maya.

— Tu l'as vu ?

— Qui ?

— Joe.

Maya sentit tout son corps se raidir.

— De quoi parles-tu ?

— Sa dépouille, dit Caroline tout bas. Avant l'enterrement. As-tu vu sa dépouille ?

Lentement, Maya secoua la tête.

— Non.

Caroline se redressa.

— Tu ne trouves pas ça bizarre ?

— Le cercueil était fermé.

— C'est toi qui l'avais décidé ?

— Non.
— Qui alors ?
— Ta mère, je suppose.
Caroline acquiesça, comme si cette explication lui semblait logique.
— J'ai demandé à le voir.
Balayées, la paix et la tranquillité : le silence se fit soudain suffocant. Maya prit quelques grandes inspirations. Il y avait dans le silence, dans tous les silences, quelque chose qu'elle aimait et redoutait tout à la fois.
— Des morts, tu en as vu à la pelle, hein, Maya ?
— Je ne comprends pas où tu veux en venir.
— Quand un soldat meurt, pourquoi est-ce si important de rapatrier le corps ?
Caroline commençait à lui taper sur les nerfs.
— Parce qu'on ne laisse personne derrière.
— Oui, j'ai entendu ça. Mais pourquoi ? Tu vas me dire que c'est pour les honorer et tout ; à mon avis il n'y a pas que ça. Le soldat est mort. Tu ne peux plus rien pour lui… ou pour elle, ne soyons pas sexistes. Si tu ramènes le corps à la maison, ce n'est pas pour lui, mais pour la famille. Les proches ont besoin de ça. Ils ont besoin de le voir. Pour pouvoir faire leur deuil.
Maya n'était pas d'humeur à s'appesantir sur le sujet.
— Qu'essaies-tu de me dire, Caroline ?
— Ce n'est pas que je voulais voir Joe. Il *fallait* que je le voie. Pour que ce soit réel. Tant qu'on n'a pas vu le corps, on ne réalise pas tout à fait. C'est comme si…
— Comme si quoi ?
— Comme si ce n'était pas vrai. Comme si, quelque part, il était toujours en vie. On rêve de lui.
— On rêve des morts aussi.

— Oh oui, je sais. Mais ce n'est pas pareil. Quand nous avons perdu Andrew en mer…

Encore cette formule à la gomme.

— … je n'ai pas vu son corps non plus.

Cet aveu surprit Maya.

— Ah bon ? Pourtant, il a été retrouvé, non ?

— C'est ce qu'on m'a dit.

— Tu n'y crois pas ?

Caroline haussa les épaules.

— J'étais jeune à l'époque. On ne me l'a pas montré. Encore un cercueil fermé. J'ai des visions, Maya. Il m'apparaît en rêve. Même aujourd'hui. Je rêve qu'Andrew n'est pas mort et quand je me réveille il est là, dans ses buts, souriant, en train d'arrêter des ballons. Oui, je sais qu'il est mort dans un accident, et en même temps *je ne sais pas.* Tu comprends ? Je n'ai jamais accepté la mort d'Andrew. Des fois, je me dis qu'il a survécu, qu'il est sur une île et que je le reverrai un jour. Mais si j'avais vu le corps…

Maya se figea sur place.

— Du coup, je ne voulais pas refaire la même erreur. J'ai demandé à voir Joe. J'ai supplié même. Tant pis s'il était défiguré. En un sens, ça m'aurait même aidée. J'avais besoin de ça pour être sûre qu'il était réellement parti.

— Et tu ne l'as pas vu ?

Caroline fit non de la tête.

— On ne m'a pas laissée le voir.

— Qui ça, « on » ?

Elle se retourna vers la cage de but.

— Deux de mes frères. Tous deux morts jeunes. Ça peut être tout simplement la malchance. Ça arrive.

Mais, dans les deux cas, je n'ai pas vu le corps. Tu as entendu Heather. Pas de certificat officiel de décès. Mes deux frères. Comme si…

Elle planta son regard dans les yeux de Maya.

— Comme s'ils étaient toujours vivants.

Maya ne bougea pas.

— Sauf qu'ils ne le sont pas.

— Je sais que ça paraît délirant…

— C'est délirant.

— Tu t'es disputée avec Isabella, n'est-ce pas ? Elle nous l'a dit. D'après elle, tu prétendais avoir vu Joe. Pourquoi ? Qu'entendais-tu par là ?

— Caroline, écoute-moi. Joe est mort.

— Comment peux-tu en être aussi sûre ?

— J'y étais.

— Mais tu ne l'as pas vu mourir. Il faisait sombre. Et tu t'es enfuie avant le troisième coup de feu.

— Caroline, voyons, la police est venue. Il y a eu une enquête. Il ne s'est pas relevé après les deux premiers coups de feu. Les flics ont même arrêté deux suspects. Comment tu expliques ça ?

Caroline secoua la tête.

— Tu ne me croiras pas.

— Dis toujours.

— Le policier chargé de l'investigation. Son nom est Roger Kierce.

— Exact.

Il y eut un silence.

— Caroline, de quoi s'agit-il ?

— Je sais que ça va te paraître fou…

Maya eut envie de la secouer pour lui faire cracher le morceau.

— On a un compte dans une banque privée. Je te passe les détails. C'est sans importance. Disons qu'il est impossible de remonter jusqu'au détenteur. Tu vois ce que je veux dire ?

— Je pense que oui. Attends. Cette banque ne s'appelle pas WTC ?

— Non.

— Et elle ne se trouve pas du côté de Houston ?

— Non, c'est une banque *offshore*. Pourquoi tu me parles de Houston ?

— Pour rien. Vas-y, continue. Vous avez un compte privé dans un paradis fiscal.

Caroline la dévisagea longuement.

— J'ai jeté un œil sur les opérations en ligne de ces dernières semaines.

Maya hocha la tête d'un air qui se voulait encourageant.

— La plupart des transferts ont été effectués sur divers comptes numérotés : c'est de l'argent qui se balade un peu partout de façon à ce qu'on ne puisse pas le repérer. Encore une fois, je te passe les détails. Mais il y avait un bénéficiaire aussi. Plusieurs versements au profit d'un certain Roger Kierce.

Maya encaissa le coup sans ciller.

— Tu en es sûre ?

— Je l'ai vu de mes propres yeux.

— Montre-moi.

— Hein ?

— Tu as accès à ce compte, dit Maya. Alors montre-le-moi.

Caroline entra le mot de passe. Le même message – ERREUR : ACCÈS NON AUTORISÉ – s'afficha à l'écran pour la troisième fois.

— Je ne comprends pas.

Elle était assise devant l'ordinateur dans la bibliothèque.

— Maya ?

Debout derrière elle, Maya contemplait l'écran. *Ne t'emballe pas. Prends le temps de réfléchir*. Mais ceci ne demandait pas réflexion. De deux choses l'une : soit Caroline la menait en bateau, soit quelqu'un avait changé le mot de passe pour qu'elle ne puisse plus consulter les comptes sur Internet.

— Qu'as-tu vu exactement ? s'enquit Maya.

— Je te l'ai dit. Des versements au bénéfice de Roger Kierce.

— Combien ?

— Je ne sais plus. Trois, je crois.

— Et le montant ?

— Neuf mille dollars chacun.

Neuf mille dollars. Ceci expliquait cela. Au-dessous de dix mille, on n'était pas tenu de déclarer une transaction financière.

— Et quoi d'autre ? demanda Maya.

— Comment ça ?

— Le premier versement date de quand ?

— Je n'en sais rien.

— Avant ou après la mort de Joe ?

Caroline posa un doigt sur sa lèvre, réfléchissant.

— Je ne le jurerais pas, mais…

Maya attendit.

— … je suis pratiquement certaine que le premier a été effectué avant.

Là encore, deux solutions s'offraient à elle.

La première et la plus directe : affronter Judith. Affronter Neil. Aller les trouver séance tenante et exiger des explications. Sauf qu'il y avait des obstacles d'ordre logistique. D'abord, ils étaient absents tous les deux, et surtout, qu'espérait-elle découvrir ? S'ils dissimulaient quelque chose, seraient-ils prêts à le reconnaître ? Et même si elle les forçait à accéder à leurs relevés de compte en ligne, n'auraient-ils pas déjà effacé toutes les données compromettantes ?

Que fallait-il comprendre, au juste ? Pourquoi la famille Burkett aurait-elle soudoyé le flic chargé d'enquêter sur la mort de Joe ? Cela avait-il un sens ? Admettons que Caroline ait dit la vérité. Si les versements avaient commencé avant le meurtre, comment pouvaient-ils savoir que l'affaire serait confiée à Kierce ? Non, ça ne tenait pas debout. Et puis, Caroline n'était pas à cent pour cent sûre de la date du premier paiement. Ç'aurait été plus logique – « logique » étant en l'occurrence un cran au-dessus de « totalement absurde » – que les versements débutent après le meurtre.

Mais dans quel but ?

Voir à long terme. C'était ça, la clé. Et, à long terme, une confrontation directe avec Judith et Neil, à supposer qu'ils soient derrière ces présumés versements, ne lui rapporterait pas grand-chose. Cela reviendrait à abattre ses cartes sans rien obtenir en retour.

Patience. Renseigne-toi d'abord. Puis, s'il le faut, coince-les. On dit qu'un avocat ne doit jamais poser une question s'il ne connaît pas la réponse. De même, un bon soldat n'attaque pas sans avoir calculé tous les risques et être prêt à parer à toutes les éventualités.

Alors autant s'en tenir à son plan initial. Mettre la main sur Isabella et la faire parler. Et essayer de savoir pourquoi Claire téléphonait chez Cuir et Dentelles.

Elle commença par la maison d'Isabella. Ce fut Hector qui lui ouvrit.

— Isabella n'est pas là.

— Madame Burkett pense qu'on devrait s'expliquer, elle et moi.

— Elle est partie à l'étranger, dit Hector.

Des clous.

— Pour combien de temps ?

— Elle vous rappellera. S'il vous plaît, ne revenez plus.

Il ferma la porte. Maya s'y attendait. En retournant à sa voiture, elle fit le tour du pick-up d'Hector et, sans ralentir le pas, colla un traceur GPS aimanté sous son pare-chocs.

À l'étranger, mon œil.

Le traceur était simple à utiliser : on télécharge l'application, on affiche la carte et on suit le véhicule dans tous ses déplacements. Et ce n'était pas difficile à trouver. Il suffisait d'aller au centre commercial.

Maya ne croyait pas un instant qu'Isabella avait quitté le pays.

Et tôt ou tard, Hector finirait par la conduire à sa sœur.

13

On aurait pu penser qu'un établissement comme Cuir et Dentelles serait fermé pendant la journée. Erreur. Situé à l'ombre du MetLife Stadium, domicile à la fois des Giants et des Jets de New York, Cuir et Dentelles ouvrait ses portes à onze heures du matin, proposant un « somptueux déjeuner buffet ». Maya était déjà allée dans des boîtes de strip-tease lors de ses permissions. Y aller aidait les gars à décompresser. En théorie, elle n'avait rien à faire là-dedans, mais, vu l'accueil princier réservé à la clientèle féminine, il y avait des raisons de croire le contraire. Les danseuses l'avaient draguée à mort. Elle avait sa propre explication là-dessus – ces filles n'étaient pas tant lesbiennes qu'antimachos –, mais elle avait gardé ses réflexions pour elle.

L'entrée de Cuir et Dentelles était gardée par la brute de service. Un mètre quatre-vingt-dix, un bon quintal et demi, pas de cou, cheveux en brosse, T-shirt noir si moulant qu'il lui garrottait les biceps.

— Tiens, tiens, dit-il comme s'il s'était trouvé soudain face à un plateau de petits-fours. Que puis-je pour vous, ma p'tite dame ?

Oh, mon Dieu.

— Je voudrais parler au directeur.

Plissant les yeux, il l'inspecta de pied en cap comme du bétail dans une foire agricole, puis hocha la tête.

— Vous avez des références ?

— Il faut que je parle au directeur.

Brutus la déshabilla du regard au moins pour la troisième fois.

— Vous êtes un peu vieille pour le boulot.

Hochant à nouveau la tête, il la gratifia d'un sourire éclatant.

— Mais moi, je vous trouve canon.

— Venant de vous, dit Maya, ça me va droit au cœur.

— Je suis sérieux. Vous êtes top canon. Regardez-moi ces muscles.

— Arrêtez ou je vais défaillir. Le directeur ?

Quelques minutes plus tard, elle passait devant un buffet étonnamment bien garni. Il n'y avait pas encore foule. Les hommes baissaient la tête. Deux femmes dansaient sur la scène avec l'enthousiasme de collégiennes qui se réveillent pour aller à un contrôle de maths. Toutes deux semblaient s'ennuyer à mourir. L'aspect moral mis à part, c'était ça qu'elle n'aimait pas dans les clubs de strip. L'ambiance y était aussi érotique qu'une visite chez le proctologue.

Le directeur portait un short de yoga et un débardeur.

— Appelez-moi Billy, lui dit-il.

Billy était court sur pattes, adepte de la gonflette, avec des doigts maigres. Son bureau était peint en vert avocat. Sur les écrans des ordinateurs on voyait les vestiaires et la scène. L'angle de prise de vue lui fit penser à Lily dans la crèche.

— Tout d'abord, laissez-moi vous dire que vous êtes canon. OK ? Vous êtes canon.

— On ne cesse de me le répéter, répondit Maya.

— Et vous avez un corps tonique, un corps d'athlète. C'est ce qui marche le mieux aujourd'hui. Comme cette nana sexy dans *Hunger Games.* Quel est son nom, déjà ?

— Jennifer Lawrence.

— Non, non, pas l'actrice, le personnage. Voyez-vous, ici on est dans le fantastique, alors vous serez…

Billy fit claquer ses doigts décharnés.

— Katniss. C'est bien le nom du personnage central, non ? La fille sexy en combinaison cuir avec un arc et des flèches. Katniss Ever-quelque chose. Mais…

Ses yeux s'agrandirent.

— Oh mince, c'est trop génial. Au lieu de *Kat*-niss, on va vous appeler *Jen*-niss. Vous pigez ?

Derrière eux, une voix féminine observa :

— Elle n'est pas là pour travailler, Billy.

Maya se retourna. La femme devait avoir dans les trente-cinq ans. Elle portait des lunettes et un tailleur chic qui détonnait ici comme une cigarette dans un club de remise en forme.

— Comment ça ? demanda Billy.

— Ce n'est pas le genre.

— Oh, allez, Loulou, tu es injuste, dit Billy. C'est des préjugés, tout ça.

Loulou adressa un sourire en coin à Maya.

— Où va se nicher la tolérance.

Puis, à Billy :

— Je m'en occupe.

Billy sortit. Loulou s'approcha des moniteurs et cliqua avec la souris, passant d'une caméra de surveillance à une autre.

— Que puis-je faire pour vous ? s'enquit-elle.

Maya n'y alla pas par quatre chemins.

— Ma sœur a téléphoné à plusieurs reprises ici. J'aimerais savoir pourquoi.

— On accepte les réservations par téléphone. C'est peut-être pour cette raison.

— Non, je ne crois pas.

Loulou haussa les épaules.

— Je ne sais pas quoi vous dire. On reçoit beaucoup d'appels.

— Son nom était Claire Walker. Ça ne vous dit rien ?

— Peu importe. Même si c'était le cas, je ne vous dirais rien. Compte tenu de notre secteur d'activité, nous sommes très à cheval sur la discrétion.

— C'est beau d'avoir des principes.

— Vous n'avez aucune leçon à nous donner, mademoiselle… ?

— Maya. Maya Stern. Et ma sœur a été assassinée.

Silence.

— Elle avait un téléphone caché.

Maya le sortit, ouvrit l'historique.

— Tous les appels émis ou reçus correspondent au numéro de votre club.

Loulou ne daigna même pas jeter un coup d'œil.

— Toutes mes condoléances.

— Merci.

— Mais je ne peux absolument pas vous aider.

— Je peux remettre ce téléphone à la police. Une femme l'utilisait en cachette et uniquement pour appeler chez vous. Elle a été assassinée. Vous ne craignez pas de voir les flics débarquer en masse ?

— Non, répondit Loulou, je ne le crains pas. Car nous n'avons rien à cacher. Comment savez-vous que ce portable a appartenu à votre sœur ?

— Comment ?

— Où l'avez-vous trouvé ? Chez elle ? Est-ce qu'elle vivait avec quelqu'un ? C'était peut-être le portable de son compagnon, pas le sien.

— Non.

— Vous en êtes sûre ? Sûre et certaine ? Parce que – tenez-vous bien – les hommes ont tendance à mentir quand ils viennent ici. Même si vous réussissez à prouver que ce portable a appartenu à votre sœur, des dizaines de personnes utilisent notre téléphone. Danseuses, barmen, serveurs, personnel de cuisine, portiers, même des clients. Votre sœur a été tuée il y a combien de temps ?

— Ça fait quatre mois.

— Nous effaçons les données de vidéosurveillance tous les quinze jours. Encore une fois, pour une question de discrétion et de tranquillité. Donc, même si vous aviez voulu consulter les vidéos…

— J'ai compris, dit Maya.

Loulou lui sourit avec condescendance.

— Je regrette de ne pas pouvoir vous aider davantage.

— Oui, je vois ça.

— Si vous voulez bien m'excuser…

Maya fit un pas vers elle.

— Oublions ce qui est légitime ou pas. Je ne suis pas là pour vous soutirer des informations confidentielles.

Je fais appel à votre humanité. Ma sœur a été assassinée. La police est sur le point de jeter l'éponge. La seule piste fraîche, c'est ce téléphone. Je vous demande, en tant qu'être humain, de m'aider.

Loulou était déjà à la porte.

— Je suis sincèrement navrée pour votre sœur, mais il n'y a rien que je puisse faire pour vous.

La lumière l'éblouit lorsqu'elle sortit du club. Dans ces lieux-là, il faisait toujours nuit alors que, dans le monde réel, il était tout juste midi. Le soleil lui tapa sur la tête de toutes ses forces. Maya plissa les yeux et mit sa main en visière, chancelant tel Dracula traîné dehors en plein jour.

— Ça n'a pas marché ? demanda Brutus.

— Tant pis pour moi.

— Dommage.

— Ouais.

Et maintenant ?

Elle pouvait toujours mettre sa menace à exécution et rapporter le téléphone à la police. C'est-à-dire à Kierce. Avait-elle confiance en lui ? Bonne question. Soit il touchait des dessous-de-table, soit Caroline mentait. Ou elle se trompait. Ou… peu importait. Elle se méfiait de Caroline. Elle se méfiait de Kierce.

Le seul dont elle était sûre qu'il lui disait la vérité, c'était Shane. Mais là aussi, elle devait faire attention. Shane était son ami, mais c'était également quelqu'un de carré. Elle lui avait déjà forcé la main une fois. Normalement, ils se retrouvaient ce soir-là au stand de tir. Elle pourrait lui parler là-bas, mais était-ce une bonne idée ? Il commençait à poser trop de questions…

Minute !

Maya traversait le parking, clignant des yeux pour se réhabituer à la lumière du soleil, lorsqu'elle l'aperçut. Dans un premier temps, elle ne réagit pas. Elle la voyait de loin, et c'était un modèle très répandu.

Il y avait plein de Buick Verano rouges en ville.

Celle-ci était garée dans un coin reculé du parking, coincée entre la clôture et un gros SUV, un Cadillac Escalade. Maya jeta un coup d'œil par-dessus son épaule. Brutus était en train de lorgner ses fesses. Étonnant de sa part. Elle lui adressa un signe de la main et se dirigea vers la voiture rouge.

Elle voulait voir la plaque d'immatriculation.

La clôture était hérissée de caméras de surveillance. Oui, bon et après ? Il n'y avait rien à surveiller à cette heure, et puis, où était le mal ? Elle avait un plan. Récemment, pour ne plus se faire avoir, elle avait acheté plusieurs traceurs GPS au centre commercial. Le premier, elle l'avait accroché sur la voiture d'Hector.

Un deuxième était dans son sac, prêt à l'emploi.

Son plan était simple. Vérifier la plaque et, si c'était la même voiture, coller le GPS sous le pare-chocs.

Cette partie-là se révélait un peu plus délicate. La voiture était garée dans le coin, tout contre la clôture, et passer nonchalamment devant, si elle se faisait surprendre, serait pour le moins maladroit. Cependant, le parking était calme. Les rares clients qui arrivaient se garaient de l'autre côté, et même s'il n'y avait pas de honte à venir là ils ne paradaient pas non plus en bombant le torse.

La plaque d'immatriculation surgit devant ses yeux. Oui, c'était bien la même voiture.

WTC Limited. La société propriétaire de Cuir et Dentelles ?

— C'est pas là.

Maya se retourna. Brutus s'était planté devant elle. Elle se força à sourire.

— Pardon ?

— Ici, c'est le parking réservé aux employés.

— Ah bon ? fit Maya. Désolée. Ce que je peux être gourde, des fois.

Et elle tenta d'imiter un rire de gourde.

— Je me suis garée au mauvais endroit. Ou alors c'est parce que j'avais trop envie de décrocher ce job…

— C'est pas là que vous êtes garée.

Il pointa un doigt boudiné.

— Votre voiture est là-bas, à l'autre bout.

— Ah ? Je dois être vraiment à côté de mes pompes.

Elle ne bougea pas. Brutus non plus.

— Personne n'a le droit de venir ici, déclara-t-il. C'est le règlement. Y a des gars qui sortent pour attendre une danseuse à côté de sa voiture. Ou alors ils notent son numéro de plaque pour essayer de la contacter. Parfois, on est obligés d'escorter les filles pour leur éviter les mauvaises rencontres.

— Oui, mais je ne suis pas une mauvaise rencontre.

— Ça, c'est sûr, m'dame.

Elle ne bougea pas. Lui non plus.

— Venez, dit-il, je vous raccompagne à votre voiture.

Il y avait une sorte d'entrepôt géant une centaine de mètres plus loin, de l'autre côté de la route. Maya se gara sur le parking, face à la rue, pour pouvoir surveiller l'accès à Cuir et Dentelles. Avec un peu de chance, le conducteur de la Buick Verano rouge finirait par sortir, et elle pourrait le suivre.

À partir de là, elle serait en mode improvisation. Si, admettons, la voiture s'arrêtait devant une maison, il faudrait essayer de se renseigner sur ses occupants.

Un club de strip-tease était fréquenté par une clientèle hétéroclite, au moins du point de vue vestimentaire. Il y avait des travailleurs en jean et chaussures de chantier. Des costumes-cravates. Des gars en T-shirt et bermuda. Et même un groupe de types en tenue de golf, comme s'ils venaient juste de terminer leur parcours. Finalement, peut-être qu'on y mangeait bien, qui sait ?

Une heure passa. Quatre personnes quittèrent le parking réservé au personnel ; trois autres arrivèrent. La Buick Verano rouge restait garée près de la clôture.

Maya avait à présent tout son temps pour faire le point sur la situation, sauf que ce n'était pas de temps qu'elle avait besoin, mais d'informations.

La Buick rouge avait été louée par une firme du nom de WTC Limited. Cette firme appartenait-elle à la famille Burkett ? Caroline avait parlé de pots-de-vin, de comptes *offshore*, de sociétés écrans. WTC Limited faisait-elle partie de ce circuit-là ? Claire connaissait-elle le conducteur de la Buick ? Ou Joe ?

Maya et Joe avaient plusieurs comptes communs. Elle ouvrit l'application sur son smartphone pour consulter les relevés bancaires. Joe était-il déjà venu chez Cuir et Dentelles ? Si oui, ça n'apparaissait pas sur les relevés. D'un autre côté, serait-il aussi bête ? Un club comme celui-ci, connaissant la manie de certaines femmes de fouiner dans les factures de cartes bancaires de leur mari, et vu le souci de discrétion de Loulou, utiliserait un autre nom, non ?

Comme WTC Limited.

Avec un regain d'espoir, Maya chercha un prélèvement en faveur de WTC. Rien. Le club se trouvait à Carlstadt, New Jersey. Mais cette ville ne figurait pas non plus sur les factures.

Quelqu'un se gara à deux places de distance de la Buick rouge. La portière de la voiture s'ouvrit, et une fille en descendit. Maya devina tout de suite sa profession. Longs cheveux blonds, un short qui couvrait à peine la moitié d'une fesse, des seins refaits remontant jusqu'aux oreilles : pas la peine d'avoir un sixième sens pour comprendre que cette fille était soit une effeuilleuse, soit un fantasme d'adolescent sur pattes.

Au moment où la pulpeuse créature poussait la porte de l'entrée du personnel, un homme en sortit. Il portait une casquette de base-ball avec le logo des Yankees enfoncée sur ses yeux cachés derrière des lunettes noires. Tête basse, épaules rentrées, il avait l'air de quelqu'un qui cherchait à passer inaperçu. Maya se redressa. Son visage était mangé par une barbe broussailleuse, de celles que les sportifs superstitieux se laissent pousser lors des séries éliminatoires.

Même à distance, elle lui trouva quelque chose de familier…

Maya mit le moteur en marche. Tête baissée, l'inconnu pressa le pas et s'engouffra dans la Buick Verano rouge.

C'était bien son homme.

Le suivre se révélait risqué. Le mieux serait peut-être de le cueillir maintenant. Car il pouvait la repérer.

Elle risquait de le perdre de vue. Alors autant cesser de faire sa maligne et retourner sur le parking de Cuir et Dentelles, bloquer sa voiture et exiger des explications. Sauf que ce scénario présentait d'autres inconvénients. Il y avait sûrement un service de sécurité là-dedans. Brutus ne manquerait pas d'intervenir. Ses collègues aussi. Les boîtes de strip-tease avaient l'habitude de gérer ce genre d'incident. De par son expérience dans la police militaire, Shane avait confirmé les dires de Brutus. Souvent, des hommes s'attardaient après la fermeture dans l'espoir d'aborder une danseuse qui, croyaient-ils, ne s'intéressait pas seulement à leur porte-monnaie. En général, ils se mettaient le doigt dans l'œil.

Bref, il y aurait la sécurité. Or elle préférait l'affronter seule à seul.

La Buick rouge quitta sa place de stationnement en marche arrière et se dirigea vers la sortie. Maya démarra. Mais, une fois dans le trafic de Paterson Plank Road, elle se sentit mal à l'aise. Était-ce son imagination ou le conducteur de la Buick hésitait, comme s'il l'avait repérée ? Difficile à dire. Trois voitures la séparaient de la sienne.

Deux minutes plus tard, elle se rendit compte que le prendre en filature ne servirait à rien. Premièrement, il connaissait sa voiture. Il l'avait lui-même suivie à maintes occasions. Un seul coup d'œil dans le rétro, et elle serait démasquée.

Deuxièmement, Loulou, Billy ou Brutus auraient pu l'avertir de sa visite. Du coup, l'homme à la casquette serait sur ses gardes. Si ça se trouve, il avait déjà remarqué sa présence.

Troisièmement, depuis le temps qu'il la suivait, il avait peut-être fait la même chose qu'elle avec le pick-up d'Hector : collé un GPS sur sa voiture. Auquel cas, il avait su qu'elle était là dès qu'elle s'était garée devant le club.

Tout cela pouvait être un coup monté. Tout cela pouvait être un piège.

Il était encore temps de faire machine arrière et de retourner chez Cuir et Dentelles avec un meilleur plan. Sauf qu'elle en avait assez d'atermoyer. Elle voulait des explications, et si ça signifiait troquer la prudence contre un peu d'audace, eh bien, tant pis.

Ils étaient encore dans la zone industrielle, à quelques kilomètres de l'autoroute. Après, ce serait fichu. Maya fourragea dans son sac. Le pistolet était là, à portée de main. Le feu passa au rouge. La Buick s'arrêta, première voiture dans la file de droite. Maya écrasa l'accélérateur. Un coup de volant à gauche, un coup à droite. Elle dépassa la Buick et se plaça juste devant, en biais, de façon à lui couper la route.

Elle descendit de voiture, les doigts sur la crosse de son pistolet. C'était risqué, oui, mais elle avait tout calculé. S'il reculait ou cherchait à se dégager, elle tirerait dans les pneus. Quelqu'un appellerait la police ? Peut-être. Au pire, on l'emmènerait au poste. Là, elle leur parlerait de son mari assassiné et de ce type qui lui filait le train. Elle pourrait avoir à jouer les veuves hystériques, mais il était peu probable qu'on lui cherche des noises.

La seconde d'après, Maya était devant le pare-brise de la Buick rouge dont les reflets l'empêchaient de voir le conducteur. Elle hésita à le menacer de son arme à travers la vitre, puis opta pour la portière côté passager. Si elle était déverrouillée, il suffirait de se glisser à l'intérieur. Sinon, elle pourrait toujours le tenir en respect avec son arme.

Elle tira sur la poignée. La portière s'ouvrit.

Maya se faufila dans la voiture et braqua le pistolet sur l'homme à la casquette.

Il tourna la tête et sourit.

— Salut, Maya.

La stupeur la réduisit au silence.

Il ôta sa casquette.

— Ravi de vous rencontrer enfin en chair et en os.

Elle eut envie de presser la détente. Cet instant, elle en avait rêvé… le retrouver, lui exploser le crâne. Son premier réflexe fut simple et primitif : tuer l'ennemi.

Sauf que, les conséquences juridiques et morales mises à part, si elle le tuait maintenant, il emporterait toutes les réponses dans la tombe. Or, aujourd'hui plus que jamais, elle voulait la vérité. Car l'homme qui la suivait au volant de la Buick rouge, l'homme qui avait communiqué en cachette avec Claire quelques semaines avant sa mort, n'était autre que Corey la Vigie.

14

— Pourquoi vous me suivez ?

Corey ne se départit pas de son sourire.

— Rangez cette arme, Maya.

Sur toutes ses photos, Corey Rudzinski apparaissait bien habillé, le visage poupin, rasé de près. La barbe en broussaille, la casquette de base-ball, le jean à la coupe démodée faisaient un bon déguisement. Maya le dévisagea sans baisser son arme. Derrière eux, les voitures se mirent à klaxonner.

— Nous sommes en train de bloquer la circulation, dit Corey. Déplacez votre voiture, et ensuite on pourra causer.

— Je veux savoir…

— Et vous saurez. Mais d'abord, allez vous garer sur le bas-côté.

Nouveaux coups de klaxon.

Se penchant, Maya s'empara de ses clés de voiture. Pas question qu'il en profite pour filer.

— Ne bougez pas.

— Je n'en ai pas l'intention, Maya.

Elle alla se ranger le long du trottoir, puis revint vers la Buick, prit place sur le siège du passager et lui rendit les clés.

— Vous devez être déboussolée, fit observer Corey.

On le serait à moins. Maya était abasourdie. Tel un boxeur en appui sur ses talons, elle avait besoin de reprendre ses esprits le temps d'être compté jusqu'à huit pour se jeter à nouveau dans le combat. Comment était-ce possible ? Les questions se bousculaient dans sa tête.

Et elle ne voyait pas l'ombre d'un début d'explication.

— D'où connaissez-vous ma sœur ?

Le sourire s'estompa, cédant la place à une tristesse non feinte, et Maya comprit pourquoi. Elle avait posé la question au présent. Corey Rudzinski avait en effet connu Claire. Et à l'évidence, il l'aimait bien.

Il se redressa sur son siège.

— Allons faire un tour.

— Je préfère que vous me répondiez.

— Je ne peux pas rester ici. Trop risqué. Et ils ne vont pas aimer ça non plus.

— Ils ?

Sans un mot de plus, il la ramena sur le parking de Cuir et Dentelles et se gara à la même place que tout à l'heure. Deux voitures arrivèrent derrière eux. Les avaient-elles escortés sur la route ? Maya eut l'impression que oui.

L'entrée du personnel était équipée d'un digicode. Corey tapa les chiffres. Maya mémorisa le code, juste au cas où.

— Ne vous donnez pas cette peine, dit-il. Quelqu'un doit vous ouvrir la porte de l'intérieur.

— On entre avec un code, et un portier décide s'il vous ouvre ou pas ?

— C'est ça.

— Ils n'en font pas un peu trop ? Ou est-ce de la parano ?

— Sûrement.

Le couloir était sombre et sentait la chaussette sale. Ils traversèrent la salle. Les haut-parleurs diffusaient « Un nouveau monde », la chanson tirée d'*Aladdin* de Disney. La strip-teaseuse était habillée en princesse Jasmine. Maya fronça les sourcils. Visiblement, ce genre de déguisement n'était pas réservé aux enfants de la crèche.

Ils franchirent un rideau de perles et se retrouvèrent dans un salon privé vert et or comme le costume d'une majorette du Midwest.

— Vous savez que je suis venue ici, dit Maya. Que j'ai parlé à cette femme, Loulou.

— Oui.

Elle essayait de rassembler les pièces du puzzle.

— Vous m'avez sans doute vue sortir. Et tourner autour de votre voiture. Vous avez compris que je vous cherchais.

Il ne répondit pas.

— Et ces deux voitures qui sont arrivées juste après nous ? C'était votre escorte ?

— Vous n'en faites pas un peu trop, Maya ? Ou est-ce de la parano ? Asseyez-vous.

— Là-dessus ?

Elle fronça le nez.

— Ils nettoient ça tous les combien ?

— Suffisamment souvent. Ne restez pas debout.

Ils s'assirent tous les deux.

— Je voudrais que vous compreniez en quoi consiste ma mission, commença-t-il.

— Oh, mais je comprends très bien.

— Ah oui ?

— Vous n'aimez pas les secrets, alors vous les révélez au grand jour, et tant pis s'il y a de la casse.

— Vous n'êtes pas très loin de la vérité.

— On laisse là les justifications. D'où connaissez-vous ma sœur ?

— C'est elle qui m'a contacté.

— Quand ?

Corey hésita.

— Je ne suis pas un radical. Je ne suis pas un anarchiste. C'est autre chose.

Maya s'en fichait de savoir ce que c'était. Tout ce qui l'intéressait, c'était Claire et pourquoi il la suivait. Mais, ne voulant pas couper court à ses confidences, elle se garda de réagir.

— Vous avez raison à propos des secrets. J'ai débuté comme hacker. Je piratais des sites juste pour m'amuser. Grandes entreprises, sites gouvernementaux. C'était comme un jeu. Peu à peu, j'ai eu accès à tous les secrets. J'ai vu comment les puissants s'y prenaient pour tromper l'homme de la rue.

Il se reprit.

— Vous préférez que je vous épargne ce discours, hein ?

— Si possible.

— Enfin bref, nous avons laissé tomber le piratage. Nous offrons juste une tribune libre aux lanceurs d'alerte. C'est tout. Les hommes sont incapables de se contrôler quand il s'agit d'argent et de pouvoir. C'est dans leur nature. Nous maquillons la réalité pour la rendre conforme à nos intérêts personnels. Les gens qui travaillent pour l'industrie du tabac ne sont pas tous des monstres. Simplement, ils n'arrivent pas à faire le bon choix parce que c'est contraire à leurs intérêts. Pour nous trouver des excuses, nous sommes les champions.

Et dire qu'il devait lui épargner son laïus !

Une serveuse entra dans la pièce. Elle portait un bustier de la largeur d'un bandeau.

— Vous désirez boire quelque chose ? demanda-t-elle.

— Maya ? fit Corey.

— Ça va, merci.

— Je prendrai un club soda avec du citron vert, s'il vous plaît.

La serveuse sortit. Corey se tourna vers Maya.

— Les gens s'imaginent que je cherche à affaiblir les gouvernements ou les multinationales. Or c'est exactement l'inverse. Je veux les renforcer en les poussant à agir avec justice et probité. Si votre gouvernement ou votre entreprise se sont bâtis sur le mensonge, bâtissez-les plutôt sur la vérité. Donc, plus de secrets. Si un milliardaire soudoie les autorités pour obtenir le droit d'exploiter un champ de pétrole, il faut que le public le sache. Dans votre cas, si l'armée tue des civils au cours de ses opérations militaires…

— Ce n'est pas ce qu'on a fait.

— Je sais, je sais, dommages collatéraux et tout le bazar. Une formule drôlement vague, non ? Quoi que vous pensiez, que ce soit volontaire ou par accident, nous, les citoyens, devons en être informés. Qu'on poursuive cette guerre ou pas. Les industriels trichent et mentent. Les sportifs trichent et mentent. Les gouvernements trichent et mentent. Nous, on hausse les épaules. Mais imaginez un monde où tout ça n'existe pas. Un monde de totale transparence en lieu et place d'un pouvoir arbitraire. Un monde sans abus ni secrets.

— Il y a des lutins et des licornes dans votre monde ? s'enquit Maya.

Il sourit.

— Vous me trouvez naïf ?

— Corey... je peux vous appeler Corey ?

— Je vous en prie.

— D'où connaissez-vous ma sœur ?

— Je vous l'ai dit. C'est elle qui m'a contacté.

— Quand ?

— Quelques mois avant sa mort. Elle a posté un message sur mon site, et il a fini par me parvenir.

— Un message qui disait quoi ?

— Qu'elle voulait me parler.

— De quoi ?

— À votre avis, Maya ? De vous, tiens.

La serveuse revint.

— Deux clubs sodas citron vert.

Elle gratifia Maya d'un clin d'œil complice.

— Je sais que vous n'en avez pas commandé, mais vous risquez d'avoir soif.

Elle posa les verres, adressa un grand sourire à Maya et sortit.

— Vous n'êtes pas en train de me dire que c'est Claire qui a fait fuiter la vidéo du combat...

— Non.

— … parce qu'elle n'avait aucun moyen d'accéder…

— Non, Maya, ce n'est pas ce que je dis. Elle m'a contacté après que j'avais posté cette vidéo.

C'était un début d'explication.

— Et que vous a-t-elle dit ?

— C'est pour ça que j'essaie de vous exposer notre philosophie. Notre rôle de sentinelle. La transparence et la liberté.

— Je ne comprends pas.

— Claire m'a contacté parce qu'elle craignait que je ne divulgue le reste de la vidéo.

Il y eut un silence.

— Vous voyez ce que je veux dire, Maya ?

— Oui.

— Vous en avez parlé à Claire ?

— Je lui ai tout dit. On se disait tout. Du moins, c'est ce que je croyais.

Corey lui sourit.

— Elle voulait vous protéger. Elle m'a demandé de ne pas publier la bande-son.

— Donc, vous ne l'avez pas fait.

— Exact.

— Juste parce qu'elle vous l'a demandé.

Il but une gorgée de son breuvage.

— Je connais un gars ou plutôt toute une bande. Ils croient être comme nous. Mais ce n'est pas le cas. Ils dévoilent les secrets de la vie privée. Époux infidèles, dopage, *sextapes*, des tricheries individuelles. Si on commet quelque chose d'immoral anonymement sur Internet, ces gens-là vous exposent au grand jour.

Comme les hackers avec ce site de rencontres adultères l'année dernière.

— Et vous n'êtes pas d'accord avec leur démarche ?

— Non.

— Pourquoi ? Eux aussi rétablissent une certaine transparence.

— C'est drôle, dit-il.

— Quoi ?

— Votre sœur a soulevé la même objection. Je ne dirais pas que c'est de l'hypocrisie, mais nous agissons chacun dans notre intérêt, non ? C'est un principe incontournable. Je n'ai pas révélé la bande audio qui accompagne votre vidéo pour des raisons purement égoïstes. J'avais prévu de le faire plus tard. Pour optimiser l'impact des révélations. Augmenter le nombre de visiteurs sur mon site. Me faire de la pub, quoi.

— Alors pourquoi ne pas l'avoir fait ?

— Parce que votre sœur me l'a demandé.

— Et c'est tout ?

— Elle a été très convaincante. Elle m'a dit que vous, Maya, n'étiez qu'un pion. Que vous étiez devenue ce que vous êtes par la faute d'un système corrompu. D'un côté, j'avais envie de révéler toute la vérité pour que vous soyez définitivement libérée. Mais d'un autre côté, le mal serait irréparable. Claire m'a persuadé que, si je le faisais, je ne vaudrais pas mieux que mes collègues pourchassant les tricheurs à la petite semaine.

Maya commençait à en avoir assez de ces digressions.

— C'est la guerre que vous aviez prise pour cible, pas moi.

— C'est vrai.

— Du coup, vous avez fourni à l'opinion votre propre version des faits. Pour que toute la responsabilité retombe sur le gouvernement. Car si les gens avaient entendu la bande audio, c'est moi qu'on aurait désignée comme coupable.

— Très certainement.

Accommoder les faits à sa sauce, pensa Maya. *Au fond, on est tous pareils.*

— Donc ma sœur vous a contacté pour me protéger.

C'était tristement, effroyablement logique. Une nouvelle vague de remords la submergea.

— Et ensuite ?

— Elle m'a convaincu du bien-fondé de ses arguments.

Un petit sourire se dessina sur ses lèvres.

— Et moi, je l'ai convaincue du bien-fondé des miens.

— C'est-à-dire ?

— Claire travaillait pour une grosse boîte corrompue. Elle avait accès au saint des saints.

Le tableau commençait à s'éclaircir.

— Vous lui avez demandé de devenir votre informatrice ?

— Elle savait que c'était pour la bonne cause.

Une pensée germa dans l'esprit de Maya.

— C'était donnant-donnant, hein ? Claire aurait accepté de faire tomber l'empire Burkett contre la promesse de ne pas divulguer la bande-son de la vidéo ?

— Ce n'était pas aussi simpliste.

Ou peut-être que si ?

— Ainsi, reprit Maya en s'animant, vous avez confié le sale boulot à Claire, et ça lui a coûté la vie.

Corey se rembrunit.

— Pas seulement à Claire.

— Que voulez-vous dire ?

— Elle travaillait avec Joe.

Maya marqua une pause avant de secouer la tête.

— Jamais Joe n'aurait trahi les siens.

— Votre sœur n'était pas de cet avis.

Maya ferma les yeux.

— Réfléchissez. Claire s'intéresse de près à la question. Elle est assassinée. Joe s'intéresse de près à la question…

Le lien, pensa Maya. Tout le monde cherchait le lien entre les deux affaires.

Corey croyait avoir trouvé.

Mais il se trompait.

— Joe a essayé de me joindre après la mort de votre sœur.

— Qu'est-ce qu'il voulait ?

— Me rencontrer.

— Et ?

— Je ne pouvais pas. Je devais me planquer. Je suis sûr que vous avez entendu parler de cette histoire. Le gouvernement danois cherchait à m'épingler pour des motifs fabriqués de toutes pièces. J'ai répondu qu'il y aurait certainement moyen de communiquer en toute sécurité, mais il tenait à me voir en personne. Je crois qu'il avait envie de m'apporter son aide. Il a dû découvrir un secret, et c'est ce qui l'a tué.

— Sur quoi Claire et Joe étaient-ils censés enquêter ?

— Des crimes financiers.

— Vous pouvez préciser ?

— Vous connaissez la formule : derrière chaque grande fortune il y a un crime ? Eh bien, c'est la vérité. Oh, il y a sûrement des exceptions, mais, grattez un peu, et vous trouverez toujours des magouilles ou des manœuvres d'intimidation à l'encontre de la concurrence.

— Et dans le cas présent ?

— La famille Burkett est connue pour arroser les politiques ici comme à l'étranger. Vous vous souvenez de l'affaire du labo pharmaceutique Ranbaxy ?

— Vaguement, répondit Maya. Une histoire de médicaments falsifiés, non ?

— Plus ou moins. Les Burkett se livrent au même genre de contrefaçon en Asie, *via* une société appelée EAC. Des gens meurent à cause de médicaments qui ne remplissent pas leur fonction, mais jusqu'ici les Burkett se sont réfugiés derrière la prétendue incompétence des autorités locales, parce que, de leur côté, ils affirmaient que les essais cliniques avaient été concluants, bla-bla-bla. Tout ça, c'est du pipeau. Ils ont contrefait les données, nous en sommes sûrs.

— Mais vous n'avez pas de preuves.

— C'est pour ça que nous avions besoin de quelqu'un qui travaillait dans l'entreprise. Pour nous les fournir.

— Et vous avez missionné Claire.

— Personne ne l'a forcée, Maya.

— Non, vous l'avez eue au charme.

— N'insultez pas l'intelligence de votre sœur. Elle connaissait les risques. C'était une femme courageuse. Je ne l'ai pas obligée à m'aider. Elle voulait bien faire. S'il y a quelqu'un qui devrait le comprendre, c'est vous… comprendre qu'elle est morte en cherchant à combattre l'injustice.

— Vous soupçonnez donc l'un des Burkett d'avoir tué Claire – puis Joe – pour étouffer le scandale ?

— Vous pensez qu'ils n'en sont pas capables ?

Maya réfléchit brièvement.

— Ils auraient pu tuer Claire, ça oui, mais jamais l'un des leurs.

— Vous avez peut-être raison.

Il se frotta le visage. De la salle d'à côté leur parvenait la chanson « C'est la fête » du film *La Belle et la Bête*.

— Mais, poursuivit-il, je pense que Claire a découvert autre chose. Bien plus grave que le bidonnage des essais cliniques.

— Comme quoi ?

Il haussa les épaules.

— Je l'ignore. Loulou m'a dit que vous aviez trouvé son téléphone jetable.

— Oui.

— Je n'entrerai pas dans le détail de nos communications… comment elles sont reroutées *via* le Web profond pour finalement parvenir jusqu'à moi. Mais bon, on s'était mis d'accord sur le silence radio. Elle devait me joindre seulement quand elle était prête à me livrer les informations dont j'avais besoin ou alors en cas d'urgence.

Maya se pencha en avant.

— Pourtant elle vous a appelé.

— Oui, quelques jours avant sa mort.

— Pour dire quoi ?

— Qu'elle avait découvert quelque chose.

— Autre chose que les médicaments frelatés ?

Il hocha la tête.

— Quelque chose de potentiellement plus gros. Elle a dit qu'elle n'avait pas encore tous les éléments, mais qu'elle voulait m'envoyer un début de preuve.

Il s'interrompit, son regard bleu pâle perdu au loin.

— C'est la dernière fois que je lui ai parlé.

— Et cette preuve, elle vous l'a envoyée ?

— Oui, acquiesça-t-il. C'est pour ça que vous êtes là.

— Hein ?

Mais elle avait compris. Il savait depuis le début qu'elle était venue au club, qu'elle avait parlé à Loulou, qu'elle le cherchait. Corey Rudzinski n'avait pas orchestré leur rencontre par hasard. Tout cela était prémédité.

— Vous êtes là, fit-il, pour que je vous montre ce que Claire avait trouvé.

— Il s'appelle Tom Douglass. Avec deux *s*.

Corey lui tendit la feuille de papier. Ils étaient toujours dans le salon privé du club de strip-tease. L'endroit idéal pour une entrevue clandestine. Personne ne faisait attention à eux ; personne ne voulait se faire remarquer d'eux.

— Ce nom ne vous dit rien ? s'enquit Corey.

— Il devrait ?

Corey haussa les épaules.

— Simple question.

— Jamais entendu parler de lui, répondit Maya. Qui est-ce ?

D'après le document, un peu moins de dix mille dollars étaient virés tous les mois à « Tom Douglass Investigations ».

— Tom Douglass travaillait comme détective privé dans une ville du New Jersey appelée Livingston. Il était seul dans son agence et s'occupait principalement d'histoires d'adultère et de vérification d'antécédents. Il a levé le pied il y a trois ans, mais l'argent continue à arriver.

— C'est peut-être justifié. Un privé sous contrat… même retraité, il a pu garder son plus gros client.

— Je ne dis pas le contraire. Mais votre sœur était convaincue qu'il y avait autre chose là-dessous.

— Quoi ?

Corey haussa les épaules.

— Vous ne le lui avez pas demandé ?

— Vous n'avez pas compris notre mode de fonctionnement.

— Oh que si. Et quand Claire a perdu la vie à cause de tout ce qu'elle faisait pour vous, avez-vous alerté la police ?

— Non.

— Vous ne leur avez pas parlé de l'enquête qu'elle était en train de mener ?

— Je vous l'ai dit. J'avais disparu des écrans radar au moment où elle est morte.

— Pas « morte », non, répliqua Maya. Elle a été brutalisée et assassinée.

— Je sais. Croyez-moi, j'en suis conscient.

— Mais pas au point de m'aider à retrouver son assassin.

— Nos sources sont protégées par une clause de confidentialité.

— Mais votre source a été assassinée.

— Ça ne change rien à notre engagement à son égard.

— C'est drôle, dit Maya.
— Qu'est-ce qui est drôle ?
— Vous, adepte de la transparence tous azimuts, ne semblez pas suivre votre propre règle. *Quid* de l'utopie « On ne cache rien, on se dit tout » ?
— Vous êtes injuste, Maya. On ne savait même pas qu'on avait quelque chose à voir avec sa mort.
— Bien sûr que vous le saviez. Vous vous êtes tu car, si on apprenait qu'une de vos sources avait perdu la vie, ça nuirait à votre réputation. Vous aviez peur que quelqu'un ne l'ait balancée, et, ainsi, causé sa mort. Vous aviez peur – et c'est probablement toujours le cas – que la fuite ne vienne de chez vous.
— Ça ne vient pas de chez nous.
— Comment le savez-vous ?
— Vous avez parlé de parano à notre propos. Vous avez dit qu'on en faisait trop. J'étais le seul à connaître l'existence de Claire. Nous avons des garde-fous. Personne dans mon organisation n'aurait pu donner son nom.
— Sauf que l'opinion publique n'y croira pas.
— Ça peut être mal perçu, c'est vrai.
— On vous fera porter le chapeau.
— Nos adversaires pourraient s'en servir contre nous. Nos autres lanceurs d'alerte pourraient se sentir en danger.
Maya secoua la tête.
— Vous ne voyez pas, hein ?
— Quoi ?
— Vous cherchez à justifier votre manque de transparence. Exactement comme ces gouvernements et multinationales que vous dénoncez.
— Ce n'est pas vrai.

— Si, c'est vrai. Protéger l'institution coûte que coûte. Ma sœur est morte. Son assassin court toujours. Et vous avez laissé faire pour préserver votre organisation.

Un éclair brilla dans ses yeux.

— Maya ?

— Quoi ?

— Je n'ai pas de leçons de morale à recevoir de vous.

Il n'avait pas tort. Elle l'avait provoqué, alors même qu'elle devait gagner sa confiance.

— Alors pourquoi les Burkett versent-ils de l'argent à Tom Douglass ?

— Aucune idée. Il y a quelques mois, nous avons piraté l'ordinateur de Douglass, consulté l'historique de navigation et même la liste des recherches. On n'a rien trouvé. Pas le moindre indice. Sa mission, quelle qu'elle soit, semble ultraconfidentielle.

— Avez-vous essayé de l'interroger ?

— Il refuse de nous parler, et si la police le convoque, il se planquera derrière le code déontologique. Ses ordres de mission passent par les avocats de la famille, le cabinet Howell et Lamy.

Le cabinet de Heather Howell.

— Et comment fait-on pour en savoir plus ? demanda Maya.

— Nous l'avons coincé, mais ça n'a rien donné, dit Corey. J'ai pensé que vous auriez peut-être plus de chance.

15

Contrairement à ce qu'on voit dans les films, dans les locaux de Tom Douglass Investigations, le panneau sur la porte du bureau n'était pas en verre granité avec le nom du détective peint au pochoir dessus. L'agence était située dans un banal immeuble en brique de Northfield Avenue à Livingston. Il régnait dans le couloir une odeur de cabinet dentaire, ce qui n'était pas étonnant, vu le nombre de chirurgiens-dentistes dont les noms figuraient sur la plaque à l'entrée. Maya frappa à la porte en bois massif. Pas de réponse. Elle abaissa la poignée. C'était fermé à clé.

Elle aperçut un homme en blouse verte devant un comptoir d'accueil au bout du couloir. Il était en train de la lorgner avec la discrétion d'un bulldozer. Maya lui rendit son sourire, désigna la porte et haussa les épaules.

L'homme s'approcha d'elle.

— Vous avez une superbe dentition, dit-il.

— Oh, waouh, merci.

Elle feignit de retenir son souffle.

— Savez-vous si M. Douglass va repasser dans la journée ?

— C'est pour une enquête, mon chou ?

Mon chou…

— En quelque sorte. C'est personnel.

Elle se mordit la lèvre avec un brin de coquetterie.

— Vous l'avez vu aujourd'hui ?

— Ça fait des semaines que je n'ai pas vu Tom. C'est cool de pouvoir se payer du bon temps.

Maya le remercia et se dirigea vers la sortie. L'homme l'interpella. Elle l'ignora et accéléra le pas. Corey lui avait donné l'adresse du domicile de Tom Douglass. C'était à deux pas. Elle irait tenter sa chance chez lui.

La maison de Douglass était typique de Cape Cod, bleue avec une bordure violette. Les jardinières explosaient de couleurs. Les volets étaient décoratifs à outrance. C'était un peu tape-à-l'œil, mais ça fonctionnait. Maya se gara dans la rue et s'engagea dans l'allée. Une barque de pêcheur trônait sur une remorque à côté du garage.

Elle frappa à la porte. Une femme entre cinquante et soixante ans, en jogging noir, lui ouvrit.

À la vue de Maya, ses yeux s'étrécirent.

— Vous désirez ?

— Bonjour, lança Maya avec entrain, je cherche Tom Douglass.

La femme – Mme Douglass, certainement – continuait à scruter son visage.

— Il n'est pas là.

— Savez-vous quand il reviendra ?

— Pas tout de suite.

— Je m'appelle Maya Stern.

— Je sais, dit la femme. Je vous ai vue aux actualités. Qu'est-ce que vous lui voulez, à mon mari ?

Bonne question.

— Puis-je entrer ?

Mme Douglass s'écarta pour la laisser passer. Maya n'avait pas vraiment eu l'intention de pénétrer dans la maison. Elle cherchait juste à gagner du temps, réfléchissant à la meilleure façon d'aborder le sujet.

Mme Douglass l'escorta au salon. Le décor était cent pour cent nautique : poissons suspendus au plafond, boiseries murales avec cannes à pêche à l'ancienne, filets de pêcheur, une vieille barre de gouvernail en forme de roue et des bouées de sauvetage. Il y avait des photos de famille en mer. Deux fils qui devaient être grands maintenant. Apparemment, ces gens-là aimaient beaucoup la pêche. Ce n'était pas vraiment la tasse de thé de Maya, mais elle avait remarqué que les sourires les plus authentiques, les plus éclatants, étaient ceux des pêcheurs photographiés avec leurs prises.

Mme Douglass croisa les bras et attendit.

La meilleure approche, se dit Maya, était de prendre le taureau par les cornes.

— Votre mari a travaillé longtemps pour la famille Burkett.

Pas de réaction.

— Je voulais lui demander en quoi consistait son travail.

— Je vois, dit Mme Douglass.

— Vous ne savez pas ce qu'il faisait pour les Burkett ?

— Vous-même êtes bien une Burkett, non ?

La question la prit de court.
— Je suis une pièce rapportée, oui.
— C'est ce que je pensais. Votre mari a été tué.
— Oui.
— Toutes mes condoléances.
Puis :
— Vous croyez que Tom sait quelque chose sur le meurtre ?
Sa franchise, à nouveau, laissa Maya pantoise.
— Aucune idée.
— Ce n'est pas pour ça que vous êtes venue ?
— En partie, si.
Mme Douglass hocha la tête.
— Je regrette, mais je ne peux pas vous en dire plus.
— J'aimerais parler à Tom.
— Il n'est pas là.
— Où est-il ?
— En déplacement.
Elle se dirigea vers la porte.
— Ma sœur a été assassinée également, fit Maya.
Mme Douglass ralentit le pas.
— Elle s'appelait Claire Walker. Son nom ne vous dit rien ?
— Ça devrait ?
— Peu de temps avant sa mort, elle a découvert que les Burkett versaient de l'argent sous le manteau à votre mari.
— Sous le manteau ? Je ne sais pas ce que vous insinuez, mais je crois qu'il vaut mieux qu'on en reste là.
— En quoi consiste le travail de Tom pour les Burkett ?
— Je n'en sais rien.

— J'ai vos avis d'imposition des cinq dernières années.

Ce fut au tour de Mme Douglass d'écarquiller les yeux.

— Vous… quoi ?

— Les revenus de votre mari proviennent pour plus de la moitié des Burkett. Et ce ne sont pas de petites sommes.

— Et alors ? Tom travaille dur.

— À quoi faire ?

— Je ne sais pas. Mais même si je le savais, je ne vous le dirais pas.

— La nature de ces versements a mis la puce à l'oreille de ma sœur, madame Douglass. Et peu après avoir découvert leur existence, Claire a été torturée et tuée d'une balle dans la tête.

Son interlocutrice la considéra bouche bée.

— Et vous pensez que Tom y est pour quelque chose ?

— Je n'ai pas dit ça.

— Mon mari est quelqu'un de bien. Il a comme vous servi dans l'armée.

Elle désigna d'un mouvement du menton le mur derrière elle. Sous une plaque avec l'inscription « *Semper paratus* », il y avait des ancres croisées en argent, insigne respecté de maître d'équipage. Maya en avait connu quelques-uns dans la marine. C'était une distinction fort prisée.

— Tom a travaillé presque vingt ans dans la police municipale. Il s'est mis en retraite anticipée à la suite d'une blessure et depuis il exerce à son compte. Il est débordé de boulot.

— Et donc, que faisait-il pour les Burkett ?

— Je vous le répète, je n'en sais rien.

— Ou vous ne voulez pas le dire.

— Exact.

— Mais quoi qu'il ait fait pour eux, ça lui rapportait presque dix mille dollars par mois depuis… combien de temps déjà ?

— Aucune idée.

— Vous ne savez pas quand il a commencé à travailler pour eux ?

— Son travail était confidentiel.

— Il ne parlait jamais des Burkett ?

Pour la première fois, Maya perçut une brèche dans son armure lorsqu'elle répondit doucement :

— Jamais.

— Où est-il, madame Douglass ?

— Il est en déplacement. Et je ne suis au courant de rien.

Elle ouvrit grand la porte.

— Je lui dirai que vous êtes passée.

16

Les gens se font une idée souvent dépassée des clubs de tir et autres armureries. Ils imaginent des animaux empaillés et des peaux d'ours mitées aux murs, des fusils de chasse poussiéreux alignés au hasard, un propriétaire grincheux derrière son comptoir, vêtu soit comme un chasseur dans un vieux dessin animé, soit arborant un marcel et un crochet en guise de main.

La réalité est tout autre.

Maya, Shane et leurs camarades fréquentaient un club ultrasophistiqué appelé DAD, ce qui signifiait Droit à l'autodéfense ou, selon certains plaisantins, Droit à dégommer. Ne parlons pas de poussière… tout ici était flambant neuf. Le personnel toujours serviable arborait des polos noirs soigneusement rentrés dans des pantalons kaki. Les armes étaient exposées dans des vitrines comme s'il s'agissait de bijoux. Il y avait vingt stands de tir en tout : dix à quinze mètres et dix à vingt-cinq. Un simulateur numérique fonctionnait à la manière d'un jeu vidéo grandeur nature. Imaginez une salle de cinéma avec un film catastrophe – attaque de bandits, prise d'otages, Far West, invasion de zombies, même – où les personnages s'animent et convergent vers vous. On « tirait » des lasers avec des répliques de vraies armes à feu.

La plupart du temps, Maya venait pour tirer à l'arme réelle sur des cibles de papier et passer un moment avec ses amis, dont beaucoup avaient servi dans l'armée. En ce sens, le club remplissait sa promesse d'« élégance et confort ». Il y a des gens qui font partie de clubs de golf, de tennis ou de bridge. Maya était un membre VIP du « Guntry Club ». En tant qu'anciens militaires, elle et ses amis bénéficiaient d'une remise de cinquante pour cent.

Le Guntry Club sur la route 10 avec ses boiseries sombres et son épaisse moquette lui faisait penser à une imitation de la bibliothèque des Burkett ou à un restaurant de grillades haut de gamme. Un billard trônait au centre du salon. Il y avait des fauteuils en cuir et trois écrans géants aux murs. Sur le quatrième mur, peint en énormes lettres cursives, s'étalait le deuxième amendement de la Constitution des États-Unis. Il y avait également un fumoir, des tables pour jouer aux cartes et le wi-fi en libre accès.

Rick, le patron, vêtu lui aussi d'un polo noir et d'un pantalon kaki, le ceinturon immanquablement orné d'une arme, l'accueillit d'un sourire triste et d'un salut poing contre poing.

— Content de te revoir, Maya. Moi et les gars, quand on a appris la nouvelle…

Elle hocha la tête.

— Merci pour les fleurs.

— On a voulu faire un geste, tu comprends.

— C'est gentil à vous.

Rick toussota dans sa main.

— Le moment n'est peut-être pas bien choisi, mais si tu as besoin d'un job avec des horaires plus flexibles…

Il ne cessait de lui proposer un poste d'instructeur de tir. La clientèle féminine était de plus en plus nombreuse dans des établissements comme le sien, et les femmes préféraient de loin les monitrices, encore trop rares dans ce milieu d'hommes.

— J'y penserai, répondit Maya.

— Super. Les gars sont là-haut.

Ils étaient cinq ce soir-là, dont Shane et Maya. Les trois autres se dirigèrent vers le simulateur tandis que Shane et Maya choisirent le tir à vingt-cinq mètres. Tirer apaisait Maya. Cet instant d'accalmie, de silence entre le moment où l'on pressait la détente et le recul trop attendu, avait le don de la calmer et de la réconforter.

Une fois qu'ils eurent terminé, ils regagnèrent le salon VIP. Maya était la seule femme ici. On aurait pu croire que le machisme régnait en maître, mais, en fait, tout ce qui comptait, c'étaient vos qualités de tireur. Par ailleurs, la notoriété militaire de Maya, sinon son héroïsme, faisait d'elle une sorte de célébrité locale. Certains hommes étaient impressionnés par elle. D'autres la courtisaient. Ça ne la dérangeait pas. Contrairement à ce qu'on entendait ici ou là, la majorité des soldats vouaient un grand respect aux femmes. En ce qui la concernait, l'attirance qu'elle pouvait leur inspirer se muait en quelque chose de plus platonique et fraternel.

Le regard de Maya glissa sur le deuxième amendement au mur.

« Une milice bien organisée étant nécessaire à la sécurité d'un État libre, le droit qu'a le peuple de détenir et de porter des armes ne sera pas transgressé. »

Drôle de syntaxe, c'est le moins que l'on puisse dire. Maya avait appris à ne jamais polémiquer avec l'un ou l'autre camp. Son père, résolument antiarmes, lui balançait dans le temps :

— Tu veux quoi, un gros fusil d'assaut ? Et à quelle « milice bien organisée » tu appartiens, au juste ?

Tandis que ses amis pro ripostaient :

— Quelle est la partie de « ne sera pas transgressé » que tu ne comprends pas ?

Cet énoncé on ne peut plus élastique confirmait une fois de plus que chacun voyait midi à sa porte. Adepte du port d'armes, on comprenait cette phrase d'une certaine façon. Hostile au port d'armes, on lui attribuait un sens totalement différent.

Shane alla lui chercher un Coca. L'alcool était interdit ici car même les moins raisonnables d'entre eux étaient conscients de l'incompatibilité entre alcool et armes à feu. Puis ils s'assirent tous les cinq pour bavarder à bâtons rompus. Les conversations débutaient toujours par les équipes de sport locales pour passer rapidement à des choses plus sérieuses. C'était la partie préférée de Maya. Elle était des leurs, et peut-être même plus encore. Les hommes avaient besoin d'une touche féminine car la guerre complique singulièrement les rapports familiaux. C'est un cliché rebattu que celui du soldat se plaignant que personne ne le comprenne à la maison, mais c'est aussi la vérité. Après avoir combattu dans un trou perdu, on voit les choses différemment. L'essentiel passe au second plan, et vice versa. Une vie de couple, c'est déjà assez difficile comme ça, mais ajoutez-y la guerre, et les petites fissures se transforment en plaies béantes. Personne ne voit ce que vous voyez – avec cette clarté, cette lucidité froide –, excepté vos copains de régiment. C'est comme dans ces films où le héros est le seul à voir les fantômes, et tout le monde le prend pour un fou.

Ici, les fantômes, ils les voyaient tous.

Étant célibataire et peu enclin aux confidences, Shane alla s'asseoir dans un coin, sortit le dernier roman d'Anna Quindlen et s'absorba dans la lecture. Il était capable de lire n'importe où, même dans l'hélico où le bruit des rotors semblait provenir de l'intérieur de votre crâne.

Maya finit par le rejoindre. La télé au-dessus de leurs têtes diffusait un match entre les Knicks de New York et les Nets de Brooklyn. À son approche, Shane posa le livre, bascula ses longues jambes sur l'ottomane en cuir et dit :

— Cool.

— Quoi ?

— Je suppose que tu es prête à me briefer maintenant.

Mais Maya voulait le protéger. Comme d'habitude.

En même temps, elle savait que Shane ne lâcherait pas le morceau, et il serait injuste, voire préjudiciable, de continuer à tout lui cacher.

Elle hésitait à lui parler de sa rencontre avec Corey Rudzinski. Comment réagirait-il ? Mal, à tous les coups. Et puis Corey l'avait mise en garde :

— Pas de téléphones jetables. Nous communiquerons seulement en cas d'urgence. Si vous avez besoin de moi, appelez le club et demandez Loulou. Si j'ai besoin de vous, on vous appellera du club et on raccrochera. Ça voudra dire que vous devrez venir ici. Mais, Maya, au moindre truc louche, je disparais. Probablement pour de bon. Alors motus et bouche cousue.

À vrai dire, elle n'avait pas le choix. Elle ne pouvait se permettre de perdre Corey de vue.

Mais il y avait une autre piste à explorer.

Shane la regardait, l'air d'attendre. Il était capable d'attendre toute la soirée.

— Que sais-tu au sujet de Kierce ? lui demanda Maya.

— Le flic de la criminelle qui enquête sur le meurtre de Joe ?

Maya hocha la tête.

— Pas grand-chose. Il a une solide réputation, mais nous ne fricotons pas avec le NYPD. Pourquoi ?

— Tu te souviens de la sœur de Joe, Caroline ?

— Oui.

— Elle m'a dit que la famille a versé de l'argent à Kierce.

Shane grimaça.

— Comment ça, a versé de l'argent ?

— Trois versements de pas tout à fait dix mille chacun.

— Pour quoi faire ?

Maya haussa les épaules.

— Elle n'en sait rien.

Elle lui rapporta sa conversation avec Caroline, le mot de passe qui ne marchait pas, sa décision d'attendre avant d'affronter Judith et Neil.

— Ça ne tient pas debout, déclara Shane. Pourquoi diable la famille de Joe chercherait-elle à acheter Kierce ?

— À toi de me le dire.

Il réfléchit un instant.

— Les riches ont leurs lubies, c'est bien connu.

— Tout à fait.

— Mais payer Kierce en espérant… quoi… qu'il travaillera mieux ? Qu'il fera de cette enquête sa priorité ? Ça l'est déjà. Les Burkett croient peut-être qu'ils doivent donner un pourboire aux flics ?

— Je ne sais pas, dit Maya. Mais ce n'est pas tout.

— Ah bon ?

— D'après Caroline, ils auraient commencé à payer Kierce *avant* la mort de Joe.

— N'importe quoi.

— C'est ce qu'elle pense.

— Elle se trompe. Ça n'a aucun sens. Pourquoi payer Kierce avant le meurtre ?

— Je ne sais pas, répéta Maya.

— Comme s'ils pouvaient prédire que Joe serait assassiné et que c'est lui qui serait chargé de l'enquête !

Shane secoua la tête.

— Tu sais quelle est l'explication la plus plausible ?

— Non.

— Caroline t'a menée en bateau.

Maya y avait songé.

— Voyons, elle se connecte devant toi et bim, comme par hasard, le mot de passe a changé. Ça tombe drôlement bien, non ?

— Si.

— Donc elle ment. Attends une minute !

— Quoi ?

Shane se tourna vers elle.

— Caroline est passablement toquée, non ?

— Toquée de chez toquée.

— Alors peut-être qu'elle ne ment pas, s'anima Shane. Peut-être qu'elle a tout imaginé. Tu vois le tableau ? Une fille complètement à l'ouest. Son frère est assassiné. Vous vous retrouvez tous pour la lecture du testament. Qui est annulée pour une histoire de paperasse.

— Pas n'importe quelle paperasse, dit Maya. Le certificat de décès.

— Encore mieux. Elle est sous pression.

Maya fronça les sourcils.

— Et elle s'imagine avoir vu des versements à l'ordre d'un inspecteur de police ?

— C'est un scénario comme un autre.

Shane se redressa.

— Maya ?

Elle pressentait ce qui allait suivre.

— Tu veux bien arrêter, s'il te plaît ?

— Arrêter quoi ?

— Ça me donne mal au bide quand tu me mens.

— Je ne te mens pas.

— Ne joue pas sur les mots. Qu'est-ce que tu me caches ?

Trop de choses, assurément. Lui parler du téléphone secret de Claire ? Non, ça les ramènerait à Corey. Elle ne lui avait pas dit non plus ce qu'elle avait vu sur la vidéo de la caméra espion, mais cela aussi pouvait attendre. On n'était jamais trop prudent.

Shane se pencha en avant, s'assurant que personne n'écoutait, et chuchota :

— Où as-tu eu cette balle ?

— Laisse tomber.

— Je t'ai rendu un énorme service.

— Et tu attends un contre-remboursement, c'est ça ?

Sa réponse, ainsi qu'elle l'escomptait, lui coupa le sifflet. Maya revint à Caroline.

— C'est intéressant, ta remarque à propos de Caroline.

Shane se taisait.

— Elle n'a pas parlé seulement de Joe, mais de son autre frère aussi.

— Neil ?

Maya secoua la tête.

— Non, Andrew.

Shane esquissa une moue.

— Celui qui est tombé du bateau ?

— Il n'est pas tombé.

— Que veux-tu dire par là ?

Enfin quelque chose qu'elle pouvait lui confier sans prendre de risque.

— Joe était là. Sur le même bateau.

— Oui, et alors ?

— Il m'a avoué que ce n'était pas un accident. Andrew s'est suicidé.

Shane retomba dans le fauteuil.

— Nom d'un chien.

— Tu l'as dit.

— La famille est au courant ?

Elle haussa les épaules.

— Je ne pense pas. Ils croient tous à un accident.

— Et Caroline t'en a reparlé hier ?

— Ouais.

— Pourquoi ? demanda Shane. Ça fait presque vingt ans qu'Andrew Burkett est mort, non ?

— En un sens, c'est compréhensible, dit Maya.

— Quoi ?

— Deux frères. Censés être très proches. Tous deux morts jeunes et dans des circonstances tragiques.

Shane acquiesça, comprenant où elle voulait en venir.

— Raison de plus pour que son imagination lui joue des tours.

— Et elle n'a pas vu le corps de Joe.

— Redis-moi ça !

— Caroline n'a pas vu le corps de Joe. Ni celui d'Andrew. Elle voulait se recueillir devant eux pour pouvoir commencer à faire son deuil. Andrew a péri en mer. Joe a été assassiné. Et elle n'a vu ni le corps de l'un ni celui de l'autre.

— Je ne pige pas, dit Shane. Pourquoi elle n'a pas vu le corps de Joe ?

— La famille n'a pas voulu, je crois. Mets-toi à sa place. Deux frères morts. Et pas de cadavres. Caroline n'a vu aucun des deux dans son cercueil.

Ils se turent, mais Shane y voyait plus clair à présent. Caroline avait touché une corde sensible. Quand un soldat était tué au combat, sa famille avait souvent besoin d'une preuve tangible pour accepter l'idée de sa mort.

À savoir son cadavre.

Caroline avait peut-être raison. C'était sans doute pour cette raison qu'ils ramenaient tout le monde, y compris les morts, au pays.

Shane rompit le silence.

— Donc, Caroline a du mal à accepter la mort de Joe.

— Elle a du mal à accepter la mort de ses frères.

— Et elle pense que le policier chargé d'enquêter sur le meurtre de Joe touche de l'argent de la part de sa famille…

Une idée vint soudain à l'esprit de Maya. Tellement saisissante qu'elle en tomba presque de son fauteuil.

— Oh non !

— Quoi ?

Maya déglutit. Elle essaya de se concentrer, de remettre de l'ordre dans ses pensées. Le bateau. La barre du gouvernail. Les trophées de pêche…

— *Semper paratus*, dit-elle.

— Hein ?

Elle regarda Shane dans les yeux.

— *Semper paratus*.

— C'est du latin, dit-il. Ça signifie « Toujours prêt ».

— Tu connaissais ?

Le bateau. Les trophées de pêche. La barre du gouvernail et les bouées de sauvetage. Mais surtout les ancres croisées. Maya avait cru que ça se rapportait à la marine. Mais cette décoration était utilisée ailleurs pour distinguer un maître d'équipage.

Shane hocha la tête.

— C'est la devise de la garde côtière.

La garde côtière.

Une branche des forces armées habilitée à intervenir dans les eaux territoriales et internationales. Notamment en cas de noyade en mer…

— Maya ?

Elle se tourna vers lui.

— J’ai besoin d’une autre faveur, Shane.

Il ne dit rien.

— Trouve-moi qui a enquêté sur la disparition en mer d’Andrew Burkett. Vois si, par hasard, ce n’était pas un garde-côte du nom de Tom Douglass.

17

Normalement, l'heure du coucher ne posait pas de problème. Contrairement à d'autres enfants qui faisaient tourner leurs parents en bourriques, Lily semblait avoir fini sa journée, et il n'était pas rare qu'elle s'endorme dès que sa tête touchait l'oreiller. Mais ce soir-là, lorsque Maya l'eut bordée dans son lit, elle réclama une histoire.

Maya était épuisée, mais n'était-ce pas là l'une des joies de la maternité ?

— Laquelle tu veux, chérie ?

Lily pointa le doigt sur un livre de Debi Gliori. Maya le lui lut, espérant qu'il agirait à la manière de l'hypnose et que les yeux de Lily se fermeraient d'eux-mêmes pour la nuit. Mais ce fut l'inverse qui se produisit. Maya piquait du nez en lisant tandis que Lily la secouait pour la maintenir éveillée. Maya réussit à aller au bout de l'histoire. Elle ferma le livre et voulut se lever, mais Lily exigea :

— Encore, encore.

— Il est l'heure de dormir, mon cœur.

Lily se mit à pleurer.

— Lily peur.

On n'était pas censé céder dans ces moments-là, mais ce que les manuels d'éducation omettaient de mentionner, c'est que tous les êtres humains, y compris les parents, optaient pour la facilité lorsqu'ils étaient fatigués. Cette petite fille avait perdu son père. Elle était trop jeune pour s'en rendre compte, mais, quelque part, inconsciemment, elle devait sentir que ça ne tournait pas rond.

Maya la prit dans ses bras.

— Allez, viens. Tu vas dormir avec moi.

Elle emporta Lily dans sa chambre et la déposa doucement sur le lit du côté de Joe. Elle aligna des coussins sur le bord du lit et, pour plus de sécurité, en jeta quelques-uns par terre au cas où Lily passerait par-dessus cette barrière ténue. Puis elle lui remonta les couvertures sous le menton et, ce faisant, ressentit une bouffée soudaine et violente que tous les parents connaissent, lorsqu'on est submergé d'amour pour son enfant, qu'on sent comme une vague déferlante monter en soi, et, en même temps, cette responsabilité, la crainte de perdre ce petit être vous paralyse de terreur. Comment baisser la garde, comment se détendre en sachant ce que la vie lui réserve ?

Lily ferma les yeux et s'endormit. Maya resta là sans bouger, l'œil rivé sur le petit visage, écoutant sa respiration profonde et régulière. Par chance, son portable sonna, et le charme fut rompu.

Elle espérait que c'était Shane, même s'il avait dit qu'il ne pourrait consulter le dossier militaire de Tom Douglass avant le lendemain matin, mais l'écran afficha le nom de sa nièce. Paniquée – encore une qu'elle ne supporterait pas de perdre – Maya répondit précipitamment :

— Tout va bien ?

— Mouais, fit Alexa. Pourquoi ?

— Pour rien.

Nom de Dieu, elle ferait bien de se calmer.

— Qu'est-ce qui t'arrive, ma grande ? Tu as besoin d'aide pour tes devoirs ?

— C'est ça, et si c'était vrai, tu crois que c'est toi que j'appellerais ?

Maya rit.

— Bien vu.

— Demain c'est la journée du foot.

— Pardon ?

— Oui, le truc ringard qu'on organise tous les ans avec des matchs, des accessoires pour supporters… il y aura aussi un château gonflable, une fête foraine et tout ça. C'est sympa pour les petits, quoi.

— Je vois.

— Je sais que tu es très occupée, mais j'espérais que vous viendriez, Lily et toi.

— Ah bon…

— Papa et Daniel seront là aussi. Lui joue à dix heures, et moi à onze. On ira se balader avec Lily, on lui achètera un ballon en forme d'animal – c'est M. Ronkowitz, mon prof d'anglais, qui les fabrique –, on l'emmènera faire un tour de manège. Je me disais que ce serait sympa. Elle nous manque.

Maya regarda Lily qui dormait à côté d'elle. Le même sentiment la submergea avec une force redoublée.

— Tatie Maya ?

Alexa et Daniel étaient ses cousins. Lily les adorait. Maya tenait absolument à ce qu'ils fassent partie de sa vie.

— Heureusement que Lily dort déjà, dit-elle à Alexa.

— Pourquoi ?

— Parce que si je lui disais qu'elle allait voir ses cousins demain, elle serait trop excitée pour se mettre au lit.

Alexa rit.

— Super. À demain alors.

— Ça marche.

— Oh, et, juste pour information, mon boloss de coach sera là aussi.

— Pas de problème. Je crois qu'on a trouvé un langage commun, lui et moi.

— Bonne nuit, tatie Maya.

— Bonne nuit, Alexa.

La nuit fut rude.

Le tumulte se déchaîna alors que Maya flottait dans une torpeur ouatée entre la veille et le sommeil. La clameur, les cris, les rotors, les rafales de mitraillette. Ils enflaient, montaient en puissance sans lui laisser une seconde de répit. Maya n'était pas dans son lit. Ni là-bas non plus. Elle était entre deux lieux, en apesanteur, hagarde. Tout n'était que ténèbres et vacarme, un vacarme assourdissant qui semblait venir du dedans, comme si un petit animal s'était faufilé à l'intérieur de sa tête et grattait en glapissant.

Il n'y avait pas d'échappatoire, pas de pensée rationnelle. Il n'y avait ni ici ni maintenant, ni hier ni demain.

Tout cela viendrait plus tard. En attendant, il n'y avait que ces bruits qui lui fendaient le cerveau à la manière d'une faux.

Maya se prit la tête entre les mains et la pressa à s'en broyer les os du crâne.

Tellement c'était insoutenable.

Elle était prête à tout pour que ça…

… s'il vous plaît, mon Dieu…

… faites que ça s'arrête. Ces bruits lui donnaient envie d'attraper une arme pour les faire taire, si seulement on savait où on était, si on savait que tout près, dans la table de nuit, on gardait un pistolet dans un petit coffre-fort…

Impossible de dire si cela avait duré des minutes ou des heures. Le temps n'a plus d'importance quand on se sent suffoquer. On essaie juste de ne pas sombrer, de maintenir sa tête hors de l'eau.

Mais à un moment, un nouveau son, un son plus « normal », pénétra son enfer auditif. Il semblait venir de très loin. Il mit longtemps à lui parvenir, à se faire reconnaître. Il dut se frayer un chemin parmi l'effroyable cacophonie à laquelle s'étaient joints, se rendit-elle compte en commençant à émerger, ses propres hurlements.

La sonnette de la porte d'entrée. Et une voix :

— Maya ? Maya !

C'était Shane.

Il se mit à cogner à la porte.

— Maya !

Elle rouvrit les yeux. Les bruits ne s'évanouirent pas, mais plutôt s'estompèrent comme pour la narguer, lui rappeler qu'ils seraient toujours là. Elle repensa à la théorie selon laquelle aucun bruit ne meurt, que si on crie dans les bois l'écho de votre voix s'atténue, mais ne disparaît jamais complètement.

Comme ces bruits qui la hantaient.

Maya se tourna du côté droit, là où Lily s'était endormie la veille.

Elle n'y était pas.

Son cœur manqua un battement.

— Lily ?

On avait cessé de sonner et de frapper à la porte. Maya se dressa d'un bond, bascula ses jambes hors du lit. Mais quand elle voulut se lever, le sang lui afflua à la tête, l'obligeant à se rasseoir.

— Lily ? appela-t-elle à nouveau.

Elle entendit la porte s'ouvrir en bas.

— Maya ?

Shane était dans la maison à présent. Elle lui avait donné un double des clés, au cas où.

— Je suis là !

Cette fois, elle parvint à se relever.

— Lily ? Je ne trouve pas Lily !

La maison trembla quand Shane gravit les marches quatre à quatre.

— Lily !

— Je l'ai, dit Shane.

Il parut à la porte, tenant Lily d'un seul bras. Maya défaillit presque de soulagement.

— Elle était en haut de l'escalier.

Lily avait le visage maculé de larmes. Maya se précipita vers elle. L'enfant eut un mouvement de recul, et Maya comprit qu'elle avait dû être réveillée par ses cris.

Elle s'arrêta, se força à sourire.

— Tout va bien, ma chérie.

La petite fille enfouit son visage dans l'épaule de Shane.

— Je suis désolée, Lily. Maman a fait un mauvais rêve.

Lily noua les bras autour du cou de Shane. Il regarda Maya sans chercher à dissimuler sa pitié et son inquiétude. Le cœur de Maya se serra douloureusement.

— J'ai essayé d'appeler, dit-il. Mais comme tu ne répondais pas…

Elle hocha la tête.

— Allez ! s'exclama Shane avec entrain.

Il n'était pas doué, côté entrain. Même Lily avait dû sentir que sa voix sonnait faux.

— On descend tous prendre le petit déjeuner, qu'en dites-vous ?

Lily semblait méfiante, mais elle se remettait rapidement. Les enfants étaient incroyablement résilients. Leur capacité d'adaptation, pensa Maya, valait celle des meilleurs soldats.

— Tiens, devine ! lança-t-elle.

Lily la considéra d'un œil soupçonneux.

— Aujourd'hui on va à une fête foraine avec Daniel et Alexa !

Les yeux de la petite fille s'arrondirent.

— Il y aura des manèges et des ballons…

Maya continua à vanter les merveilles de la journée du foot, et bientôt l'éclat du nouveau jour éclipsa les frayeurs de la nuit. Pour Lily du moins. Pour Maya, la peur, surtout parce qu'elle avait frôlé sa fille de si près, mit beaucoup plus longtemps à se dissiper.

Qu'avait-elle fait ?

Shane ne lui demanda pas si ça allait. Il savait. Une fois Lily installée devant son petit déjeuner, il la prit à part.

— C'était grave comment ?

— Ça va, je t'assure.

Il se détourna.

— Me mentir devient une seconde nature chez toi.

Il n'avait pas tort.

— Très grave, répondit-elle. Tu es content ?

Shane pivota vers elle. Il avait envie de la prendre dans ses bras – ça se voyait –, sauf que ce n'était guère dans leurs habitudes. Dommage. Cela lui aurait fait du bien.

— Il faut que tu en parles à quelqu'un, dit-il. Wu, par exemple.

Wu était le psy du bureau des anciens combattants.

— Je l'appellerai.

— Quand ?

— Quand ce sera fini.

— Qu'est-ce qui sera fini ?

Maya ne répondit pas.

— Tu n'es pas la seule concernée, Maya.

— Comment ça ?

Il jeta un regard en direction de Lily.

— C'est un coup bas, Shane.

— Tant pis. Tu as une fille à élever, et tu es toute seule maintenant.

— Je m'en occupe.

Maya consulta l'heure. 9 h 15. C'était la première fois depuis des lustres qu'elle dépassait ses 4 h 58. Elle se posait également des questions à propos de Lily. Que s'était-il passé au juste ? Tirée de son sommeil, sa fille l'avait-elle écoutée hurler ? Avait-elle tenté de la réveiller ou bien s'était-elle recroquevillée de peur ?

Quel genre de mère était-elle ?

La mort te colle aux basques, Maya...

— Je m'en occupe, répéta-t-elle. Le temps d'y voir plus clair.

— Et par « y voir plus clair », tu entends « retrouver l'assassin de Joe » ?

Elle garda le silence.

— Tu avais raison, au fait, déclara Shane.

— À propos de quoi ?...

— C'est pour ça que je suis là. Tu m'as demandé de me renseigner sur Tom Douglass et son passé dans la garde côtière.

— Et ?

— Il y est resté quatorze ans. Ça a été sa première expérience dans les forces de l'ordre. Et oui, c'est lui qui a été chargé d'enquêter sur la mort d'Andrew Burkett.

Bingo. Ça avait un sens. Ça n'avait aucun sens.

— Sais-tu quelles ont été ses conclusions ?

— Mort accidentelle. D'après son rapport, Andrew Burkett est tombé du bateau en pleine nuit et s'est noyé. L'alcool devait y être pour quelque chose.

Ils se dévisagèrent en silence.

— Que diable se passe-t-il, Maya ?

— Je n'en sais rien, mais j'entends bien le découvrir.

— Comment ?

Maya prit son téléphone et appela chez les Douglass. N'obtenant pas de réponse, elle laissa un message :

— Je sais pourquoi les Burkett vous rémunéraient. Rappelez-moi.

Elle donna son numéro de portable et raccrocha.

— Comment as-tu su, pour Douglass ? s'enquit Shane.

— Peu importe.

— Ah oui ?

Se levant, il se mit à faire les cent pas. Pas besoin de bien le connaître pour savoir que ce n'était pas bon signe.

— Quoi ? fit Maya.

— J'ai téléphoné à l'inspecteur Kierce ce matin.

Elle ferma les yeux.

— Pour quoi faire ?

— Je ne sais pas. Peut-être à cause de l'accusation que tu as lancée hier.

— C'est Caroline qui l'a accusé.

— Si tu veux. J'avais envie de voir de quel bois il était fait.

— Et ?

— Je l'aime bien. Je pense qu'il est clean. C'est Caroline qui débloque.

— OK, n'en parlons plus.

Shane émit une sorte de bourdonnement agaçant comme dans un jeu télévisé lorsqu'un candidat se trompe.

— Quoi, qu'est-ce qu'il y a ?

— Désolé, Maya, mauvaise réponse.

— Qu'est-ce que tu racontes ?

— Kierce n'a pas voulu me fournir d'informations sur l'enquête en cours, poursuivit Shane. Comme tout bon flic qui respecte la loi et ne touche pas de dessous-de-table.

Maya n'aimait pas la tournure que prenait cette conversation.

— Mais, ajouta Shane, le doigt en l'air, il a jugé bon de me parler d'un incident qui a eu lieu ici, chez toi, récemment.

Maya jeta un coup d'œil sur Lily.

— L'histoire de la caméra espion, fit-elle.

— Gagné.

Shane attendait des explications qui ne vinrent pas. Ils se dévisagèrent longuement jusqu'à ce qu'il rompe le silence.

— Pourquoi ne pas me l'avoir dit ?

— J'allais le faire.

— Mais ?

— Tu crois déjà que je suis zinzin.

Shane laissa échapper le même bourdonnement exaspérant.

— Faux. Je peux considérer que tu as besoin d'aide…

— Justement. Tu veux à tout prix que j'appelle Wu. Alors qu'aurais-tu pensé si je t'avais dit que j'avais vu mon mari assassiné sur une vidéo tournée par une caméra espion ?

— Je t'aurais écoutée, répondit Shane. Je t'aurais écoutée et aidée à démêler tout ça.

Maya savait qu'il était sincère. Shane attrapa une chaise, la rapprocha, s'assit à côté d'elle.

— Raconte-moi ce qui s'est passé. Précisément.

Inutile de louvoyer plus longtemps. Maya lui parla de la caméra espion, du spray au poivre, des vêtements manquants de Joe, de sa visite à la famille d'Isabella.

— Je me souviens de cette chemise, dit Shane lorsqu'elle eut terminé. Si tu avais tout imaginé, pourquoi aurait-elle disparu ?

— Va savoir.

Shane se leva, se dirigea vers l'escalier.

— Où tu vas ?

— Regarder dans sa penderie pour voir si je la trouve.

Maya allait protester, mais il était ainsi, Shane. Il ne lâchait rien. Cinq minutes plus tard, il était de retour.

— Volatilisée, annonça-t-il.

— Ce qui ne veut rien dire, fit observer Maya. Il y a mille raisons pour qu'une chemise manque à l'appel.

Shane se rassit face à elle et se mit à triturer sa lèvre inférieure. Cinq secondes passèrent. Puis dix.

— Bon, faisons le point, OK ?

Maya attendit.

— Tu te rappelles ce qu'a dit le général Dempsey lors de sa visite au camp ? lui demanda Shane. À propos de la prévisibilité sur le théâtre d'opérations ?

Elle hocha la tête.

Le général Martin Dempsey, commandant de la force multinationale de sécurité en Irak, avait déclaré que, de tous les agissements humains, le plus imprévisible était la guerre. La seule règle fondamentale quant au déroulement d'un combat est qu'on ne peut jamais prévoir le déroulement d'un combat. Il faut être prêt à tout, y compris à ce qui paraît impossible.

— Reprenons depuis le début, dit Shane. Admettons que tu aies réellement vu Joe sur cette vidéo.

— Joe est mort, Shane.

— Je sais bien. Mais bon… procédons pas à pas. Comme un exercice.

Maya leva les yeux au ciel.

— OK, tu as donc visionné cette vidéo sur quoi ? Ta télé ?

— Sur mon portable. Avec un lecteur de carte SD.

— Ah oui, la carte SD. Celle qu'Isabella a piquée après t'avoir aspergée de poivre.

— C'est ça.

— Bon, alors tu ouvres cette vidéo à partir de la carte SD et tu vois Joe qui joue avec Lily sur le canapé. Éliminons déjà l'explication la plus évidente. Ce n'est pas un vieil enregistrement, n'est-ce pas ?

— Non.

— Tu en es sûre ? Tu dis qu'Eileen t'a donné la caméra espion après l'enterrement. Personne n'aurait pu y télécharger une vieille vidéo ? Filmée avant la mort de Joe ?

— Non. Lily était habillée exactement comme ce jour-là. Et l'angle de prise de vue correspondait pile à la position de la caméra sur l'étagère. Il doit y avoir un truc, forcément. Un montage avec Photoshop peut-être. Mais ce n'était pas une vieille vidéo.

— OK, on élimine cette possibilité.

Cela devenait grotesque.

— Quelle possibilité ?

— Que cette scène ait été filmée avant. Essayons autre chose.

Shane se remit à tirer sur sa lèvre.

— Supposons un instant que ce soit vraiment Joe. Qu'il soit toujours en vie.

Il leva les deux mains, bien qu'elle n'ait même pas ouvert la bouche.

— Je sais, je sais, mais laisse-moi parler, OK ?

Ravalant un soupir, Maya haussa les épaules, l'air de dire : « Si ça t'amuse. »

— Tu aurais fait quoi à sa place ? demanda-t-il. Si tu voulais feindre d'être morte ?

— Feindre d'être morte pour me pointer en douce chez moi et jouer avec la petite ? Je n'en ai pas la moindre idée, Shane. À toi de me le dire. Tu as visiblement une explication.

— Pas exactement, mais…

— C'est en rapport avec les zombies ?

— L'ironie est un mécanisme de défense, Maya.

Elle fronça les sourcils.

— Les cours de psycho ont porté leurs fruits.

— De quoi as-tu peur ?

— J'ai peur de perdre mon temps. Mais bon, OK, Shane. Oublions les zombies. Je t'écoute. Comment aurais-tu mis en scène ta propre mort, si tu étais Joe ?

Shane tirait toujours sur sa lèvre. À force, se dit Maya, il allait finir par l'arracher.

— Voici ce que j'*aurais* pu faire, répondit-il. J'*aurais* engagé deux marginaux. Je leur *aurais* fourni des armes chargées à blanc.

— Waouh !

— Laisse-moi terminer, mais on abandonne le conditionnel, si tu veux bien. Moi, Joe, j'organise tout. Je me procure des capsules de sang pour que ça ait l'air vrai. C'est Joe qui aimait ce coin du parc, non ? Il savait qu'il y faisait suffisamment sombre pour que tu ne voies pas tout ce qui s'y passerait. Réfléchis un peu. Tu crois vraiment que ces deux gars se sont trouvés là par hasard ? Il n'y a rien qui te paraît bizarre ?

— Qu'est-ce qui te paraît bizarre là-dedans ?

— Cette histoire de braquage…

Shane secoua la tête.

— Ça ne tient pas debout.

Maya ne broncha pas. Kierce avait déjà prouvé que la scène avait été fabriquée de toutes pièces, compte tenu du résultat de l'examen balistique. Mais, manifestement, Shane n'était pas au courant.

— Imagine que ce soit un coup monté, poursuivit-il, tout à son extravagante théorie du complot. Les deux gars ont été payés pour tirer à blanc et faire croire que Joe était mort.

— Shane ? Tu te rends compte que c'est complètement délirant, n'est-ce pas ?

Il tira de plus belle sur sa lèvre inférieure.

— Les flics étaient là, eux aussi, n'oublie pas. Tout le monde a vu le corps.

— OK, une chose à la fois. D'abord, les gens qui ont vu le corps. Bien sûr. Si tu avais été le seul témoin, ça n'aurait pas suffi. Alors oui, Joe est étendu par terre, en sang. Dans le noir. Quelques personnes l'ont vu, mais aucune ne lui a pris le pouls, que je sache.

Maya secoua la tête.

— Tu plaisantes ?

— Qu'est-ce qui te gêne dans mon hypothèse ?

— Par où je commence ? repartit-elle. Les flics, déjà.

Shane écarta les mains.

— C'est toi qui m'as parlé de l'argent versé.

— À Kierce ? Ton nouveau pote que tu aimes bien et qui respecte la loi ?

— Je peux me tromper à son sujet. Ce ne serait pas la première fois. Peut-être que Kierce a fait en sorte d'être de garde le soir du meurtre. Si c'était prémédité, Joe aurait choisi le bon moment. Kierce se serait arrangé pour être dépêché sur la scène de crime.

Ou alors les Burkett auraient aussi soudoyé son chef pour qu'il lui confie l'enquête.

— Tu devrais tourner une vidéo conspirationniste comme on en voit sur YouTube, Shane. Le 11 Septembre, c'était un coup monté également ?

— Je déroule la liste des possibilités, Maya.

— Mettons les choses au clair, fit-elle. Tout le monde était là. Les jeunes marginaux que Kierce a arrêtés. Les flics. Le médecin légiste.

— Attends une minute.

— Quoi ?

— Tu ne m'as pas dit qu'il y avait un souci avec le certificat de décès ?

— Un problème administratif. Et arrête de te tripoter la lèvre.

Shane réprima un sourire.

— Il y a des lacunes dans mon raisonnement. Je le reconnais. Je pourrais demander à Kierce de voir les images de l'autopsie...

— Et il t'enverrait bouler.

— J'ai plus d'un tour dans mon sac, tu sais.

— Oh, je t'en prie. D'ailleurs, s'ils se sont donné tout ce mal, qui te dit qu'ils n'ont pas aussi truqué les photos de l'autopsie ?

— Bien vu.

— C'était de l'ironie.

Maya secoua la tête.

— Il est mort, Shane. Joe est mort.

— Ou il te mène en bateau.

Elle réfléchit un instant.

— Que quelqu'un me mène en bateau, répondit-elle enfin, ça, c'est une certitude.

18

La journée du foot n'était pas sans rappeler un vieux film américain, un peu trop parfaite, un peu trop Norman Rockwell pour être authentique. Il y avait des tentes, des cabines, des jeux et des manèges. Il y avait des rires, des acclamations, des coups de sifflet et de la musique. Des camions snacks proposaient des hamburgers, des saucisses, des glaces et des tacos. On pouvait acheter tout et n'importe quoi aux couleurs de la ville, vert et blanc : T-shirts, casquettes, cagoules, polos, stickers, gourdes, mugs, porte-clés, chaises pliantes. Même le château et les toboggans gonflables étaient vert et blanc.

Chaque classe tenait son propre stand. Les filles de cinquième faisaient des tatouages éphémères. Les garçons de quatrième avaient un pistolet radar et une cage de but pour que vous puissiez mesurer votre vitesse de frappe. Les filles de sixième avaient aménagé une cabine de maquillage.

Ce fut là que Maya et Lily trouvèrent Alexa.

En les apercevant, elle jeta son pinceau et se précipita à leur rencontre.

— Ohé, Lily !

Lily lâcha la main de sa mère et rit en trépignant d'impatience et d'excitation. Alexa la souleva du sol, et elle piailla joyeusement.

Maya, qui assistait à la scène en simple spectatrice, sourit.

— Lily ! Tatie Maya !

C'était Daniel qui se hâtait de les rejoindre. Eddie lui emboîta le pas, souriant lui aussi. Tout cela lui semblait surréaliste, presque obscène au milieu du chaos de son existence, mais, dans la vie, il y avait des barrières, et, par-dessus tout, elle tenait à ce que ces trois mômes restent du bon côté.

Daniel déposa un baiser sur sa joue, puis prit Lily des bras de sa sœur et la hissa au-dessus de sa tête. Le rire de Lily cascada dans l'air. Depuis combien de temps Maya ne l'avait-elle pas entendue rire ainsi ?

— On peut l'emmener sur les manèges, tatie Maya ? demanda Alexa.

— On fera attention, ajouta Daniel.

Eddie se rapprocha de Maya.

— Bien sûr, dit-elle. Vous voulez de l'argent ?

— On en a, lança Daniel.

Et ils s'éloignèrent.

Maya adressa un bref sourire à Eddie. Son ex-beau-frère semblait en meilleure forme ce jour-là, rasé de frais et le regard limpide. Il l'embrassa sur la joue. Son haleine ne sentait pas l'alcool. Maya suivit les trois enfants des yeux. Lily marchait entre Daniel et Alexa, les tenant chacun par la main.

— Belle journée, dit Eddie.

Elle hocha la tête. La journée était, en effet, radieuse comme sur commande. Le rêve américain s'étalait devant elle dans toute sa splendeur, sauf qu'elle n'en faisait pas partie ; sa seule présence était un nuage noir qui absorbait la lumière du soleil.

— Eddie ?

La main en visière, il se tourna vers elle.

— Claire ne t'a pas trompé.

Ses yeux s'emplirent de larmes, et il s'empressa de regarder ailleurs. À le voir baisser la tête, Maya crut un instant qu'il pleurait. Elle voulut lui poser la main sur l'épaule, puis se ravisa, et sa main retomba le long de son corps.

— Tu en es certaine ?

— Oui.

— Et ce téléphone ?

— Tu te souviens de cette vidéo postée sur Internet qui m'a causé tous ces… ennuis ?

— Oui, bien sûr.

— Eh bien, ce n'était qu'un début.

— Comment ça ?

— Le type qui l'a publiée…

— Corey la Vigie, dit Eddie.

— C'est ça. Il n'a pas divulgué la bande-son.

Eddie eut l'air déconcerté.

— Claire l'en a dissuadé.

— Parce que, fit Eddie, avec la bande-son, ça aurait été pire ?

— Oui.

Il acquiesça sans chercher à en savoir plus.

— Claire a été bouleversée quand le scandale a éclaté. Nous l'étions tous. Nous nous faisions du souci pour toi.

— Mais Claire est allée plus loin. Elle a contacté Corey. Elle a embrassé sa cause, en quelque sorte.

Inutile de s'étendre sur ses motivations. Elle avait peut-être accepté d'aider Corey pour qu'il laisse Maya tranquille. Ou alors Corey, qui savait être charmeur et persuasif, l'avait convaincue que faire tomber l'empire Burkett était un combat juste et moral. Au fond, cela n'avait aucune importance.

— Claire a entrepris de déterrer des choses pas très ragoûtantes sur les Burkett, dit-elle. Pour aider Corey et son organisation à les dénoncer sur la place publique.

— Et c'est pour ça qu'on l'a tuée ?

Maya regarda en direction de sa fille. Toute l'équipe d'Alexa s'était massée autour de Lily. À tour de rôle, elles la peignaient en vert et blanc, et même à distance, Maya la sentit exulter.

— Oui.

— Je ne comprends pas, fit Eddie. Pourquoi ne m'a-t-elle rien dit ?

Maya continuait à observer les enfants, fidèle à son rôle de sentinelle silencieuse. Malgré le regard d'Eddie qui pesait sur elle, elle ne répondit pas. Claire ne lui avait rien dit pour le protéger. En fait, elle lui avait probablement sauvé la vie. Sa sœur avait aimé son mari. Pierre-Alain n'avait été qu'un fantasme, lequel, à l'aune de la réalité, aurait viré à l'aigre comme du lait tourné. Claire, l'amoureuse pragmatique, s'en était rendu compte, contrairement à Maya si impétueuse et passionnée. Claire avait aimé Eddie. Elle avait aimé Daniel et Alexa. Elle avait aimé cette vie avec ses journées du foot et ses maquillages criards sous un soleil de plomb.

— Tâche de te souvenir, Eddie. Tu n'avais rien remarqué d'anormal ?

— Comme je te l'ai déjà dit, elle finissait de plus en plus tard. Elle était distraite. Je la questionnais, mais il n'y avait rien à faire.

Et il ajouta tout bas :

— Elle me disait de ne pas m'inquiéter.

La séance de maquillage terminée, les enfants se dirigèrent vers le manège.

— Elle n'a jamais mentionné quelqu'un du nom de Tom Douglass ?

Eddie réfléchit.

— Non. Qui est-ce ?

— Un détective privé.

— Pourquoi aurait-elle fait appel à lui ?

— Parce que les Burkett lui versaient de l'argent. Elle ne t'a jamais parlé d'Andrew Burkett ?

Il fronça les sourcils.

— Le frère de Joe ? Celui qui s'est noyé ?

— Oui.

— Non. Qu'a-t-il à voir là-dedans ?

— Je ne sais pas encore. Mais j'ai quelque chose à te demander.

— Vas-y.

— Réexamine les faits d'un œil neuf. Ses déplacements, ses dossiers personnels, tout ce qui peut contenir des informations cachées. Elle voulait faire tomber les Burkett. Elle a découvert qu'ils versaient de l'argent à ce Tom Douglass, et, à mon avis, c'est ça qui a mis le feu aux poudres.

— Promis, acquiesça Eddie.

Ils virent Daniel jucher Lily sur un cheval de manège et rester à côté d'elle tandis qu'Alexa se plaçait de l'autre côté. Lily rayonnait.

— Regarde-les, fit Eddie. Juste…

Maya hocha la tête, n'osant pas parler. La mort lui collait aux basques, lui avait dit Eddie, sauf que ce n'était pas aussi simple. Tout autour d'elle, les enfants et leurs familles riaient, s'amusaient, profitaient de cette journée en apparence ordinaire. Ils n'avaient pas peur. Ils se sentaient en sécurité. Ils ne voyaient pas à quel point tout cela était fragile. La guerre était loin, pensaient-ils. Pas seulement sur un autre continent, mais sur une autre planète. Elle ne pouvait pas les atteindre.

Erreur, elle avait déjà frappé l'une des leurs, à savoir Claire, et ce, par la faute de Maya. Ce qu'elle avait fait dans cet hélico de combat au-dessus d'Al-Qa'im, comme ces bruits qui la hantaient sans relâche, avait créé un écho, une réverbération, et cet écho s'était propagé jusqu'à sa sœur.

La vérité était si flagrante, si profondément douloureuse. Si Maya ne s'était pas plantée là-bas, dans son hélico, Claire serait toujours en vie. Elle serait là, à leurs côtés, savourant la joie et l'enthousiasme de ses enfants. C'est à cause de Maya qu'elle n'était pas avec eux, et les sourires de Daniel et Alexa dissimulaient une tristesse qui ne les quitterait jamais.

Lily regarda autour d'elle, aperçut sa mère et agita la main dans sa direction. Maya déglutit et lui répondit. Daniel et Alexa lui firent signe de les rejoindre.

— Maya ? fit Eddie.

Elle ne dit rien.

— Va avec eux.

Maya secoua la tête.

— Tu n'es pas en faction ici, ajouta-t-il, semblant lire dans ses pensées. Va, profite de ta fille.

Il ne comprenait pas. Maya n'était pas des leurs. Elle n'avait pas sa place parmi eux… même si, ironiquement, elle avait combattu et risqué sa vie pour défendre précisément ce monde-là. Oui, tout ce qui se passait en cet instant devant ses yeux. Mais entre elle et eux se trouvait une frontière invisible qu'elle ne pouvait pas franchir. Protéger ou participer, il fallait choisir. Ses copains de régiment le savaient, eux. Certains étaient capables de sauter le pas, d'aller faire un tour de manège ou d'acheter un T-shirt, mais jamais ils ne relâchaient leur vigilance : leurs yeux scannaient les environs, guettant le danger qui approchait.

Pouvait-on s'en affranchir un jour ?

Peut-être. Ou peut-être pas. En attendant, Maya ouvrait l'œil, sentinelle silencieuse.

— Vas-y, toi, dit-elle.

— Non, répondit Eddie. Je préfère rester avec toi.

Ils continuèrent donc à veiller de loin sur les enfants.

— Maya ?

Elle se taisait.

— Quand tu auras trouvé qui a tué Claire, tu me le diras, n'est-ce pas ?

Eddie voulait venger personnellement sa femme. Mais elle ne le laisserait pas faire.

— OK.

— Promis ?

Elle n'en était plus à un mensonge près.

— Promis.

Son portable bourdonna. Elle jeta un coup d'œil sur le numéro. C'était celui du domicile de Tom Douglass. Maya s'écarta, porta le téléphone à son oreille.

— Allô ?

— J'ai eu votre message, dit Mme Douglass. Venez dès que possible.

— Lily viendra avec nous à la maison, déclara Eddie. Les gosses seront ravis.

Voilà qui lui facilitait la tâche. Car si elle s'avisait d'arracher Lily aux festivités, elle ne manquerait pas de provoquer un esclandre, bien compréhensible venant d'une enfant de deux ans.

— C'est au sujet de Tom Douglass, expliqua-t-elle, même s'il n'avait rien demandé. Il habite à Livingston. J'en ai pour deux heures maxi.

Eddie plissa le front.

— Quoi ?

— Livingston. C'est bien la sortie 15W sur l'autoroute, non ?

— Oui, pourquoi ?

— Une semaine avant la mort de Claire, j'ai vu sur son E-Z Pass qu'elle avait emprunté ce péage à deux ou trois reprises.

— Elle n'avait pas l'habitude de passer par là ?

— Normalement, je ne regardais jamais son E-Z Pass, mais oui, c'est vrai qu'on n'allait jamais aussi loin.

— Conclusion ?

— Il y a un centre commercial avec des boutiques de luxe là-bas. J'ai cru qu'elle y était allée pour ça.

Ou il n'avait pas voulu regarder de trop près, ce qu'elle pouvait comprendre. Maya se hâta vers sa voiture. Sa sœur avait été tuée parce qu'elle était sur le point de dévoiler un secret. Maya en était sûre. Un secret en rapport avec Tom Douglass et, par extension, avec Andrew Burkett, le frère de Joe. Comment la disparition d'Andrew Burkett, qui était mort quinze ans avant qu'elle rencontre Joe, avait pu conduire à l'assassinat de Claire restait un mystère.

Elle zappa d'une station de radio à l'autre, ne trouvant rien qui lui plaisait. Se connectant alors à la playlist sur son smartphone *via* Bluetooth, elle essaya de s'éclaircir les idées. Lykke Li chantait *No Rest for the Wicked*[1]. « J'ai laissé tomber le bon », disait Lykke. Puis ce fut la phrase qui tue : « J'ai laissé mourir mon véritable amour. » Maya chanta avec elle, éperdument, et lorsque la chanson fut terminée, elle revint en arrière et la chanta encore une fois, jusqu'à la strophe finale : « J'avais son cœur, mais chaque fois je l'ai brisé. »

C'est Joe qui lui avait offert cette chanson. Leur relation avait été un tourbillon passionnel, comme toutes ses autres – désastreuses – histoires d'amour. Quarante-huit heures après leur rencontre à ce gala de charité, Joe lui avait proposé de l'emmener aux îles Turques-et-Caïques dans le jet privé des Burkett. Éblouie, Maya avait accepté. Ils avaient passé le week-end dans une villa à Amanyara.

Elle s'attendait à ce que cette nouvelle liaison suive le cours habituel : une passion folle, brûlante, obsessionnelle finissant en queue de poisson. Au revoir et merci. Pour Maya, chaque homme dont elle s'éprenait devenait son Pierre-Alain. Pour trois semaines, pas plus.

À la fin de la première semaine, lorsqu'elle découvrit à son réveil que Joe lui avait créé une playlist sur Internet, elle écouta religieusement chaque morceau,

1. Pas de repos pour les méchants. (*N.d.T.*)

cherchant un sens caché dans les paroles, allongée comme une ado sur son lit, les yeux au plafond. Elle aimait ses goûts musicaux. Ces chansons lui parlaient. Mieux même, elles avaient pénétré ses défenses, lui avaient fait baisser la garde.

Maya savait pourtant qu'il fallait être deux pour danser le tango. Grisée, elle s'était laissé entraîner dans le maelström Joe – alcool, chansons, voyages, sexe –, tout en sachant que, comme toutes ses autres histoires, celle-ci aurait une fin. Ça ne la dérangeait pas. Sa vraie vie, c'était l'armée. Mariage, enfants, journées du foot n'étaient pas au programme. Logiquement, Joe aurait dû finir parmi les bons souvenirs.

Ses amours tournaient mal. Mais pas les souvenirs.

Sauf que Maya était tombée enceinte, et dans la confusion qui s'était ensuivie, Joe avait pris les choses en main. Il lui avait fait sa demande, le genou à terre, au son de violons. Il lui avait promis l'amour. Il lui avait promis le bonheur. Il lui avait assuré qu'il était fier de sa carrière militaire et qu'il ferait son possible pour qu'elle la réussisse au mieux. Ils seraient différents des autres, disait-il, ils vivraient selon leurs propres règles. Sa force de persuasion était telle que, sans savoir comment, le capitaine Maya Stern se retrouva un beau jour Mme Burkett.

Lykke Li céda la place à « White Blood » d'Oh Wonder. Pourquoi, nom d'un chien, écoutait-elle toujours les ballades romantiques de Joe ? La raison en était simple : parce qu'elle aimait ces chansons. Dans un ailleurs hors champ, abstraction faite de la tournure prise par les événements, elles la touchaient encore, provoquant une résonance dans son cœur. Même celle-là, à la première strophe déchirante :

Je suis prêt à partir, je suis prêt à partir,
Mais je ne peux pas y aller tout seul...

Eh bien, si, pensa Maya en apercevant le bateau de Tom Douglass à côté du garage. Elle était prête à y aller toute seule.

Elle allait sonner quand la porte s'ouvrit d'elle-même. Mme Douglass avait les traits tirés. Elle regarda à droite et à gauche, écarta la moustiquaire et dit :

— Entrez.

Maya obtempéra, et Mme Douglass referma la porte derrière elle.

— Quelqu'un nous surveille ? s'enquit Maya.

— Je ne sais pas.

— Votre mari est là ?

— Non.

Maya garda le silence. Si cette femme l'avait rappelée, c'est qu'elle avait une raison.

— J'ai eu votre message, dit Mme Douglass.

Maya hocha imperceptiblement la tête.

— Vous disiez que vous saviez quel genre de travail mon mari effectuait pour les Burkett.

Il y eut une pause.

— Ce n'est pas ce que j'ai dit, répliqua Maya.

— Ah bon ?

— J'ai dit que je savais pour quelle raison les Burkett rémunéraient votre mari.

— Je ne vois pas la différence.

— Je ne pense pas qu'il travaillait pour eux. À moins que le fait de toucher des dessous-de-table ne soit considéré comme un travail.

— De quoi parlez-vous ?

— Soyez gentille, madame Douglass, arrêtez de me balader.

Ses yeux s'agrandirent.

— Mais pas du tout ! Je vous en supplie, dites-moi ce que vous savez.

Une note de désespoir perçait dans sa voix. Ou elle était sincère, ou c'était une excellente comédienne.

— Que croyez-vous que votre mari faisait pour les Burkett ?

— Tom est détective privé, répondit-elle. Je pensais qu'il enquêtait sur une affaire confidentielle pour le compte d'une famille influente.

— Mais il ne vous a jamais dit en quoi consistait sa mission ?

— Je vous le répète, c'était confidentiel.

— Allons, madame Douglass. Ne me dites pas que votre mari rentrait le soir sans jamais souffler mot de ce qui se passait à l'agence ?

Une larme solitaire coula sur sa joue.

— Qu'est-ce qu'il faisait ? demanda-t-elle dans un murmure. S'il vous plaît, dites-le-moi.

Maya hésita et, une fois de plus, opta pour l'approche directe :

— Votre mari a servi dans la garde côtière. À ce titre, il a enquêté sur la mort d'un jeune homme nommé Andrew Burkett.

— Oui, je sais. C'est comme ça que Tom a connu la famille. Ils ont apprécié sa façon de travailler. Du coup, quand il a ouvert sa propre agence, ils ont fait appel à ses services.

— Je ne crois pas, dit Maya. À mon avis, ils voulaient qu'il conclue à une mort accidentelle.

— Mais pourquoi ?

— C'est ce que je voudrais demander à votre mari.

Mme Douglass s'assit sur le canapé comme si ses jambes s'étaient dérobées sous elle.

— Tout cet argent qu'ils lui ont versé pendant des années…

— L'argent n'est pas un problème pour les Burkett.

— Mais de telles sommes ? Et aussi longtemps ?

Elle porta une main tremblante à sa bouche.

— Si ce que vous avancez est vrai – et je ne dis pas que ça l'est –, alors l'affaire doit être grave.

Maya s'agenouilla devant elle.

— Où est votre mari, madame Douglass ?

— Je ne sais pas.

Maya attendit.

— C'est pour ça que je vous ai appelée. Tom n'est pas rentré depuis trois semaines.

19

Mme Douglass avait signalé la disparition de son mari à la police, mais que peut faire la police quand un homme de cinquante-sept ans ne réintègre pas le domicile conjugal, et que rien ne laisse penser qu'il y a eu un crime ?

— Tom adore la pêche. Il lui arrive de partir pendant plusieurs semaines. La police l'a su. Je leur ai expliqué qu'il ne serait pas parti sans me prévenir, mais…

Elle haussa les épaules, accablée.

— L'un des inspecteurs m'a dit qu'ils pourraient lancer une recherche, mais que, pour accéder à ses dossiers professionnels, ils auraient besoin d'une commission rogatoire.

Maya prit congé quelques minutes plus tard. Elle n'en apprendrait pas plus. Elle appela son ex-belle-mère. Au bout de trois sonneries, Judith répondit à voix basse :

— Je suis en consultation. Tout va bien ?

— Il faut qu'on parle.

Il y eut un drôle de silence. Maya se demanda si Judith n'était pas en train de s'excuser et de quitter la pièce.

— Retrouve-moi au cabinet. Cinq heures, ça te va ?

— Parfait.

Maya raccrocha et téléphona à Eddie.

— Lily n'a qu'à rester ici, dit-il. Alexa et elle s'éclatent toutes les deux.

— Sûr ?

— Soit tu la laisses venir beaucoup plus souvent, soit je serai obligé de louer une adorable petite fille de deux ans à temps partiel.

Maya sourit.

— Merci.

— Tout va comme tu veux ?

— Ça roule.

— Ne fais pas comme elle, Maya.

— Comment ça ?

— Ne me mens pas pour me protéger.

Il n'avait pas tout à fait tort, mais, en même temps, où en seraient-ils aujourd'hui si Claire lui avait parlé ?

Il y avait une voiture garée dans son allée. Et une silhouette familière sur le banc à côté de la porte. Il prenait des notes sur un bloc-notes jaune. Depuis combien de temps se trouvait-il là ? Et surtout, pourquoi maintenant ?

Était-ce Shane qui… ou encore une coïncidence ?

Ricky Wu attendit qu'elle descende de voiture pour lever les yeux. Il referma son stylo avec un déclic et lui sourit. Elle le contempla sans ciller.

— Bonjour, Maya.

— Bonjour, docteur Wu.

Il n'aimait pas qu'on l'appelle docteur. C'était le genre de psy qui préférait de loin l'emploi du prénom. Autrefois, le père de Maya écoutait une chanson de Steely Dan intitulée « Dr Wu ». Était-ce la raison pour laquelle il tiquait chaque fois qu'elle l'appelait ainsi ?

— Je vous ai laissé plusieurs messages, dit Wu.

— Oui, je sais.

— J'ai donc pensé qu'il serait préférable de passer vous voir.

— Allons bon.

Maya glissa la clé dans la serrure et ouvrit la porte. Wu la suivit à l'intérieur.

— Je voulais vous présenter mes respects.

— Tss-tss. Vous m'étonnez.

— Pardon ?

— Je n'aurais pas cru que vous tenteriez de renouer la relation psy-patient par le biais d'un mensonge.

Si Wu était offensé, son sourire n'en laissa rien paraître.

— On peut s'asseoir une minute ?

— J'aime autant rester debout.

— Comment vous sentez-vous, Maya ?

— Ça va.

Il hocha la tête.

— Pas d'épisodes récents ?

Shane, pensa-t-elle.

Jamais elle ne réussirait à le convaincre que ses crises avaient disparu complètement.

— Quelquefois, dit-elle.

— Vous voulez m'en parler ?

— J'arrive à les contrôler.

— Vous m'étonnez.

— Hein ?

Wu arqua un sourcil.

— Je n'aurais pas cru que vous tenteriez de renouer la relation psy-patient par le biais d'un mensonge.

Touchée.

Wu affichait un sourire amical. Elle allait l'envoyer sur les roses quand, sans crier gare, le visage effrayé de Lily surgit devant ses yeux. La prenant par surprise, des larmes lui montèrent aux yeux. Lui tournant le dos, elle tenta de les refouler.

— Maya ?

Elle déglutit avec effort.

— Il faut que ça cesse.

Wu se rapprocha légèrement.

— Que s'est-il passé ?

— J'ai fait peur à ma fille.

Elle lui parla de la nuit précédente. Wu l'écouta sans l'interrompre. Puis, quand elle eut terminé :

— Il se pourrait que je change votre traitement. Pour des symptômes similaires, j'ai eu de bons résultats avec le Serzone.

Maya, qui ne faisait pas confiance à sa voix, hocha la tête.

— J'en ai dans la voiture, si vous voulez.

— Merci.

— Pas de problème.

Il se rapprocha encore.

— Puis-je me permettre une observation ?

Elle fronça les sourcils.

— Je ne peux pas juste avoir les médocs et qu'on me fiche la paix ?

— Désolé, Maya, il y a toujours un *hic*.

— Je m'en doutais. OK, c'est quoi, votre observation ?

— Jusqu'ici, vous n'avez jamais admis que vous aviez besoin d'aide.

— Bonne observation.

— Ce n'est pas l'observation.

— Ah…

— Vous avez fini par l'admettre, dit-il, pour préserver votre enfant. Vous ne vouliez pas le faire pour vous. Il a fallu que ce soit pour Lily.

— Encore une bonne observation, rétorqua-t-elle.

— Vous ne cherchez pas à aller mieux. Vous cherchez à protéger votre fille.

Il pencha la tête comme le font tous les psys.

— Quand cesserez-vous de raisonner de la sorte ?

— Quand cesserai-je de vouloir protéger mon enfant ?

Maya haussa les épaules.

— Drôle de question à poser à une mère.

— Un point pour vous, dit Wu, mettant les deux paumes à plat sur le comptoir. La désinvolture mise à part. Mais il faut que vous m'écoutiez. Le T dans TSPT signifie « trouble ». La volonté seule ne suffit pas. Vous voulez épargner le stress à votre enfant ? Alors il va falloir vous soigner.

— Je suis d'accord.

Wu sourit.

— Cette fois, ça a été facile.

— Je prendrai rendez-vous.

— Pourquoi ne pas commencer tout de suite ?

— Je n'ai pas beaucoup de temps.

— Oh, cette première séance ne sera pas longue.

Au fond, pourquoi pas, se dit Maya.

— C'est semblable à ce que j'ai connu dans le passé.

— En plus intense ?

— Oui.

— Quelle est la fréquence de ces épisodes ?

— Vous appelez ça « épisodes ». C'est une façon polie de désigner la chose. Le vrai mot, c'est « hallucinations ».

— Je n'aime pas ce terme. Je n'aime pas la connotation…

Elle l'interrompit.

— Je peux vous poser une question ?

— Bien sûr, Maya.

Elle s'était décidée sur un coup de tête. Puisqu'il était là, autant en profiter.

— Il m'est arrivé quelque chose. En lien avec tout ceci.

Wu la regarda et acquiesça.

— Dites-moi.

— Une amie m'a offert une caméra espion, commença-t-elle.

Wu l'écouta sans changer d'expression.

— Intéressant, fit-il lorsqu'elle eut terminé. C'était en plein jour, c'est bien ça ?

— Oui.

— Donc pas la nuit, dit-il, se parlant plus à lui-même.

Puis à nouveau :

— Intéressant.

Oui, bon, elle avait compris.

— Je voudrais savoir, dit Maya, si c'était une hallucination, un canular ou autre chose encore ?

— Bonne question.

Ricky Wu se rassit, croisa les jambes, se frotta même le menton.

— Le cerveau est une machine complexe. Et dans votre situation – trouble de stress post-traumatique, une sœur assassinée, un mari assassiné sous vos yeux, le fait de devoir élever votre enfant seule, le refus de vous soigner –, la conclusion logique serait… Une fois de plus, je n'aime pas la connotation. Mais la plupart des spécialistes concluraient à une hallucination, oui. L'explication la plus simple, qui est souvent la bonne, est que vous aviez tellement envie de revoir Joe que ça s'est produit.

— La plupart des spécialistes…

— Pardon ?

— Vous avez dit « la plupart des spécialistes concluraient ». Mais moi, c'est votre avis qui m'intéresse.

Wu sourit.

— J'en suis flatté.

Elle ne dit rien.

— En théorie, je devrais corroborer ce diagnostic. Vous avez joué à cache-cache avec moi. Alors, que ça vous serve de leçon. Vous avez arrêté votre traitement plus tôt que je ne l'aurais voulu. Vous avez ensuite subi des pressions supplémentaires. Votre mari vous manque. Non seulement vous avez dû renoncer au métier qui vous définissait, mais maintenant vous êtes obligée d'assumer le rôle d'une maman solo.

— Ricky, on peut passer au « mais », s'il vous plaît ?

— Le « mais », c'est que vous ne souffrez pas d'hallucinations. Vous avez des flash-back explicites. C'est courant pour un TSPT. Certains assimilent ces flash-back à des hallucinations. Le danger, c'est que ces hallucinations peuvent conduire à une psychose. Mais dans votre cas, que ce soient des flash-back ou des hallucinations, le phénomène reste circonscrit à l'audition. La nuit, au cours de ces épisodes, vous ne voyez pas les morts, n'est-ce pas ?

— Exact.

— Vous n'êtes pas hantée par leurs visages. Les trois hommes. La mère.

Il déglutit.

— L'enfant.

Maya ne dit rien.

— Vous entendez les cris, mais vous ne voyez pas les visages.

— Et donc ?

— Ce n'est pas inhabituel. Trente à quarante pour cent des anciens combattants atteints de TSPT se plaignent d'hallucinations auditives. Je ne dis pas que vous n'avez pas…

Il esquissa des guillemets avec ses doigts.

— … « vu » Joe. Vous avez très bien pu le voir. Je dis seulement que ce n'est pas compatible avec les troubles qu'on vous a diagnostiqués. Je ne puis valider l'hypothèse selon laquelle, en raison de votre TSPT, vous avez cru voir votre mari sur cette vidéo.

— Autrement dit, je ne l'ai pas imaginé.

— Les flash-back, Maya, sont les réminiscences d'événements réels. Vous n'entendez ni ne voyez les choses qui n'ont pas existé.

Elle se redressa.

— Comment vous vous sentez, là ? demanda-t-il.

— Soulagée, dirais-je.

— Évidemment, je ne peux pas l'affirmer avec certitude. La nuit, vous êtes toujours dans votre hélicoptère ?

— Oui.

— Dites-moi de quoi vous vous souvenez.

— C'est toujours pareil, Ricky.

— Vous recevez un appel de détresse. Les soldats sont pris au piège.

— Je fonce. Je tire.

Elle n'avait pas envie de s'attarder là-dessus.

— On en a déjà parlé.

— En effet. Que s'est-il passé ensuite ?

— Que voulez-vous que je vous dise ?

— Vous vous êtes toujours arrêtée à cet endroit. Cinq personnes ont été tuées. Des civils. Parmi eux, il y avait une mère de deux…

— Ça me saoule.

— Quoi ?

— Qu'on dise : « Il y avait une femme. Une mère. » Je trouve ça débile. Et sexiste. Un civil est un civil. Les hommes étaient pères. Ça, on ne le mentionne jamais. « Femme et mère. » Comme si c'était pire qu'« homme et père ».

— L'esprit et la lettre.

— Hein ?

— Vous vous focalisez sur la forme pour ne pas affronter la réalité.

— Mon Dieu, je déteste quand vous parlez comme ça. Quelle réalité je ne veux pas affronter ?

Son regard chargé de compassion l'horripilait.

— C'était une erreur, Maya. Voilà tout. Il faut que vous vous pardonniez. La culpabilité vous ronge et parfois, oui, se manifeste sous la forme de ces flash-back auditifs.

Elle croisa les bras.

— Vous me décevez, docteur Wu.

— Comment ça ?

— C'est un cliché, voilà tout. Je me sens coupable d'avoir causé la mort de ces civils ; par conséquent, une fois que j'aurai cessé de culpabiliser, ça ira mieux.

— Non, répondit-il. Ce n'est pas un remède. Mais cela vous permettra de mieux dormir la nuit.

Il ne comprenait pas, mais, en même temps, il n'avait pas entendu la bande sonore de cet enregistrement. Cela changerait-il quelque chose pour lui ? Peut-être, et peut-être pas.

Son portable sonna. Une fois. Elle jeta un œil sur le numéro.

— Ricky ?

— Oui.

— Il faut que j'aille chercher ma fille, mentit-elle. Je peux avoir ces nouveaux médocs ?

20

L'écran avait affiché « Cuir et Dentelles ».

Corey avait été clair. S'il appelait et raccrochait, c'est qu'il voulait la voir.

Lorsqu'elle arriva sur le parking, le videur se pencha vers la vitre.

— Je suis content que vous ayez décroché ce job.

Nom d'un chien, elle espérait qu'il était dans le coup et ne la considérait pas comme une vraie strip-teaseuse.

— Garez-vous sur le parking des employés et passez par l'entrée du personnel.

Maya suivit ses instructions. Lorsqu'elle descendit de voiture, deux de ses « collègues » la saluèrent d'un sourire et d'un signe de la main. Elle leur sourit à son tour, histoire de coller à son personnage. La porte de l'entrée du personnel était verrouillée. Elle regarda la caméra et attendit. La porte s'ouvrit automatiquement. Un autre homme l'accueillit dans le sas et la toisa d'un œil de merlan frit.

— Vous avez une arme ? demanda-t-il.

— Oui.

— Donnez-la-moi.

— Non, dit Maya.

Sa réponse lui déplut, mais une voix derrière s'éleva :

— C'est bon.

C'était Loulou.

— Même endroit, lui dit-elle. Il vous attend.

— Eh bien, au boulot, lança Maya en une piètre tentative de détendre l'atmosphère.

Loulou sourit et haussa les épaules.

Elle sentit l'odeur du cannabis avant même d'entrer dans la pièce. Corey était en train d'allumer un joint. Il inhala profondément, se leva et lui offrit une taffe.

— Non merci, dit-elle. Vous vouliez me voir ?

Retenant la fumée, il hocha la tête. Puis il l'exhala et dit :

— Asseyez-vous.

À nouveau, Maya plissa le nez à la vue des tissus d'ameublement.

— Personne n'utilise ce salon, dit-il, à part moi.

— Et c'est censé me rassurer ?

Elle s'attendait tout au moins à un semblant de sourire, mais Corey se mit soudain à arpenter la pièce, visiblement agité. Maya s'assit, espérant que ça le calmerait.

— Vous êtes allée voir Tom Douglass ? questionna-t-il.

— Si on veut.

— C'est-à-dire ?

— J'ai vu sa femme. Tom Douglass a disparu depuis trois semaines.

Il s'arrêta net.

— Où est-il ?

— Que ne comprenez-vous pas dans « disparu », Corey ?

— Nom de Dieu.

Il tira une autre bouffée.

— Avez-vous découvert pourquoi il touchait de l'argent des Burkett ?

— En partie.

Elle ne savait toujours pas si elle pouvait lui faire confiance, mais, d'un autre côté, avait-elle le choix ?

— Tom Douglass a servi dans la garde côtière.

— Et alors ?

— C'est lui qui a enquêté sur la mort accidentelle d'Andrew Burkett.

— De quoi diable parlez-vous ?

Maya lui expliqua ce qu'elle avait appris et ce qu'elle savait déjà par le biais de Joe, à savoir qu'Andrew s'était suicidé. Corey hochait la tête, un peu trop survolté, et elle se demanda s'il allait se détendre un jour.

— Bon, reprenons depuis le début, lâcha-t-il en se remettant à marcher de long en large. Votre sœur commence à enquêter. Elle tombe sur les versements que les Burkett effectuaient sur le compte de Tom Douglass. Là-dessus, elle se fait torturer et assassiner. Puis c'est votre mari qui est tué. Et maintenant, il semblerait que Tom Douglass a disparu. C'est bien ça ?

L'ordre chronologique n'était pas exact. Ce n'était pas Claire, Joe, Tom. C'était Claire, Tom, Joe. Mais Maya ne prit pas la peine de le corriger.

— Il y a un autre facteur à prendre en considération, dit-elle.

— Lequel ?

— On ne tue pas quelqu'un pour cacher le suicide d'un fils. On peut le payer pour qu'il se taise. Mais on ne le tue pas.

Corey acquiesça.

— Et si c'étaient les Burkett qui payaient, ajouta-t-il en hochant la tête toujours un peu trop vigoureusement, ils n'auraient certainement pas trucidé leur propre fils.

Il avait les yeux rouges, remarqua-t-elle. Le cannabis ou les larmes, elle n'aurait su le dire.

— Corey ?

— Ouais.

— Vous autres avez des sources. De bonnes sources. Il me faut des infos sur la vie de Tom Douglass.

— On s'est déjà renseignés.

— Sur son travail, il y a plusieurs semaines. Mais là, on a besoin de tout le reste. Relevés bancaires, retraits au distributeur, dernière opération en date, ses habitudes, les endroits qu'il fréquentait. Il faut qu'on le retrouve. Vous pouvez faire ça ?

— Oui, dit Corey. On peut faire ça.

Il continuait à arpenter la pièce.

— Quelque chose ne va pas ? s'enquit Maya.

— Je crois que je devrais me faire oublier. Pour un bon moment.

— Pourquoi ?

Il baissa la voix et, en chuchotant presque :

— Une chose que vous m'avez dite, la dernière fois qu'on s'est vus.

— Laquelle ?

Il balaya la pièce du regard.

— J'ai des issues pour m'échapper d'ici. Des issues secrètes.

Ne sachant que penser, Maya dit :

— OK.

— Il y a même une porte cachée dans ce mur, là-bas. Je peux me planquer, ou alors il y a un tunnel qui mène au fleuve. Si jamais les flics cernent le club, même discrètement, j'ai les moyens de m'éclipser. Vous n'imaginez pas les mesures que j'ai mises en place ici.

— Je vois ça. Mais en quoi êtes-vous obligé de vous volatiliser ?

— Une fuite ! éructa Corey comme si ce mot lui donnait la nausée.

Ce qui était probablement le cas.

— C'est vous-même qui avez soulevé le sujet, non ? Vous avez évoqué la possibilité que quelqu'un de chez nous ait fait fuiter le nom de Claire. Je n'ai pas arrêté d'y penser. Supposons que mon organisation soit moins hermétique que je ne le croyais. Vous vous rendez compte du nombre de gens qui risquent gros… qui risquent leur peau, peut-être ?

Houlà, il était grand temps qu'il se calme !

— Je ne pense pas que c'était une fuite, Corey.

— Pourquoi ?

— À cause de Joe.

— Je ne comprends pas.

— Claire a été tuée. Joe a été tué. Il est possible qu'il l'ait aidée, c'est vous qui l'avez dit. Elle est là, votre fuite. Claire avait parlé à Joe. Peut-être à quelqu'un d'autre aussi, ou alors c'est Joe qui a parlé. Ou ils se sont plantés pendant qu'ils menaient leurs investigations.

Peu lui importait que ce soit vrai ou pas. L'essentiel pour Maya était que Corey ne joue pas les filles de l'air.

— Je ne sais pas, répondit-il. Je ne me sens pas en sécurité.

Elle se leva, posa les mains sur ses épaules.

— J'ai besoin de votre aide, Corey.

Il évitait de la regarder.

— Vous avez peut-être raison. On devrait sans doute prévenir la police. Je leur transmettrai toutes les informations que je possède. Anonymement. Qu'ils se débrouillent avec.

— Non, dit Maya.

— Ce n'est pas ce que vous vouliez ?

— Plus maintenant.

— Pourquoi ?

— On ne peut pas faire ça sans vous démasquer, vous et votre organisation.

Fronçant les sourcils, il se tourna vers elle.

— Vous vous souciez de mon organisation ?

— Pas le moins du monde, rétorqua Maya. Mais si vous faites ça, vous allez tout saborder. Vous disparaîtrez dans la nature. Or j'ai besoin de vous, Corey. Ensemble, on y arrivera mieux que les flics.

Elle s'interrompit.

— Il y a autre chose, dit-il. Qu'est-ce que c'est ?

— Je n'ai pas confiance en eux.

— Les flics ?

Maya hocha la tête.

— Mais vous me faites confiance, à moi ?

— Ma sœur vous a fait confiance.

— Et elle en est morte, dit Corey.

— C'est vrai. Mais à quoi bon réécrire l'histoire ? Si vous n'aviez pas fait appel à Claire, elle serait probablement encore en vie, oui. Mais si je n'avais pas dézingué des civils avec mon hélico, vous n'auriez pas posté cette vidéo, et Claire n'aurait jamais entendu parler de vous. Et tant qu'on y est, si j'avais choisi un autre métier, Claire serait chez elle en train de jouer avec ses gosses au lieu de pourrir six pieds sous terre. Ce ne sont pas les scénarios qui manquent. Mais aller par là, Corey, c'est perdre son temps.

Il s'écarta, tira une grande bouffée de son joint. Lorsqu'il put parler à nouveau, il dit :

— Je ne sais pas quoi faire.

— Restez. Rencardez-vous sur Tom Douglass. Aidez-moi à finir le boulot.

— Et je suis censé vous faire confiance ?

— Pas nécessairement, dit Maya. Rappelez-vous.

Il saisit l'allusion.

— Parce que j'ai encore quelque chose contre vous.

Corey la regarda. À l'évidence, il voulait l'interroger sur la bande sonore de la vidéo. Mais elle aussi avait une question à lui poser.

— Pourquoi n'avez-vous pas divulgué la partie audio ?

— Je vous l'ai dit.

— Parce que ma sœur vous en aurait dissuadé ?

— C'est ça.

— Sauf que j'ai un doute là-dessus. Son message a mis du temps à vous parvenir. L'histoire a provoqué des remous, mais c'était en train de retomber. Ça vous aurait permis de refaire les gros titres.

— Vous croyez qu'il n'y a que ça qui compte ?

Maya ne répondit pas.

— Sans les gros titres, la vérité ne sort pas du puits. Sans les gros titres, nous ne pourrions pas recruter d'autres lanceurs d'alerte.

Elle n'avait pas envie de réentendre son discours de propagande.

— Raison de plus pour publier cette bande-son, Corey. Pourquoi ne pas l'avoir fait, hein ?

Il alla s'asseoir sur le canapé.

— Disons que je suis aussi un être humain.

Maya s'assit à côté de lui.

La tête entre les mains, Corey prit quelques grandes inspirations. Lorsqu'il se redressa, il était plus calme, le regard plus limpide, moins paniqué.

— Parce que j'ai pensé que c'était entre vous et votre conscience, Maya. Que vous deviez vivre le reste de votre vie avec ce que vous aviez fait. Et que c'était déjà une punition en soi.

Elle garda le silence.

— Alors comment faites-vous pour vivre avec ça, Maya ?

S'il attendait une réponse sincère de sa part, il risquait d'attendre très très longtemps.

Pendant quelques instants, personne ne dit mot. Les bruits du club semblaient leur parvenir de loin, d'une autre galaxie. Elle n'avait plus rien à apprendre de lui. Et, de toute façon, l'heure de son rendez-vous avec Judith approchait.

Maya se leva.

— Voyez ce que vous pouvez dégoter sur Tom Douglass.

21

Le cabinet de Judith se trouvait au rez-de-chaussée d'un immeuble situé dans l'Upper East Side de Manhattan, à deux pas de Central Park. Maya ignorait quel genre de patients elle recevait. Psychiatre diplômée de l'université Stanford, elle était également professeur clinicien à la fac de médecine de Weill Cornell, même si elle ne donnait pas de cours. Qu'on puisse occuper un tel poste en travaillant seulement à temps partiel n'interloquait que ceux qui ne connaissaient pas le pouvoir du nom des Burkett ni leur générosité de donateurs.

Judith exerçait sous son nom de jeune fille, Velle. Était-ce pour se dissocier des Burkett ou parce que c'était l'usage chez beaucoup de femmes, personne n'aurait su le dire. Maya passa devant le portier et chercha la porte du cabinet. Judith le partageait avec deux consœurs, et leurs trois noms – Judith Velle, Angela Warner et Mary McLeod – figuraient sur la plaque, accompagnés d'une kyrielle d'initiales.

Maya tourna la poignée et poussa la porte. La salle d'attente était déserte et petite : une causeuse et un canapé. Les murs et la moquette étaient beiges. Les tableaux étaient de ceux dont on décore les chambres de motel. Une pancarte sur la porte du fond disait : « EN CONSULTATION. S'IL VOUS PLAÎT, PRENEZ PLACE. »

Il n'y avait pas de réceptionniste. Vu le profil de la clientèle, pensa Maya, plus ils passaient inaperçus, et mieux ça valait. La séance terminée, le patient ressortait par une porte située dans le bureau du médecin. Qui faisait entrer le suivant. Ainsi, les deux ne se croisaient jamais.

Le besoin d'intimité et de discrétion était bien compréhensible – Maya, comme tous ces gens qui consultaient, n'aurait pas voulu que quelqu'un puisse témoigner qu'elle voyait un psy –, mais sans doute préjudiciable aussi. Les médecins ne cessaient de clamer qu'une pathologie mentale ne se différenciait en rien d'une maladie physique. Dire à un sujet atteint de dépression de se secouer et de sortir de chez lui équivalait à demander à un homme avec les deux jambes cassées de traverser la pièce en courant. Tout cela était bien beau en théorie, mais, en pratique, les stigmates subsistaient.

Peut-être, pour être plus charitable, parce qu'il était plus facile de dissimuler un trouble psychique. Si Maya avait pu marcher avec deux jambes cassées, elle l'aurait fait. Comment savoir ? En attendant, elle devait aller au bout de sa quête ; pour le traitement, on verrait plus tard.

Elle n'aurait probablement pas pu continuer avec deux jambes cassées. Mais avec un TSPT, si.

Elle regarda sa montre. Encore cinq minutes avant la fin de l'heure. Elle feuilleta les revues imbéciles étalées sur la table basse, mais les mots flottaient devant ses yeux. Elle joua avec son téléphone portable, un jeu consistant à former des mots de quatre lettres, cependant le cœur n'y était pas. Maya se rapprocha de la porte. Suffisamment pour distinguer le murmure étouffé de deux voix féminines. Le temps passait lentement, mais finalement elle entendit le bruit d'une porte. La patiente était en train de partir.

Maya se précipita sur le canapé, prit un magazine, croisa les jambes. Image même de la décontraction. La porte s'ouvrit, et une femme, la soixantaine pomponnée, lui sourit.

— Maya Stern ?

— Oui.

— Par ici, je vous prie.

Il y avait donc une réceptionniste, tout compte fait. Maya la suivit, pensant trouver Judith derrière son bureau ou sur une chaise à côté d'un sofa, comme chez un psy, quoi. Mais Judith n'était pas là. Maya se tourna vers la réceptionniste qui lui tendit la main.

— Bonjour, je suis Mary.

Elle comprit alors. Son regard balaya les diplômes sur le mur.

— Comme Mary McLeod ?

— Exact. Je suis une collègue de Judith. Elle espérait que nous pourrions bavarder toutes les deux.

D'après les diplômes, les deux femmes avaient fréquenté la faculté de médecine de Stanford.

— Où est Judith ?

— Je ne sais pas. On travaille chacune à temps partiel. On se partage le cabinet.

Maya ne cacha pas son agacement.

— Oui, j'ai vu votre nom sur la porte.
— Vous ne voulez pas vous asseoir, Maya ?
— Vous ne voulez pas aller vous faire voir, Mary ?
Si Mary McLeod fut désarçonnée par son agressivité, elle n'en laissa rien paraître.
— Je pense pouvoir vous aider.
— Vous pouvez m'aider en me disant où est Judith.
— Je vous le répète, je n'en sais rien.
— Dans ce cas, au revoir.
— Mon fils a servi deux fois dans l'armée. Une fois en Irak et une fois en Afghanistan.
Maya hésita malgré elle.
— Ça lui manque. C'est quelque chose dont on ne parle pas, n'est-ce pas ? La guerre a changé Jack. Il détestait ça. Et en même temps, il a envie d'y retourner. En partie parce qu'il se sent coupable. Comme s'il avait laissé des amis là-bas. Et aussi pour une autre raison, qu'il a du mal à formuler.
— Dites, Mary, ce fils dans l'armée, vous ne venez pas de l'inventer ?
— Pourquoi aurais-je fait ça ?
— Parce que vous êtes une manipulatrice. Judith et vous m'avez manipulée pour me faire venir au cabinet. Et vous essayez de me manipuler pour m'inciter à vous parler.
Mary McLeod se tenait droite comme un I.
— Je ne vous ai pas menti au sujet de mon fils.
— Peut-être, répondit Maya, mais, de toute façon, Judith et vous devriez savoir que sans la confiance il ne peut y avoir de relation patient-thérapeute. Votre petite ruse pour m'attirer ici a brisé cette confiance.
— C'est absurde.

— Qu'est-ce qui est absurde ?

— Cette histoire de confiance entre le patient et le thérapeute.

— Vous êtes sérieuse ?

— Imaginez qu'un être qui vous est cher – votre sœur, par exemple – manifeste tous les symptômes d'un cancer…

— À votre place, je n'irais pas plus loin.

— Pourquoi, Maya, de quoi avez-vous peur ? Imaginez que ce cancer puisse être guéri si vous arrivez à amener votre sœur chez un médecin. Si vous et le médecin conspirez pour la faire venir dans son cabinet…

— Ce n'est pas la même chose.

— Si, Maya, c'est exactement la même chose. Croyez-moi. Vous avez besoin d'aide au même titre qu'un cancéreux.

Elle perdait son temps. Maya se demanda si Mary McLeod était également dans le coup ou si elle était sincère… si Judith ne l'avait pas manipulée aussi, si elle n'avait pas menti à sa consœur. Ça n'avait pas d'importance.

— Il faut que je voie Judith, dit-elle.

— Désolée, Maya. Là-dessus, je ne peux rien pour vous.

Maya tourna les talons.

— Vous ne pouvez rien pour moi tout court.

Zut, zut et rezut.

Maya composa le numéro tout en regagnant sa voiture. Judith répondit dès la deuxième sonnerie.

— Il paraît que ça ne s'est pas bien passé avec ma consœur.

— Où êtes-vous, Judith ?

— À Farnwood.

— Ne bougez pas, dit Maya.

— Je vous attends.

Elle repassa par l'entrée de service dans le vague espoir de croiser Isabella, mais il n'y avait pas un chat alentour. Peut-être qu'elle pourrait s'introduire dans la maison et fouiner à la recherche d'indices quant au lieu où se trouvait Isabella. Mais bon, c'était trop risqué, et puis elle n'avait pas le temps. Judith connaissait la durée du trajet entre New York et Farnwood.

Le majordome lui ouvrit la porte. Maya n'arrivait pas à retenir son nom. Ce n'était pas un nom comme Jeeves ou Carson. C'était quelque chose de banal, genre Bobby ou Tim. Néanmoins, ainsi qu'il seyait à sa position, Bobby/Tim la toisa de haut.

— Je viens voir Judith, annonça-t-elle sans préambule.

— Madame vous attend dans le grand salon, répondit-il avec un faux accent *british*.

Chez les riches, il y avait de grands et de petits salons. Judith portait un tailleur-pantalon noir et un rang de perles qui lui arrivait presque à la taille. Ses boucles d'oreilles étaient des créoles en argent ; ses cheveux étaient élégamment coiffés en arrière. Un verre en cristal à la main, on aurait dit qu'elle posait pour une couverture de magazine.

— Hello, Maya.

Au diable les civilités.

— Parlez-moi de Tom Douglass.

Ses yeux s'étrécirent.

— Qui ?

— Tom Douglass.

— Ce nom ne me dit rien.

— Réfléchissez bien.

Judith fit mine de chercher avant de hausser les épaules d'un geste théâtral.

— C'est un ancien garde-côte. Il a enquêté sur la noyade de votre fils.

Le verre tomba de la main de Judith et se fracassa sur le sol. Maya ne bougea pas. Judith non plus. Les éclats de cristal s'éparpillèrent autour de leurs pieds.

Judith siffla :

— De quoi diable parles-tu ?

Si c'était de la comédie…

— Tom Douglass est détective privé aujourd'hui, dit Maya. Votre famille lui verse près de dix mille dollars chaque mois, et ce depuis des années. J'aimerais savoir pourquoi.

Judith chancela légèrement, comme un lutteur qui tente de se maintenir debout pendant le compte. La question l'avait clairement prise de court. Parce qu'elle n'était pas au courant ou qu'elle ne s'attendait pas à ce que Maya le découvre, allez savoir.

— Pourquoi aurais-je versé de l'argent à ce Tom… comment, déjà ?

— Douglass. Avec deux « s ». C'est à vous de me le dire.

— Je n'en ai pas la moindre idée. La mort d'Andrew a été un tragique accident.

— Non, répondit Maya. Sa mort n'a pas été un accident. Mais vous le savez déjà, pas vrai ?

Toute couleur déserta le visage de Judith. Sa douleur était si palpable maintenant que Maya faillit détourner le regard. Le mode attaque, c'était très bien, mais, quelle que soit l'ultime vérité, cette femme avait perdu son enfant, et sa souffrance était réelle.

— Je ne vois absolument pas de quoi tu parles.

— Comment est-ce arrivé, alors ?

— Quoi ?

— Comment Andrew est-il tombé de ce bateau ?

— Tu es sérieuse ? Pourquoi aborder ça aujourd'hui, après tant d'années ? Tu ne l'as même pas connu.

— C'est important.

Maya fit un pas vers son ex-belle-mère.

— Comment est-il mort, Judith ?

Cette dernière s'efforçait de garder la tête haute, mais la fêlure semblait s'élargir à vue d'œil.

— Il était si jeune, commença-t-elle en luttant pour ne pas craquer. Il y a eu une fête sur ce yacht. Il a trop bu. La mer était agitée, et il était seul sur le pont. Il est tombé.

— Non.

— Quoi ? éructa Judith.

Un instant, Maya crut qu'elle allait lui sauter à la gorge. Mais Judith baissa la tête, puis reprit d'une voix douce, implorante presque :

— Maya, dis-moi ce que tu sais à propos de la mort d'Andrew.

Était-ce du pipeau ? Difficile à dire. Judith avait l'air défait, anéanti. Se pouvait-il vraiment qu'elle ne soit au courant de rien ?

— Andrew s'est suicidé, dit Maya.

Judith cilla, secoua la tête avec raideur.

— Ce n'est pas vrai.

Maya ne la brusqua pas, lui laissant le temps de digérer l'information. Finalement, Judith demanda :

— Qui t'a dit ça ?

— Joe.

À nouveau, Judith secoua la tête.

Maya revint à la charge.

— Pourquoi versez-vous de l'argent à Tom Douglass ?

À la guerre, quand un soldat avait ce regard vide, hébété – le regard de quelqu'un qui en avait trop vu –, on disait de lui qu'il était parti. Comme Judith à cet instant précis.

— Ce n'était qu'un enfant, marmonna Judith.

Elle ne s'adressait visiblement pas à Maya.

— Il n'avait même pas dix-huit ans…

— C'est vrai, vous n'étiez pas au courant ?

Judith tressaillit, leva les yeux.

— Je ne comprends pas ce que tu cherches.

— La vérité.

— Quelle vérité ? Qu'est-ce que cela a à voir avec toi ? Et pourquoi exhumer ça maintenant ?

— Je n'ai rien exhumé. C'est Joe qui me l'a dit.

— Qu'Andrew s'est suicidé ?

— Oui.

— Il te l'a dit en confidence ?

— Oui.

— Et tout à coup, tu te sens obligée de trahir sa confiance et de me le révéler.

Judith ferma les yeux.

— Je n'ai pas l'intention de vous faire du mal.

— Mais oui, répondit Judith avec un petit rire triste. Je vois ça.

— Tout ce qui m'importe, c'est de savoir pourquoi vous rétribuez le garde-côte qui a enquêté sur la mort d'Andrew.

— Et pourquoi veux-tu savoir ça ?

— C'est une longue histoire.

Le rire qui s'échappa de la gorge de Judith était plus douloureux qu'un sanglot.

— J'ai tout mon temps, Maya.

— Ma sœur l'a découvert.

Judith plissa le front.

— Quoi, ces soi-disant paiements occultes ?

— Oui.

Il y eut un silence.

— Puis elle a été assassinée, dit Maya. Et ensuite Joe.

Judith haussa un sourcil.

— Il y aurait un lien entre les deux ?

Kierce ne le lui avait donc pas dit.

— Oui, la même arme a servi à les tuer tous les deux.

Judith vacilla, comme si elle venait de recevoir un coup de poing.

— Ce n'est pas possible.

— Pourquoi ne serait-ce pas possible ?

Judith ferma brièvement les yeux comme pour mieux se ressaisir.

— Sois gentille, Maya, va plus doucement et explique-moi ce qui se passe.

— C'est simple. Vous versez de l'argent à Tom Douglass. Je veux savoir pourquoi.

— Il me semble que tu as déjà la réponse.

Ce brusque changement d'attitude la décontenança.

— Le suicide ?

Judith sourit faiblement.

— Pour cacher le fait qu'il s'est suicidé ?

Judith ne répondit pas.

— Pourquoi ? fit Maya.

— Les Burkett ne se suicident pas, Maya.

Ça ne tenait pas debout. Maya changea de direction, histoire de la déstabiliser.

— Et pourquoi avez-vous versé de l'argent à Roger Kierce ?

— Qui ça ?

Judith esquissa une moue.

— Ah oui… l'officier de police ?

— C'est ça.

— Pour quelle raison lui aurions-nous versé de l'argent ?

Nous.

— À vous de me le dire.

— Je n'en ai pas la moindre idée. Encore une chose que ta sœur aurait découverte ?

— Non, c'est Caroline qui me l'a dit.

Un petit sourire flotta sur les lèvres de Judith.

— Et tu l'as crue ?

— Pourquoi aurait-elle menti ?

— Caroline ne ment pas. Mais elle est sujette à… la confusion mentale.

— Voilà qui est intéressant, Judith.

— Quoi ?

— Vous avez donné de l'argent à deux hommes. Chacun enquêtait sur la mort de l'un de vos fils.

Judith secoua la tête.

— C'est totalement absurde.

— Par chance, on peut régler ça facilement, rétorqua Maya. Posons la question à Caroline.

— Caroline n'est pas là.

— Eh bien, appelons-la. On est au vingt et unième siècle. Tout le monde a un téléphone portable. Tenez...

Elle sortit le sien.

— J'ai son numéro ici.

— Cela ne servira à rien.

— Pourquoi ?

— Disons, répondit Judith lentement, qu'on ne doit pas la déranger.

Maya abaissa le bras.

— Elle est... Caroline ne va pas bien. Ça lui arrive. Elle a besoin de repos.

— Vous l'avez envoyée à l'asile ?

Maya avait volontairement employé le terme péjoratif pour la faire réagir. Le coup porta. Judith se raidit visiblement.

— Quel mot horrible ! Pourtant, s'il y a quelqu'un qui devrait comprendre, c'est bien toi.

— Pourquoi moi ? Ah oui... à cause de mon syndrome de stress post-traumatique ?

Judith ne daigna pas répondre.

— Et de quel traumatisme Caroline souffre-t-elle ?

— Il n'y a pas que la guerre qui laisse des cicatrices, Maya.

— Je sais. Ça peut être la mort tragique de ses deux frères.

— Précisément. Cela peut induire l'apparition de troubles.

— Apparition de troubles, répéta Maya. Comme, par exemple, croire que ses frères sont toujours en vie ?

Elle pensait provoquer une nouvelle secousse, mais cette fois Judith l'attendait au tournant.

— Quand notre mental veut quelque chose, le désir peut être si prégnant qu'il crée des productions délirantes. Théories du complot, paranoïa, visions : plus on est en demande, plus on est vulnérable. Caroline est immature. C'est la faute de son père. Il l'a trop couvée. Il ne lui a pas laissé l'occasion de s'affirmer ni d'affronter l'adversité. Alors quand les hommes forts – sa structure de soutien – ont commencé à disparaître l'un après l'autre de sa vie, elle ne l'a pas accepté.

— Et pourquoi l'avez-vous empêchée de voir le corps de Joe ?

— Elle t'a dit ça ?

Judith haussa les épaules.

— Aucun de nous n'a vu Joe.

— Pourquoi ?

— Tu es la mieux placée pour le savoir. Mon fils a reçu une balle dans la tête. Qui a envie de voir ça, hein ?

Une fois encore, Maya décida que cet argument ne tenait pas la route.

— Et quand Andrew a été sorti de l'eau ?

— Eh bien ?

— Avez-vous vu le corps ?

— Pourquoi cette question ? Mon Dieu, tu ne crois tout de même pas…

— Dites-moi seulement si vous l'avez vu.

Judith déglutit avec effort.

— Son corps a séjourné dans l'eau pendant plus de vingt-quatre heures. Mon mari l'a identifié, mais… ça n'a pas été facile. Les poissons étaient passés par là. Pourquoi aurais-je…

Elle s'interrompit, plissa les yeux et, dans un murmure :

— À quoi tu joues, Maya ?

Maya se borna à la regarder.

— Pourquoi avez-vous versé de l'argent à Tom Douglass ?

Judith prit son temps avant de répondre :

— Admettons que Joe t'ait dit la vérité concernant la mort d'Andrew.

Maya attendait.

— Admettons qu'Andrew se soit suicidé. J'étais sa mère. Et je n'ai rien vu venir. Je n'ai pas pu le sauver. Mais je peux essayer de le protéger maintenant. Tu comprends ?

Maya scruta son visage.

— Bien sûr.

Elle était tout sauf convaincue.

— Quoi qu'il soit arrivé à Andrew – quoi qu'il ait subi à l'époque –, cela n'a rien à voir avec ta sœur ou Joe.

Maya n'en croyait pas un mot.

— Et l'argent versé à Roger Kierce ?

— Je te l'ai dit. C'est tout simplement faux. Caroline l'a inventé.

Inutile d'insister. Pour aujourd'hui, en tout cas. Il fallait continuer à creuser. Il y avait encore trop de pièces manquantes.

— OK, je vais vous laisser.

— Maya ?

Elle marqua une pause.

— Caroline n'est pas la seule à avoir besoin de repos. Elle n'est pas la seule à prendre ses désirs pour des réalités.

— Très subtil, Judith, reconnut Maya.

— Mary et moi sommes prêtes à t'aider. Si seulement tu nous laissais faire.

— Je vais bien.

— Non. Et nous le savons toutes les deux. Nous savons la vérité, n'est-ce pas ?

— De quelle vérité parlez-vous, Judith ?

— Mes garçons ont suffisamment souffert, riposta Judith d'un ton cassant. Ne t'avise pas de leur nuire davantage.

22

Lily était dans le jardin, en train de jouer à chat avec son oncle Eddie. Maya se gara le long du trottoir et les observa pendant quelques instants. Alexa sortit de la maison et se joignit à eux. Son père et elle faisaient mine de ne pas réussir à rattraper Lily. Ils tendaient les bras, la manquaient et s'étalaient dans l'herbe. Même à distance, même à travers la vitre, Maya entendait Lily hurler de rire.

Quel contraste entre ces explosions de pure joie et les autres, celles qui résonnaient la nuit à ses oreilles…

Elle donna un petit coup de klaxon et leur fit un signe de la main. Eddie se retourna, le visage empourpré et ravi. Maya descendit de voiture. Alexa se redressa, elle aussi. Lily, déçue que le jeu s'arrête aussi brusquement, les tapota l'un et l'autre sur les jambes pour reprendre la course-poursuite.

Alexa se pendit au cou de sa tante. Eddie vint l'embrasser. Lily croisa les bras et se mit à bouder.

— Je veux rester ! déclara-t-elle.

— On pourra jouer à la maison, lui dit Maya.

Bizarrement, cette suggestion n'eut pas l'air de l'enthousiasmer.

Eddie posa la main sur son bras.

— Tu as une seconde ? Je voudrais te montrer quelque chose.

Il se tourna vers sa fille.

— Alexa, je peux te laisser deux minutes avec Lily ?

— Bien sûr.

Tandis qu'elle suivait Eddie dans la maison, Maya entendit sa fille partir d'un nouvel éclat de rire.

— J'ai consulté les relevés de l'E-Z Pass de Claire, dit-il. D'après ce que j'ai vu, elle est allée voir ce type, Douglass, deux fois en une semaine.

— Ça ne m'étonne pas, répondit Maya.

— Oui, mais attends de voir la suite.

Eddie avait imprimé les documents. Il lui tendit une feuille et désigna la partie surlignée.

— Une semaine avant sa mort, Claire est allée à Livingston. Tu vois l'horodatage ?

Maya hocha la tête : 8 h 46.

— Elle a repris l'autoroute vers neuf heures et demie. Mais, au lieu de rentrer, elle a continué vers le sud. Puis elle a bifurqué sur le New Jersey Turnpike et a pris la sortie 6.

C'était tout en bas de page. Maya connaissait la sortie 6. C'était la route de la Pennsylvanie.

— Et ensuite ? demanda-t-elle.

— Là, regarde. Elle a pris l'autoroute 476 vers le sud.

— Direction Philadelphie, dit Maya.

— Ou en tout cas la région de Philadelphie.

Maya lui rendit les feuilles.

— Claire avait une raison quelconque d'aller là-bas ce jour-là ?

— Non, aucune.

Inutile de le questionner sur des amis qu'elle serait allée voir ou sur une hypothétique virée shopping. Non, Claire avait parlé à Tom Douglass. Manifestement, il lui avait appris quelque chose. Et ce quelque chose l'avait conduite à Philadelphie.

Maya ferma les yeux.

— Comment tu expliques tout ça ? s'enquit Eddie.

Elle n'en était plus à un mensonge près.

— Je ne l'explique pas.

Elle commençait cependant à entrevoir un début d'explication.

Au moment de la mort d'Andrew, Joe et lui étaient encore lycéens. Internes dans un établissement privé pour familles riches, du nom de Franklin-Biddle.

Situé juste à la sortie de Philadelphie.

Eileen téléphona pendant qu'elle rentrait chez elle.

— Tu te souviens qu'on mangeait chinois tous les mercredis soir ?

— Bien sûr.

— Je tiens à renouer avec la tradition. Tu es chez toi, là ?

— Presque.

— Génial ! s'exclama Eileen sur un ton enjoué. Je passerai prendre nos plats préférés.

— Ça ne va pas ?

— Je serai là d'ici à une vingtaine de minutes.

Maya avait l'esprit en ébullition. Pour la première fois, elle essaya de lâcher prise. La solution la plus simple était généralement la bonne, oui. Mais pouvait-elle faire abstraction de tout ce qu'elle avait appris ?

De ce qu'elle avait vu de ses propres yeux ? Et quelle *était* la solution la plus simple ?

Tâche d'être objective, Maya.

Chacun se fie à ce qu'il voit. Et personne ne se considère comme fou. C'est toujours l'autre qui déraille. Chacun voit midi à sa porte.

Alors prends du recul.

La guerre. Ils ne comprenaient pas. Ils étaient incapables de se mettre à sa place. Tout le monde la croyait rongée par la culpabilité à la suite de la mort de ces civils. C'était logique. Ils voyaient ça de leur propre point de vue. On se sent coupable, et ça se manifeste par de douloureux flash-back. On essaie la thérapie. On prend des médicaments. La mort est omniprésente. Non, pire encore.

La mort te colle aux basques, Maya...

Pouvait-on se fier au jugement de quelqu'un qui était cerné par la mort, quelqu'un qui avait réussi à duper même son entourage le plus proche en lui faisant croire que son état était dû en partie à un sentiment de culpabilité ? Les excès et les complications mis à part, pouvait-on demander à cette personne en quête de vérité d'analyser les faits de façon rationnelle ?

Objectivement, non.

Alors tant pis pour l'objectivité.

Conclusion : quelqu'un était en train de la mener en bateau, et plutôt deux fois qu'une.

Judith s'était montrée extrêmement évasive lorsqu'elles en étaient venues à parler de Caroline. Maya sortit son téléphone et appela sa belle-sœur. Sans surprise, elle tomba sur sa messagerie.

— Caroline, je voulais m'assurer que tu allais bien. S'il te plaît, rappelle-moi dès que tu auras ce message.

Lorsqu'elle arriva chez elle, Eileen était déjà garée dans l'allée. Maya s'arrêta. Lily s'était endormie dans son siège auto. Maya descendit et s'apprêta à ouvrir la portière arrière quand Eileen dit :

— Laisse-la dormir. Il faut que je te parle.

Maya se retourna. Eileen était en larmes.

— Qu'est-ce qui se passe ?

— J'ai peut-être commis une bourde, chuchota son amie. Avec cette caméra espion.

Et elle se mit à trembler.

— Allez, fit Maya, je vais porter Lily dans la maison, et nous pourrons…

— Non, déclara Eileen. Il vaut mieux qu'on se parle ici.

Maya la regarda d'un air interrogateur.

— Ce n'est pas sûr à l'intérieur, fit Eileen en baissant la voix. On pourrait nous écouter.

Maya jeta un coup d'œil par la vitre de la voiture. Lily dormait toujours.

— Qu'est-ce qu'il y a ? demanda-t-elle.

— Robby.

L'ex-mari violent.

— Eh bien ?

— Tu n'as pas voulu me dire ce qui t'était arrivé avec ta caméra. Tu as débarqué chez moi. Tu étais bouleversée, en colère. Tu as même eu des soupçons vis-à-vis de moi. Il a fallu te prouver que c'était moi qui l'avais achetée.

— Je m'en souviens, dit Maya. Mais quel rapport avec Robby ?

— Il est revenu, répondit Eileen, fondant à nouveau en larmes. Il est en train de me surveiller.

— Houlà, doucement, Eileen.

— J'ai reçu ça par mail.

Elle ouvrit son sac et fourra une pile de photos dans les mains de Maya.

— Expéditeur anonyme, bien sûr. Impossible à identifier. Mais moi, je sais que c'est Robby.

Maya examina les photos. Elles avaient été prises dans la maison d'Eileen. Plus précisément dans le salon. Sur les deux premières, on voyait ses enfants, Kyle et Missy, en train de jouer sur le canapé. Sur la troisième, il y avait Eileen, en sueur, un verre d'eau à la main, vêtue d'une brassière de sport.

— Je venais de rentrer de la salle de fitness, dit-elle en manière d'explication. Comme il n'y avait personne, j'ai enlevé mon T-shirt et l'ai jeté dans le panier à linge sale.

Malgré un début de panique, Maya réussit à garder un ton calme.

— Les prises de vue, dit-elle en compulsant les photos d'Eileen et de ses enfants. Ça provient de tes caméras ?

— Oui.

Une grosse boule se forma dans son estomac.

— Et regarde celle-ci.

C'était une photo d'Eileen sur son canapé avec un homme que Maya ne connaissait pas. Ils étaient en train de s'embrasser.

— C'est Benjamin Barouche. On s'est rencontrés sur Match.com. C'était notre troisième rendez-vous. Je l'ai fait venir chez moi. Les gosses dormaient en haut. Je n'avais même pas spécialement réfléchi. Et cet après-midi, j'ai trouvé ces images dans ma boîte mail.

Pourquoi Maya n'y avait-elle pas songé plus tôt ?

— Quelqu'un a donc piraté tes…

— Pas quelqu'un. Robby. Ça ne peut être que Robby.

— Soit. Donc, Robby aurait piraté tes caméras espions ?

Eileen se remit à pleurer.

— Je croyais qu'elles n'étaient pas connectées à Internet. Parce que ça marche avec une carte SD, quoi. Je n'avais pas réalisé. Il paraît que c'est assez courant, le piratage de caméras. Les gens font ça sur Skype ou FaceTime et… j'aurais dû installer une sécurité. Mais je ne savais pas.

Elle se tut pour essuyer ses larmes.

— Je suis vraiment désolée, Maya.

— Ce n'est pas grave.

— Je ne sais pas ce qui est arrivé à ta caméra, dit Eileen. Et si tu ne veux pas m'en parler, je comprends. Mais peut-être que ceci expliquerait cela. Quelqu'un a pu pirater ta caméra pour vous observer, toi et Lily.

Maya ignorait pour l'instant si ce fait nouveau la concernait directement. Quelqu'un aurait-il pu filmer Joe, puis télécharger la vidéo sur sa caméra ? Et qu'est-ce que ça changeait ? C'était toujours dans son salon, sur son canapé.

Était-elle surveillée ?

— Maya ?

— Je n'ai pas reçu ce genre de mails. Ni de photos.

Eileen la regarda.

— Mais alors, qu'est-ce qui s'est passé avec ta caméra ?

— J'ai vu Joe, répondit Maya.

23

Maya emporta Lily à l'étage et la mit au lit. Elle hésita à vérifier la caméra espion pour voir si le wi-fi marchait, mais elle n'avait pas envie d'alerter quiconque pourrait la surveiller.

La surveiller ? Bonjour, la parano.

Eileen et elle s'installèrent pour dîner dans la salle à manger, loin de l'œil indiscret de la caméra. Maya lui raconta ce qu'elle avait vu sur la vidéo, ses démêlés avec Isabella… puis soudain elle décida qu'elle en avait assez dit.

Il ne fallait pas oublier que c'était Eileen qui avait introduit la caméra sous son toit.

Maya s'efforça de chasser cette pensée, mais le soupçon persistait à lui murmurer à l'oreille.

— Que comptes-tu faire, pour Robby ? demanda-t-elle.

— J'ai remis les doubles des photos à mon avocat. Il a dit que, sans preuves, on ne pouvait rien faire. J'ai coupé le wi-fi. Et j'ai fait appel à une société pour sécuriser mon réseau.

Rien à redire là-dessus.

Une demi-heure plus tard, après avoir raccompagné Eileen à sa voiture, Maya appela Shane.

— J'ai encore besoin de toi.

— Tu ne me vois pas, répliqua-t-il, mais là je suis en train de soupirer à fendre l'âme.

— Il me faut quelqu'un de confiance pour vérifier que ma maison n'est pas truffée de micros.

Elle lui parla d'Eileen et de la caméra piratée.

— Tu connais quelqu'un qui pourrait s'en occuper ?

— Oui. Mais pour ne rien te cacher, tout cela m'a l'air légèrement…

— … parano ? acheva-t-elle à sa place.

— Oui, peut-être.

— C'est toi qui as contacté le docteur Wu ?

— Maya ?

— Quoi ?

— Tu ne vas pas bien.

Elle ne répondit pas.

— Maya ?

— Je sais.

— Il n'y a pas de honte à se faire aider.

— Il faut que je règle ça d'abord.

— Que tu règles quoi, au juste ?

— Oh, je t'en prie, Shane.

Il y eut une brève pause. Puis :

— Je soupire encore.

— À fendre l'âme ?

— Tu vois un autre moyen ? Bon, je passerai demain matin avec des gars pour inspecter la maison.

Il s'éclaircit la voix.

— Tu es armée, Maya ?

— À ton avis ?

— Question rhétorique, dit-il. Allez, à demain.

Peu encline à s'exposer à une nouvelle nuit de cauchemars, Maya décida alors de se pencher sur le voyage de Claire à Philadelphie.

Lily dormait toujours. Normalement, elle aurait dû la réveiller, lui enlever les vêtements qu'elle avait portés toute la journée, lui donner un bain, lui mettre un pyjama propre. Du moins, c'est ce qu'une « bonne » mère aurait fait. Mais les bonnes mères ne se baladaient pas avec une arme sur elles et n'avaient pas un assassin à retrouver. Pendant qu'elles se préoccupaient d'activités parascolaires, de cours de karaté et d'ateliers de dessin, elles ne soupçonnaient même pas que la famille d'à côté côtoyait de près la mort et la terreur.

Était-elle espionnée ?

Maya ouvrit son ordinateur portable. Si sa maison avait été placée sous surveillance, ils auraient pu aussi se brancher sur son wi-fi. Pour plus de sécurité, elle changea le nom de son réseau et le mot de passe et recourut à un VPN – réseau privé virtuel – pour naviguer sur le Net.

En principe, cela devrait suffire, mais qui sait ?

Elle tapa le nom « Andrew Burkett ». Il y en avait plusieurs : un prof d'université, un étudiant, un concessionnaire auto. Elle essaya de rajouter des mots-clés en remontant dans le temps. Plusieurs articles sur la mort d'Andrew apparurent. Un journal local titrait :

JEUNE REJETON DES BURKETT SE NOIE EN TOMBANT D'UN YACHT

Formule racoleuse. « Yacht » plutôt que « bateau ». Et, bien sûr, « rejeton ». Ils avaient employé le même terme pour Joe. Maya parcourut les articles. Ce soir-là, le yacht familial, le *Lucky Girl*, se trouvait quelque part entre son port d'embarquement, Savannah, et sa destination, Hamilton dans l'archipel des Bermudes. Autrement dit, Andrew était passé par-dessus bord en plein milieu de l'océan Atlantique.

Selon le compte rendu de presse, Andrew Burkett avait été vu pour la dernière fois sur le pont supérieur du *Lucky Girl* à une heure du matin le 24 octobre, après une longue soirée de réjouissances en compagnie de « membres de sa famille et de ses camarades de classe ». Sa disparition fut signalée à six heures du matin. Joe avait mentionné la présence à bord de trois joueurs de leur équipe de foot, ainsi que de sa sœur Caroline. Les parents, Judith et Joseph, n'étaient pas là : ils les attendaient dans un hôtel de luxe de la Grande Bermude. Le personnel de bord se composait de tout un équipage de croisière, et parmi eux – tiens ! – il y avait Rosa Mendez, la mère d'Isabella, « chargée de s'occuper de la petite Caroline ».

Maya relut les passages qui l'intéressaient, les rumina, puis reprit sa lecture.

Le corps d'Andrew avait été repêché le lendemain de sa disparition. La cause du décès citée dans l'article était « noyade ». Nulle part il n'était question de suicide ni d'un possible acte criminel.

Maya entra le nom d'Andrew avec les mots « école Franklin-Biddle ». La page d'accueil de l'école s'afficha à l'écran, avec un lien vers la communauté en ligne des anciens élèves. Maya cliqua et tomba sur le menu déroulant des promotions successives. Elle fit un rapide calcul pour savoir en quelle année Andrew aurait dû terminer ses études secondaires et ouvrit la page correspondante. Il y avait une liste de manifestations à venir, la date d'une prochaine réunion et bien sûr un lien pour d'éventuelles donations.

En bas de page figurait la rubrique nécrologique.

Maya cliqua dessus. Deux photos apparurent. Deux jeunes garçons… mais bon, ceux qui avaient combattu en Irak à ses côtés n'étaient guère plus vieux. À droite, c'était Andrew Burkett. Elle n'avait jamais pris le temps d'examiner le visage de son quasi-beau-frère. Joe n'était pas du genre à garder de vieilles photos de famille, et, même s'il y avait un portrait d'Andrew dans l'un des salons éloignés de Farnwood, Maya s'était toujours arrangée pour éviter de le regarder. Sur cette photo, Andrew semblait beaucoup moins séduisant que Joe, son aîné. Maya scruta son visage en quête d'un signe, comme si Andrew Burkett allait s'animer d'un instant à l'autre et réclamer que la lumière soit faite sur sa mort.

Je finirai par trouver, Andrew. Et je te vengerai aussi.

Elle reporta son attention sur l'autre garçon décédé. Son nom était Theo Mora. Il avait l'air d'un Latino ou peut-être qu'il avait juste la peau mate. Sur sa photo, il avait le sourire gêné, contraint d'un… eh bien, d'un lycéen posant pour une photo de classe. Ses cheveux lissés ne semblaient pas vouloir rester en place et rebiquaient obstinément. Tout comme Andrew, il portait un blazer et une cravate aux couleurs de l'école, mais tandis qu'Andrew arborait un nœud Windsor impeccable, celui de Theo faisait penser à un cadre moyen prenant le dernier métro pour rentrer chez lui.

La légende en tête de page disait : « Trop tôt disparus, mais dans nos cœurs pour toujours. » Il n'y avait pas d'autres informations. Maya chercha Theo Mora sur Google. Cela prit du temps, mais elle finit par trouver un avis de décès dans un journal de Philadelphie. Un simple avis de décès et rien d'autre. Sa mort était survenue un 12 septembre, pratiquement six semaines avant qu'Andrew ne tombe de son yacht. Theo Mora avait dix-sept ans, le même âge qu'Andrew.

Coïncidence ?

Maya relut les quelques lignes. Aucune mention de la cause du décès. Elle lança une recherche sur les deux noms. Deux pages de Franklin-Biddle apparurent. Le premier lien, c'était la nécro qu'elle venait de consulter. Le second la fit atterrir sur une page sportive. Elle trouva toutes les feuilles d'équipes dans la partie archives et ouvrit la page foot de l'année qui l'intéressait.

Tiens, tiens, Andrew et Theo Mora avaient joué dans la même équipe.

Deux élèves de terminale, membres d'une même équipe de foot, morts à moins de deux mois d'intervalle, était-ce réellement une coïncidence ?

Possible.

Mais si on y ajoutait l'argent versé à Tom Douglass, le voyage de Claire à Philadelphie, la disparition de Tom Douglass et Claire, torturée et assassinée…

Là, il n'était plus question de coïncidence.

Maya jeta un œil sur la liste des joueurs. Joe, qui avait déjà quitté l'école, en faisait toujours partie. Pas étonnant, il était le cocapitaine. Mais franchement, ça faisait beaucoup de morts pour une seule équipe de foot.

Elle cliqua sur un autre lien et tomba sur la photo de l'équipe. La moitié des joueurs était debout, l'autre moitié à genoux au premier rang. Ils étaient tous jeunes, athlétiques et fiers de l'être. Son regard eut tôt fait de repérer Joe, debout – sans surprise – au centre. Il avait déjà son sourire canaille. Elle le contempla un moment, si beau et tellement sûr de lui, prêt à affronter le monde, sachant qu'il serait toujours le plus fort, et elle ne put s'empêcher de songer à la manière dont il avait fini.

Sur la photo de l'équipe, Andrew se tenait à côté de son frère… littéralement dans l'ombre de Joe. Theo Mora était au premier rang, un genou à terre, deuxième à partir de la droite. Avec le même sourire emprunté. Maya scruta les autres visages, mais aucun d'eux ne lui était familier. Trois de ces garçons se trouvaient à bord du yacht en cette nuit fatidique. Les avait-elle déjà rencontrés ? C'était peu probable.

Elle revint à la liste et imprima les noms. Dès le lendemain matin, elle pourrait lancer une recherche et…

Et quoi ?

Les contacter par mail ou par téléphone. Leur demander s'ils avaient été sur le yacht. Voir s'ils savaient ce qui était arrivé à Andrew ou, plus pertinemment, comment Theo Mora était mort.

Elle continua à surfer sur Internet, mais sans grand résultat. Claire avait-elle eu la même démarche qu'elle ? Non, elle avait appris quelque chose par Tom Douglass, concernant cette fichue école, et avec sa tendance à foncer tête baissée, elle s'était rendue à Franklin-Biddle pour leur poser des questions.

Était-ce cela qui lui avait coûté la vie ?

Il n'y avait qu'un moyen de le savoir. Le lendemain, Maya prendrait sa voiture pour aller à Philadelphie.

24

Encore une nuit cauchemardesque truffée de flash-back.

Même en pleine débâcle, tandis que les bruits ricochaient à travers son crâne tels des éclats d'obus, Maya tenta de se ressaisir pour voir si Wu avait raison, si c'étaient des réminiscences ou des choses qu'elle n'avait jamais entendues dans la vraie vie. Des hallucinations. Mais chaque fois qu'elle touchait au but, comme au cours d'un périple nocturne, la réponse lui échappait, partait en fumée. La douleur grandissait et, au final, elle s'accrocha juste pour arriver à tenir jusqu'au matin.

Elle se réveilla épuisée. Et se rendit compte qu'on était dimanche. Il n'y aurait personne à Franklin-Biddle pour répondre à ses questions. Et la crèche était fermée. En un sens, tant mieux. Un soldat sait tirer parti d'un contretemps. Quand on a une chance de souffler, on en profite. On se refait une santé.

Toutes ces horreurs pourraient attendre un jour de plus, non ?

Elle allait s'accorder une pause au milieu de ce chaos et passer une journée normale avec sa fille.

Le bonheur, quoi.

Mais Shane débarqua à huit heures du matin avec deux gars qui la saluèrent brièvement et se mirent au travail, cherchant des micros ou des caméras cachés. Pendant qu'ils montaient à l'étage, Shane prit le cadre numérique sur l'étagère du salon et le retourna.

— Le wi-fi est désactivé, fit-il observer.

— Ce qui veut dire ?

— Que personne ne pourrait t'espionner avec ça, même si la technologie le permet.

— OK.

— À moins qu'il n'existe un moyen de passer outre. Mais j'en doute. Ou alors quelqu'un est venu le désactiver parce qu'il savait qu'on allait vérifier.

— Ça m'étonnerait, dit Maya.

Shane haussa les épaules.

— C'est toi qui as demandé qu'on passe ta maison au peigne fin. Alors autant faire les choses bien, non ?

— D'accord.

— Première question : qui a un double des clés ?

— Toi.

— Exact. Mais tu m'as interrogé, et je suis innocent.

— Très drôle.

— Merci. Et qui d'autre ?

— Personne.

Soudain elle se souvint.

— Zut.

— Quoi ?

Maya le regarda.

— Isabella a une clé de la maison.

— Et on n'a plus trop confiance en elle, hein ?

— Plus du tout, même.

— Crois-tu vraiment qu'elle serait revenue ici pour trafiquer ce cadre numérique ? s'enquit Shane.

— Je ne le pense pas.

— Peut-être que tu devrais mettre une alarme, suggéra-t-il. Ou tout au moins changer les serrures.

— OK.

— Donc tu as une clé, j'ai une clé, Isabella a une clé.

Les mains sur les hanches, Shane poussa un long soupir.

— Ne grimpe pas aux rideaux, mais…

— Mais ?

— Où est passée celle de Joe ?

— La clé de Joe ?

— Oui.

— Je n'en sais rien.

— Il ne l'avait pas sur lui au moment de…

— De son assassinat ? Si, il avait sa clé. Enfin, je suppose. Comme tout le monde ici-bas.

— Tu as récupéré ses affaires ?

— Non, la police a dû les garder.

Shane hocha la tête.

— Je vois.

— Qu'est-ce que tu vois ?

— Rien de spécial. Je ne sais pas quoi te dire, Maya. On marche sur la tête, là. Comme je n'y comprends rien, je poserai des questions jusqu'à ce que le brouillard se lève. Tu me fais confiance, n'est-ce pas ?

— Plus qu'à moi-même.

— Pourtant, fit-il, tu ne veux pas me mettre au parfum.

— Je suis *en train* de te mettre au parfum.

Shane pivota et se regarda dans la glace en plissant les yeux.

— Tu fais quoi ?

— J'essaie de voir si j'ai l'air si débile que ça.

Il se tourna vers elle.

— Pourquoi m'as-tu parlé de ce garde-côte ? Et que diable Andrew Burkett, qui est mort alors qu'il était encore au lycée, vient-il faire là-dedans ?

Elle hésita.

— Maya ?

— Je n'ai pas encore tous les éléments, mais il pourrait y avoir un lien.

— Entre quoi et quoi ? D'après toi, le meurtre de Joe à Central Park serait lié à la mort par noyade d'Andrew ?

— Je n'ai pas tous les éléments, te dis-je.

— Et tu vas faire quoi maintenant ? demanda-t-il.

— Aujourd'hui ?

— Oui.

Maya sentit ses yeux s'embuer.

— Rien, Shane. OK ? Rien. Nous sommes dimanche. Merci à vous trois d'être passés, mais tu sais ce qui me ferait plaisir ? Que vous finissiez le boulot et que vous me laissiez, pour que, par ce beau dimanche d'automne, je puisse comme toutes les mamans consacrer la journée à ma fille.

— Tu es sérieuse ?

— Oui, Shane, je suis sérieuse.

— Trop cool, sourit-il.

— N'est-ce pas ?

— Vous allez sortir ?

— Oui. On ira à Chester.

— Cueillir des pommes ?

Maya acquiesça.

— J'y allais dans le temps avec mes parents, dit Shane d'une voix chantante.

— Tu veux venir ?

— Non, répondit-il avec une douceur qu'elle ne lui connaissait pas. Tu as raison. On est dimanche. On se dépêche et on te laisse tranquille. Va préparer Lily.

Ils achevèrent leur tâche, n'ayant trouvé aucun micro caché, et, après un baiser sur la joue, Shane quitta la maison. Maya installa Lily dans son siège auto, et elles se mirent en route. La mère et la fille goûtèrent à tout. Elles firent une promenade dans une charrette à foin. Nourrirent les chèvres à la miniferme. Cueillirent des pommes, mangèrent des glaces, croisèrent un clown qui éblouit Lily avec des ballons en forme d'animaux. Tout autour d'elles, les gens riaient, se disputaient, se plaignaient, se touchaient, souriaient. Maya les observait. Elle s'efforça de se fondre dans le moment présent, de profiter du bonheur d'être avec sa fille, mais une fois de plus, tout cela lui parut impalpable, lointain, comme si elle était là en spectatrice. Pour que sa fille profite de ces instants, pas pour y participer. Les heures passèrent, la journée se termina sans qu'elle sache quelle impression elle en avait gardé.

La nuit du dimanche ne se passa guère mieux que les précédentes. Les nouveaux cachets, au lieu de calmer ses démons, ne firent qu'amplifier les bruits.

Lorsqu'elle se réveilla en sursaut, Maya attrapa le téléphone pour appeler Wu. Mais elle s'arrêta avant d'appuyer sur la touche. Elle songea même à joindre

Mary McLeod, la consœur de Judith, mais non, ce n'était pas une bonne idée.

Tiens bon, Maya. Il n'y en a plus pour longtemps.

Elle s'habilla, déposa Lily à la crèche et téléphona à son travail pour prévenir qu'elle ne viendrait pas.

— Tu ne peux pas me faire ça, Maya, protesta sa patronne et ex-pilote de l'armée comme elle, Karena Simpson. J'ai une entreprise à gérer. On n'annule pas une leçon à la dernière minute.

— Désolée.

— Je sais bien que tu traverses une passe difficile…

— Exactement, Karena, l'interrompit Maya. Et je crois que je suis revenue trop tôt. Navrée de te poser un lapin… simplement, il me faudrait plus de temps.

C'était partiellement vrai. Faire un aveu de faiblesse lui coûtait, mais elle n'avait guère le choix. Une chose était sûre : elle ne retournerait plus bosser là-bas. Plus jamais.

Deux heures plus tard, elle arriva à Bryn Mawr, Pennsylvanie, et passa devant une haie soigneusement taillée et un panneau en pierre qui indiquait « École Franklin-Biddle ». Un panneau si élégant et discret qu'on le remarquait à peine parmi la végétation. C'était d'ailleurs le but recherché. Elle dépassa une cour centrale avec une pelouse au milieu et s'engagea sur le parking visiteurs. Tout ici respirait la fortune, les privilèges, l'entre-soi, le pouvoir. L'odeur de billets de banque flambant neufs semblait l'emporter sur celle des feuilles mortes.

L'argent achète l'isolement. L'argent achète les clôtures. Dans certains cas, l'argent achète la vie citadine. Dans d'autres cas, la vie de banlieue. Avec beaucoup d'argent, on achète un établissement comme celui-ci. Nous cherchons tous à nous enfoncer de plus en plus profondément dans un cocon protecteur.

Le bureau du directeur se trouvait dans un manoir en pierre appelé Windsor House. Maya avait décidé de débarquer à l'improviste. Elle avait cherché le nom du directeur sur Internet, et s'il était absent, tant pis. Elle trouverait quelqu'un d'autre à qui parler. En revanche, s'il était là, il ne refuserait pas de la recevoir. Il y avait un bâtiment qui portait le nom des Burkett sur le campus. Un nom qui devait ouvrir bien des portes.

La réceptionniste lui demanda d'une voix feutrée :

— Vous désirez ?

— Maya Burkett. J'aimerais voir le directeur. Je n'ai pas rendez-vous, désolée.

— Asseyez-vous, je vous prie.

L'attente ne fut pas longue. Elle avait lu sur Internet que le directeur, en poste depuis vingt-trois ans, était un ancien élève puis professeur du nom de Neville Lockwood IV. Avec un nom et un pedigree pareils, elle s'attendait au physique *ad hoc* : teint rougeaud, traits aristocratiques, cheveux blonds clairsemés. Non seulement elle ne fut pas déçue, mais l'homme qui l'accueillit arborait en plus des lunettes à monture métallique aux branches enroulées autour des oreilles, un veston en tweed et, oui, un nœud papillon à losanges.

Il prit ses deux mains dans les siennes.

— Oh, madame Burkett, dit-il avec cet accent qui trahissait plus l'appartenance à une caste qu'une origine géographique. Nous tous ici tenons à vous exprimer nos plus sincères condoléances.

— Je vous remercie.

Il l'invita d'un geste à le suivre dans son bureau.

— Votre mari a été l'un de nos élèves préférés.

— C'est très gentil à vous de dire ça.

Il y avait une grande cheminée avec une pile de bûches grisâtres et, à côté, une horloge de parquet. Neville Lockwood s'assit derrière son bureau en merisier et lui offrit le fauteuil en tissu juste en face. Ce fauteuil était légèrement plus bas que le sien, ce qui n'était sûrement pas un hasard.

— La moitié de nos trophées sportifs, nous les devons à Joe. À ce jour, il détient le record de buts marqués par son équipe de foot. Nous pensions… bref, nous pensions organiser une sorte d'hommage dans les vestiaires. Il adorait cet endroit.

Neville Lockwood la gratifia d'un sourire patelin. Maya le lui rendit. Ces évocations sportives pouvaient être un préambule à une demande d'argent – elle n'était pas douée pour relever ce genre d'allusion –, mais, d'une manière ou d'une autre, elle décida de se jeter à l'eau.

— Connaissez-vous ma sœur ?

La question le surprit.

— Votre sœur ?

— Oui, Claire Walker.

Il réfléchit un instant.

— Ce nom-là me dit quelque chose…

Maya allait répliquer que Claire était venue ici il y a quatre ou cinq mois et qu'elle s'était fait assassiner peu de temps après, mais ce genre d'information risquait de le perturber.

— Peu importe. J'ai quelques questions à vous poser sur les années que mon mari a passées ici.

Il joignit les mains et attendit.

Elle savait qu'elle devait marcher sur des œufs.

— Vous n'ignorez pas, monsieur le directeur…

— Je vous en prie, appelez-moi Neville.

— Neville, sourit-elle. Vous n'ignorez pas que cet établissement est à la fois source d'une grande fierté et de tragédie pour la famille Burkett.

Il prit un air grave, comme il se devait.

— Vous voulez parler du frère de votre mari ?

— En effet.

Neville Lockwood secoua la tête.

— Un drame terrible. Je sais que le père est décédé depuis quelque temps déjà, mais, pauvre Judith, perdre un deuxième fils.

— Oui, acquiesça Maya sans hâte. Je ne sais pas trop comment aborder ça, mais, avec la mort de Joe, ce sont trois membres d'une même équipe de foot qui ont disparu.

La couleur déserta le visage de Neville.

— Je parle de la mort de Theo Mora, ajouta Maya. Vous vous en souvenez ?

Le directeur retrouva sa voix.

— Votre sœur…

— Oui ?

— Elle est venue ici pour poser des questions sur Theo. C'est pour ça que son nom ne m'est pas inconnu. Je n'étais pas là, mais on m'a informé de sa visite.

Confirmation. Maya était sur la bonne voie.

— Comment Theo est-il mort ? demanda-t-elle.

Neville Lockwood évitait de la regarder.

— Je pourrais vous renvoyer sur-le-champ, madame Burkett. Je pourrais invoquer notre règle de confidentialité, en vertu de laquelle nous ne révélons aucune information concernant l'un de nos élèves.

Maya secoua la tête.

— Ce serait déraisonnable de votre part.

— Puis-je savoir pourquoi ?

— Si vous refusiez de me répondre, je pourrais faire appel à des autorités qui ne sont pas réputées pour leur discrétion.

— Vraiment ?

Il esquissa un petit sourire.

— Et c'est censé me faire peur ? C'est là, dites-moi, que le vilain directeur ment pour protéger la réputation de son établissement élitiste ?

Maya ne broncha pas.

— Eh bien, pas moi, capitaine Stern. Vous voyez, je connais votre nom de jeune fille. Je sais tout de vous. À l'instar de l'armée, nous avons notre propre code d'honneur. Cela m'étonne que Joe ne vous en ait pas parlé. Nos racines quakers nous incitent au consensus et à la transparence. Nous n'avons rien à cacher. Au contraire. La vérité nous protège.

— Parfait, répondit Maya. Alors comment Theo est-il mort ?

— Je vous prierai cependant de respecter la vie privée de la famille.

— C'est entendu.

Il poussa un soupir.

— Theo Mora a succombé à une intoxication éthylique.

— Il s'est saoulé à mort ?

— Ça arrive, malheureusement. Pas souvent. En fait, c'était la seule et unique fois dans l'histoire de notre école. Un soir, Theo a pris une mégacuite. Pourtant, il n'avait rien d'un fêtard, mais, en général, c'est comme ça que ça se passe. On n'a pas conscience de ses limites. On aurait sans doute pu le sauver, sauf qu'il a fini par atterrir dans un sous-sol. C'est un gardien qui l'a découvert le lendemain. Il était déjà mort.

Neville Lockwood posa les mains sur son bureau et se pencha en avant.

— Puis-je savoir en quoi ça vous intéresse, vous et votre sœur ?

Maya ignora sa question.

— Vous n'avez jamais trouvé étrange, commença-t-elle, que deux élèves d'une même école et membres d'une même équipe de foot aient perdu la vie à si peu de temps d'intervalle ?

— Si. J'y ai beaucoup réfléchi.

— Et vous n'avez pas envisagé, poursuivit-elle, la possibilité d'un lien entre la mort de Theo et celle d'Andrew ?

Il se cala dans son siège et entrelaça ses doigts.

— *A contrario*, je ne vois pas comment les deux pourraient ne pas être liées.

Maya ne s'attendait pas à cette réponse.

— Pourriez-vous développer le fond de votre pensée, s'il vous plaît ? demanda-t-elle.

— J'ai été professeur de mathématiques. J'enseignais les statistiques et les probabilités. Données bivariées, régression linéaire, déviation standard et j'en passe. Je considère donc les choses en termes de formules et d'équations. Mon cerveau est ainsi fait. Les chances que deux élèves d'une école privée, petit établissement fréquenté par une élite, meurent à quelques mois l'un de l'autre sont très faibles. Qu'ils soient dans la même classe diminue encore le nombre de chances. Qu'ils jouent dans la même équipe de foot, là on peut commencer à éliminer le hasard.

Il sourit presque, un doigt en l'air, comme s'il était de retour dans une salle de classe.

— Mais si on ajoute le facteur final à l'équation, la probabilité d'une coïncidence devient quasi nulle.

— Quel facteur final ? questionna Maya.

— Theo et Andrew partageaient la même chambre.

Un silence conclut sa démonstration.

— Les chances que deux garçons partageant la même chambre dans un petit établissement privé meurent jeunes sans qu'il y ait un lien… j'avoue qu'elles sont tellement infimes que je n'y crois pas.

Dehors, une cloche retentit. On entendit des portes s'ouvrir et des garçons qui riaient.

— Quand Andrew Burkett s'est noyé, reprit Neville Lockwood, nous avons reçu un enquêteur ici. Quelqu'un de la garde côtière chargé d'enquêter sur tous les décès en mer.

— Son nom n'était pas Tom Douglass ?

— Peut-être. Je ne m'en souviens plus. Mais il est venu dans ce bureau. Il s'est assis à la même place que vous. Lui aussi cherchait à établir un lien entre les deux.

Maya déglutit.

— Et vous lui avez fait part de votre hypothèse.

— Oui.

— Vous pouvez m'en parler ?

— La mort de Theo a été un choc terrible pour notre communauté. À la demande de la famille, les journaux n'ont jamais mentionné les circonstances du drame. Mais si nous étions tous choqués, Andrew Burkett, lui, était carrément anéanti. Theo était son meilleur ami. Vous n'avez pas connu Andrew, j'imagine ?

— Non.

— Ils étaient très différents, Joe et lui. Andrew était un garçon sensible. Et attachant. Son entraîneur disait que ces qualités le desservaient sur le terrain de foot. Il n'avait pas la rage de vaincre comme Joe. Il manquait d'agressivité, d'esprit de compétition, de cet instinct de tueur dont on a besoin dans les tranchées.

Encore une analogie bidon entre le sport et la guerre.

— Il avait peut-être d'autres problèmes, ajouta le directeur. Je ne peux pas vous en dire plus, mais Andrew a très mal vécu la mort de Theo. L'école a été fermée pendant une semaine. Nous avons mis en place une cellule d'aide psychologique, mais la plupart des garçons sont rentrés chez eux… pour récupérer, je suppose.

— Et Andrew et Joe ? demanda Maya.

— Aussi. Votre belle-mère, je m'en souviens, a accouru avec leur ancienne nounou pour les ramener à la maison. Puis tous les élèves, y compris votre mari, ont regagné le campus. Tous sauf un.

— Andrew.

— C'est ça.

— Et lui, il est revenu au bout de combien de temps ?

Neville Lockwood secoua la tête.

— Andrew Burkett n'est jamais revenu. Sa mère a jugé préférable de lui faire sauter un semestre. Ici, la vie a repris son cours. Joe a mené son équipe de foot de victoire en victoire. Ils ont gagné le championnat de la ligue et, une fois la saison terminée, il a invité plusieurs de ses camarades sur le yacht familial pour fêter ça…

— Savez-vous qui il y avait sur ce yacht ?

— Pas vraiment. Christopher Swain, c'est sûr. Il a été cocapitaine avec Joe. Les autres, je ne m'en souviens plus. Bref, vous vouliez savoir s'il y avait un lien entre les deux. Je pense que ça saute aux yeux, et mon hypothèse est la suivante : un garçon sensible perd son meilleur ami dans des circonstances tragiques. Il est forcé d'interrompre ses études et doit peut-être faire face à la dépression. Il se peut qu'il prenne des antidépresseurs ou autres substances psychotropes. Puis il embarque sur un yacht avec des gens qui lui rappellent à la fois le drame et aussi tout ce qu'il a perdu en quittant le campus. Ils organisent une fête à tout casser. Le garçon boit de l'alcool, qui se marie mal avec son traitement médicamenteux. Il sort sur le pont, regarde l'océan. Il souffre abominablement.

Neville Lockwood se tut.

— Vous pensez donc qu'Andrew s'est suicidé.

— Ce n'est qu'une hypothèse. Ou alors le mélange médicaments-alcool lui a fait perdre l'équilibre, et il est passé par-dessus bord. Dans tous les cas de figure, la preuve est là : la mort de Theo a mené directement à celle d'Andrew. C'est ça, le lien que je vois.

Maya ne bougea pas.

— Maintenant que je vous ai exposé ma théorie, dit-il, vous voudrez bien m'expliquer en quoi cela vous intéresse aujourd'hui ?

— Une dernière question, si vous le permettez.

Il acquiesça d'un signe de la tête.

— Si deux décès dans une même équipe ne sont pas l'effet du hasard, *quid* du troisième ?

— Un troisième mort ? Je ne comprends pas.

— Je veux parler de Joe.

Il fronça les sourcils.

— Ça s'est passé… dix-sept ans après.

— N'empêche. Vous qui êtes féru de probabilités : quelles sont les chances que sa mort ne soit pas liée aux deux autres ?

— Vous êtes en train de me dire que le meurtre de votre mari a quelque chose à voir avec Theo et Andrew ?

— Il me semble, répondit Maya, que vous l'avez déjà démontré.

25

Neville Lockwood la raccompagna à la porte. Maya remonta dans sa voiture, mais ne démarra pas tout de suite. Devant elle se dressait le monument caractéristique de Franklin-Biddle, un clocher anglican de sept étages. Le carillon de Westminster égrena ses quatre notes. Maya consulta sa montre. Apparemment, il sonnait tous les quarts d'heure.

Elle sortit son téléphone et chercha les parents de Theo, Javier et Raisa, dans les pages blanches. Elle trouva une Raisa Mora à Philadelphie même. Ça valait le coup de tenter sa chance.

Son portable sonna. Cuir et Dentelles s'afficha à l'écran. Maya le porta à son oreille, mais quiconque l'appelait avait déjà raccroché. Corey voulait la voir. Peut-être, mais elle en avait pour deux bonnes heures de route. Tant pis, il attendrait.

Les maisons dans la rue de Raisa Mora avaient connu des jours meilleurs. Maya gravit les marches en béton fissuré, sonna à la porte, dressa l'oreille, mais n'entendit rien. Des bouteilles cassées jonchaient le trottoir. Deux portes plus loin, un homme en chemise de flanelle ouverte sur un marcel la gratifia d'un sourire édenté.

On était très loin du carillon de Westminster.

Maya tira sur la moustiquaire qui s'ouvrit en grinçant. Puis elle frappa fort.

— Qui est-ce ? répondit une voix de femme.

— Je m'appelle Maya Stern.

— C'est pour quoi ?

— Vous êtes Raisa Mora ?

— C'est pour quoi ?

— J'aimerais vous parler de votre fils Theo.

La porte s'ouvrit à la volée. Raisa Mora portait une tenue de serveuse couleur moutarde passée. Son mascara avait bavé. Il y avait plus de gris que de brun dans son chignon. Elle était en chaussettes, comme si elle venait juste de rentrer d'une longue journée de boulot et qu'elle avait envoyé valser ses chaussures.

— Qui êtes-vous ?

— Mon nom est Maya Stern…

Puis, se ravisant, elle ajouta :

— Burkett.

Voilà qui fit réagir Raisa.

— Vous êtes la femme de Joe.

— C'est ça.

— Et vous êtes dans l'armée, non ?

— J'étais, répondit Maya. Vous permettez que j'entre ?

Croisant les bras, Raisa s'adossa au chambranle.

— Qu'est-ce que vous voulez ?

— En savoir plus sur la mort de Theo.

— Pour quoi faire ?

— S'il vous plaît, madame Mora, votre question est parfaitement légitime, mais je n'ai pas le temps de tout vous expliquer. Disons seulement que je ne suis pas sûre qu'on connaisse les circonstances exactes de la mort de votre fils.

Raisa la dévisagea pendant quelques secondes.

— Votre mari a été assassiné récemment. J'ai lu ça dans le journal.

— C'est vrai.

— Ils ont arrêté deux suspects. J'ai lu ça aussi.

— Ils sont innocents, dit Maya.

— Je ne comprends pas.

Le masque ne se fissura pas, mais céda juste assez pour laisser échapper une larme.

— Vous croyez que l'assassinat de Joe a quelque chose à voir avec mon Theo ?

— Je ne sais pas, fit Maya avec toute la douceur dont elle était capable. Mais il n'y a pas de mal à répondre à quelques questions, si ?

Raisa gardait les bras croisés.

— Que désirez-vous savoir ?

— Tout.

— OK, entrez alors. Il va falloir que je me pose.

Les deux femmes s'assirent sur le canapé élimé, aussi vieillot que le reste de la maison. Raisa remit à Maya un cadre avec une photo de famille décolorée par le temps. À moins que ce ne soit le soleil. Ou les deux. Maya reconnut Theo entre deux petits garçons qui devaient être ses frères. Derrière eux se tenait Raisa, pas tellement plus jeune, mais beaucoup plus épanouie, et un bonhomme trapu avec une grosse moustache et un large sourire.

— C'est Javier, le père de Theo. Il est mort deux ans après notre fils. D'un cancer. C'est ce qu'on nous a dit. Mais…

Javier avait un bon sourire : ça se voyait même sur la photo. Ça vous donnait presque envie de l'entendre rire. Raisa reprit le cadre à Maya et le reposa d'une main mal assurée sur l'étagère.

— Javier venait du Mexique. Moi, je vivais dans un quartier pauvre de San Antonio. On s'est rencontrés et… je ne vois pas pourquoi je vous raconte ça.

— Mais si, allez-y.

— Peu importe, dit Raisa. On a atterri à Philadelphie parce qu'un cousin de Javier lui avait dégoté un boulot de jardinier. Vous savez, tondre la pelouse chez les riches, tout ça. Mais Javier…

Elle s'interrompit, sourit, perdue dans ses souvenirs.

— Il était intelligent. Et ambitieux. Il présentait bien. Tout le monde l'aimait. Il y a des gens comme ça. Vous voyez ce que je veux dire ? On a envie d'aller vers eux. Voilà comment il était, mon Javier.

Maya hocha la tête en direction de la photo.

— Ça se sent.

— Oui, n'est-ce pas ?

Le sourire de Raisa s'estompa.

— Bref, Javier travaillait beaucoup pour les familles qui habitaient le quartier de Main Line, y compris les Lockwood.

— Lockwood comme le directeur de l'école ?

— Son cousin, en fait. Un type richissime. Il habitait New York, mais avait aussi une maison ici. Un gars qui faisait archiprétentieux avec ses cheveux blonds et sa mâchoire carrée, et en même temps il avait du cœur.

Il aimait bien Javier. Ils avaient de grandes conversations, tous les deux. Un jour, Javier lui a parlé de Theo.

Son visage se crispa douloureusement.

— C'était un garçon extraordinaire, mon Theo. Très doué. Très sportif. Il avait tout pour lui, comme on dit. Bien sûr, étant ses parents, on rêvait qu'il ait une vie meilleure. Javier voulait le faire entrer dans une bonne école. Il se trouve que Franklin-Biddle cherchait des élèves boursiers pour pouvoir afficher leur…

Elle esquissa des guillemets avec ses doigts.

— … « diversité ». Du coup, ce type, Lockwood, en a touché deux mots à son cousin et ni une ni deux… Vous êtes allée là-bas ?

— Oui.

— C'est ridicule, hein ?

— On peut le dire.

— Javier, il était trop heureux pour Theo. Mais moi, je me faisais du souci. Comment trouver sa place parmi ces gens-là quand on vient d'un milieu comme le nôtre ? C'est comme… comment on appelle ça déjà, quand un plongeur remonte trop vite ? Les paliers de décompression. C'est l'impression que j'avais. Mais je n'ai rien dit. Je ne suis pas bête. C'était une sacrée opportunité pour Theo. Vous comprenez ?

— Bien sûr.

— Un matin, Javier est parti travailler.

Raisa Mora serra les mains en un geste de prière désespéré, et Maya sentit qu'elle touchait au but.

— Moi, je prenais mon service tard le soir. Du coup, j'étais à la maison. On a sonné à la porte.

Son regard pivota en direction de l'entrée.

— Ils n'appellent pas, vous savez. Ils viennent sonner à votre porte, comme si Theo était dans l'armée ou quoi. Il y avait le directeur et un de ses collaborateurs, je ne sais plus son nom. Ils étaient là, j'ai vu leurs visages, et normalement j'aurais dû comprendre, en les voyant là, les yeux baissés, la mine sombre, j'aurais dû m'écrouler en hurlant : « Non ! Non ! » Eh bien, pas du tout. J'ai souri. Je les ai invités à entrer. Je leur ai offert du café. Et…

Les lèvres de Raisa frémirent.

— Et vous savez le pire ?

Maya pensait le savoir, oui – que pouvait-il y avoir de pire ? –, mais elle secoua la tête.

— J'ai appris plus tard qu'ils avaient enregistré notre entretien. Sur les conseils de leur avocat, je crois. Ils avaient un magnéto qui marchait pendant qu'ils m'expliquaient qu'un gardien avait découvert le corps de mon fils au sous-sol. Un gardien ? Je n'y comprenais rien. Ils m'ont dit son nom, comme si ça allait changer quelque chose. D'après eux, Theo avait trop bu. C'était comme une overdose d'alcool. J'ai répondu : « Theo ne boit pas. » Ils ont acquiescé comme si c'était logique… c'est toujours comme ça, quand on n'a pas l'habitude : on ne sait pas s'arrêter, et c'est la mort. Normalement, ils arrivent à intervenir à temps, sauf que Theo s'est perdu et a fini au sous-sol. Personne ne l'a revu jusqu'au lendemain. Et là, il était trop tard.

La même chose, presque mot pour mot, que ce que Neville Lockwood lui avait dit.

Comme une leçon apprise par cœur.

— Est-ce qu'il y a eu une autopsie ? demanda Maya.

— Oui. Javier et moi, on a rencontré le médecin légiste. Une femme très gentille. Elle nous a reçus dans son bureau pour nous expliquer que c'était une intoxication éthylique. À mon avis, ils avaient tous picolé ce soir-là. Une fête qui aura mal tourné. Mais Javier n'y croyait pas.

— Ah bon ? Il a pensé à quoi ?

— Il ne savait pas. Peut-être qu'ils avaient harcelé Theo. Un petit nouveau, un gosse de pauvres : on lui a mis la pression pour le pousser à boire. Javier voulait faire un ramdam de tous les diables.

— Pas vous ?

— À quoi bon ? répondit-elle, haussant les épaules avec lassitude. Même si c'était vrai, ça ne nous aurait pas rendu notre fils, n'est-ce pas ? Ça peut arriver n'importe où. Ici aussi, les gosses se font harceler. Et puis... je sais que ce n'est pas très moral, mais il y avait l'aspect pécuniaire.

L'allusion était claire.

— L'école vous a offert de l'argent ?

— Vous voyez ces deux autres garçons sur la photo ?

Raisa essuya ses larmes et releva la tête.

— Lui, c'est Melvin. Il est professeur à Stanford. À tout juste trente ans. Et Johnny est à la fac de médecine à Johns Hopkins. L'école s'est arrangée pour qu'ils n'aient pas à débourser un sou pour leurs études. Et ils nous ont donné de l'argent, à Javier et moi. Mais on l'a placé sur un compte pour les enfants.

— Madame Mora, vous souvenez-vous du garçon qui partageait la chambre de Theo à Franklin-Biddle ?

— Vous voulez parler d'Andrew Burkett ?

— Oui.

— Il aurait été... votre beau-frère, c'est ça. Pauvre gosse.

— Vous vous souvenez donc de lui ?

— Bien sûr. Ils étaient tous là à l'enterrement de Theo. Ces beaux garçons riches avec leurs blazers bleus, leurs cravates et leurs cheveux ondulés. Tous habillés pareil, tous disant « Mes condoléances » comme des robots. Mais Andrew était différent.

— Comment ça ?

— Il était triste. Réellement triste. Ce n'était pas juste pour faire bien élevé.

— Ils ont été proches, Andrew et Theo ?

— Je crois, oui. Theo m'a dit qu'Andrew était son meilleur ami. Quand il est tombé de ce bateau peu de temps après, j'ai lu que c'était un accident. J'ai trouvé ça bizarre. Le pauvre garçon perd son meilleur ami et puis tombe d'un bateau ?

Elle regarda Maya en haussant un sourcil.

— Ce n'était pas un accident, hein ?

— Je pense que non, dit Maya.

— Javier s'en doutait. On est allés à l'enterrement d'Andrew, vous le saviez ?

— Non, je l'ignorais.

— Je me souviens, j'ai dit à Javier : « Andrew était tellement triste à cause de Theo. » Peut-être que le chagrin l'a tué. Genre, il était si triste qu'il s'est jeté par-dessus bord.

Maya hocha la tête.

— Mais Javier n'y croyait pas.

— Qu'est-ce qu'il croyait ?

Raisa contempla ses mains jointes.

— Il m'a dit : « On ne fait pas ça parce qu'on a du chagrin. On fait ça parce qu'on se sent coupable. »

Il y eut un silence.

— Voyez-vous, Javier a très mal vécu cette situation. L'arrangement financier, il disait que c'était le prix du sang. Ces garçons riches ont peut-être poussé un peu Theo, mais, au final, Javier, ce qui l'a rendu fou, c'est qu'il s'en voulait. C'est lui qui avait envoyé Theo dans une école où il n'avait pas sa place. Et, que Dieu me pardonne, je lui en ai voulu aussi. J'ai essayé de le cacher, mais je pense que ça se lisait sur mon visage. Même quand il est tombé malade. Même quand je l'ai soigné. Même quand il est mort dans son lit en me tenant la main. C'est peut-être la dernière chose qu'il a vue.

Elle essuya une larme du bout de son index.

— Au fond, Javier avait peut-être raison. Ce n'est pas le chagrin qui aurait tué Andrew Burkett, mais un sentiment de culpabilité.

La pièce redevint silencieuse. Maya prit la main de Raisa. Cela ne lui ressemblait guère, mais ce fut plus fort qu'elle.

Au bout de quelques minutes, Raisa reprit :

— Votre mari a été assassiné il y a plusieurs semaines.

— Oui.

— Et maintenant, vous êtes là.

Maya acquiesça.

— Ce n'est pas une coïncidence, n'est-ce pas ?

— Non, fit Maya.

— Qui a tué mon fils, madame Burkett ? Qui a assassiné mon Theo ?

Maya répondit qu'elle ne savait pas.

Mais elle commençait à avoir sa petite idée sur la question.

26

Lorsqu'elle eut regagné sa voiture, Maya s'assit et contempla fixement le pare-brise. Elle n'avait qu'une envie : poser la tête sur le volant et pleurer un bon coup. Mais le temps pressait. Elle consulta son portable. Deux autres appels en absence de la part de Cuir et Dentelles. Ils devaient perdre patience. Maya décida d'enfreindre le protocole, rappela et demanda Loulou.

— Puis-je vous aider ? fit Loulou.

— C'est bon, le film d'espionnage. Je suis à Philadelphie.

— L'une de nos meilleures danseuses est tombée malade. On a donc une place pour vous ce soir. Si vous voulez la remplacer, dépêchez-vous d'arriver.

Maya se retint de lever les yeux au ciel.

— OK, à tout à l'heure.

Elle tapa sur Google le nom de Christopher Swain, le cocapitaine de l'équipe de foot qui s'était trouvé sur le yacht le soir de la mort d'Andrew. Il travaillait à Manhattan pour une agence au nom de circonstance, Swain Immobilier. La famille possédait des sociétés dans les cinq arrondissements de la ville de New York.

Super. Encore une grande fortune à courtiser. Elle dénicha une adresse mail sur la page des anciens élèves de Franklin-Biddle et lui envoya un bref message :

Je m'appelle Maya Burkett. J'étais mariée avec Joe. Il est urgent que je vous parle. S'il vous plaît, contactez-moi au plus vite.

Et elle ajouta toutes ses coordonnées.

Deux heures plus tard, elle se garait sur le parking du personnel de Cuir et Dentelles. Mais, au moment où elle allait descendre, la portière côté passager s'ouvrit : Corey se glissa sur le siège et se courba en deux.

— Démarrez, murmura-t-il.

Maya n'hésita pas. Elle mit la marche arrière et sortit du parking aussi sec.

— Que se passe-t-il ? demanda-t-elle, une fois sur la route.

— Il faut qu'on aille faire un tour.

— Où ça ?

Il lui donna une adresse à Livingston.

— Livingston ? fit-elle. Je suppose que c'est en rapport avec Tom Douglass.

Corey n'arrêtait pas de se retourner.

— Nous ne sommes pas suivis, lui dit-elle.

— Vous en êtes sûre ?

— Certaine.

— Il fallait que je sorte de là. Je ne voulais pas qu'ils soient au courant.

Maya ne posa pas de questions. Ce n'était pas son problème.

— Alors, où va-t-on ?

— J'étais en train de surveiller les mails de Tom Douglass.

— Vous personnellement ?

Du coin de l'œil, elle le vit sourire.

— Vous croyez que j'ai une grosse équipe sous mes ordres ?

— Je sais que vous avez beaucoup de… – « fans » est un mot trop faible –, je dirais plutôt d'adorateurs.

— Jusqu'à un certain point. Je ne leur fais pas confiance. Je suis juste une nouvelle cause célèbre. Les gens se lassent facilement. Rappelez-vous Kony 2012. Donc oui, je fais presque tout le boulot moi-même.

Maya tenta de le ramener à l'objet de leur expédition.

— Alors, vous avez lu les mails de Tom Douglass ?

— Oui. Il est toujours sur AOL, vous imaginez ça ? La préhistoire, quoi. D'ailleurs, il l'utilise très peu. Ça fait presque un mois qu'il n'a pas reçu ni envoyé un mail.

Maya bifurqua à droite pour prendre l'autoroute.

— Ça correspond à la date de sa disparition.

— Justement. Mais aujourd'hui, Douglass a reçu un mail d'un dénommé Julian Rubinstein pour une histoire de facture impayée. D'après ce que j'ai compris, Rubinstein lui loue un box de stockage derrière un atelier de carrosserie à Livingston.

— Carrosserie auto ?

— Oui.

— Drôle d'endroit pour un box de stockage.

— Il n'y a pas de prélèvement automatique, aucun papier, rien. Il paie en liquide.

Pour éviter de laisser des traces, pensa Maya.

— J'en ai conclu que Douglass ne lui avait pas réglé le dernier mois, dit Corey. D'où le mail de rappel.

Le ton est amical, genre « Salut, Tom, je n'ai plus de nouvelles, tu as du retard ».

Les mains de Maya se crispèrent sur le volant. Voilà qui ressemblait à un début de piste.

— Vous avez un plan ?

Corey brandit un sac de sport.

— Cagoules, lampes de poche, pince coupante.

— Nous pourrions demander la clé à sa femme.

— À supposer qu'elle soit autorisée à nous la donner, répliqua-t-il. Et si elle dit non ?

Il n'avait pas tort.

— Il y a autre chose, Maya.

Le ton de sa voix ne lui disait rien qui vaille.

— Je ne vous ai pas menti, mais il faut que vous compreniez. Je voulais m'assurer de votre loyauté.

— Mmm, fit-elle.

Ils s'arrêtèrent à un feu rouge. Maya se tourna vers lui et attendit.

— Je ne vous ai pas tout dit.

— Alors dites-le maintenant.

— Votre sœur m'a remis plus de documents sur le labo pharmaceutique EAC que je ne l'ai laissé entendre.

— Je m'en suis doutée, acquiesça-t-elle.

— Ah bon ?

Mais elle non plus ne lui avait pas tout dit.

— Vous saviez que les Burkett se livraient à une activité illégale, mais vous n'aviez pas plus de précisions. C'est ce que vous m'avez expliqué au début. Puis vous avez cité le labo pharmaceutique. J'en ai conclu qu'elle vous avait fourni plus d'infos.

— Oui, mais en fait, ce n'était pas assez. Nous aurions pu publier ces révélations telles quelles, mais ça leur aurait laissé le temps de brouiller les pistes. On n'en était qu'au premier stade de l'enquête. Il nous en fallait plus.

— Claire a donc continué à creuser, et elle est tombée sur Tom Douglass.

— Oui, sauf que, d'après elle, il n'avait rien à voir avec EAC. C'était bien plus grave que ça.

Le feu passa au vert. Maya appuya sur l'accélérateur.

— Pourquoi, après la mort de Claire, n'avez-vous pas divulgué ce qu'elle vous avait communiqué ?

— Je vous l'ai dit, ce n'était pas suffisant. Et puis, je voulais explorer la piste Tom Douglass. Aux yeux de Claire, c'était plus important que l'affaire des faux médicaments. Si on les dénonçait, je craignais qu'ils ne fassent disparaître tous les indices. Je voulais en savoir plus.

— Alors maintenant que Claire n'est plus là, vous comptez sur moi pour devenir votre informatrice.

Il ne prit pas la peine de nier.

— Vous êtes un drôle d'oiseau, Corey.

— Je suis un manipulateur, je l'avoue.

— Façon polie de désigner ce que vous êtes.

— C'est pour la bonne cause.

— Mais bien sûr. Alors pourquoi m'en parler aujourd'hui ?

— Parce qu'il y a eu un décès dû à ces faux médicaments. Un petit garçon de trois ans en Inde. Il a eu de la fièvre à la suite d'une infection. On l'a traité avec la version EAC de l'amoxicilline. Ça n'a rien donné. Le temps que le médecin lui prescrive un autre antibiotique, l'enfant a sombré dans le coma et il en est mort.

— C'est terrible, dit Maya. Comment l'avez-vous su ?

— Par quelqu'un à l'hôpital. Un médecin anonyme qui veut devenir lanceur d'alerte. Il a pris des notes détaillées, fait des enregistrements audio et vidéo, il a même conservé des échantillons de tissu. Ça plus les informations fournies par Claire… mais ce n'est toujours pas assez, Maya. Les Burkett se défausseront sur les Indiens qui gèrent le labo sur place. Ils se planqueront derrière des avocats passés maîtres dans l'art de l'enfumage. Cela pourrait leur faire du tort. Les délester de quelques millions, voire quelques centaines de millions. Mais…

— Vous pensez que Tom Douglass est leur kryptonite.

— Oui.

Sa voix prit une inflexion chantante.

— Et Claire le pensait aussi.

— Vous prenez votre pied, là, fit observer Maya.

— Vous ne vous êtes jamais éclatée au combat ?

Elle ne répondit pas.

— Je ne dis pas que je ne prends pas ma mission au sérieux. Mais ça m'excite, oui.

Maya mit le clignotant pour tourner à droite.

— Et quand vous avez mis la main sur la vidéo de mon hélico, ça vous a fait le même effet ?

— Pour ne rien vous cacher, oui.

Ils se turent. Corey tripota les boutons de l'autoradio. Une demi-heure plus tard, Maya emprunta la bretelle de sortie. D'après le GPS, ils étaient à quinze cents mètres de leur destination.

— Maya ?

— Oui.

— Vous avez gardé des liens avec vos copains de l'armée. Shane Tessier, par exemple.

— Vous me fliquez ?
— Un peu.
— Où voulez-vous en venir, Corey ?
— Quelqu'un parmi eux sait-il ce qu'il y a sur l'enregistrement audio de l'hélicoptère ? Je veux dire…
— Je sais ce que vous voulez dire, trancha-t-elle d'un ton sec.
Puis :
— Non.
Il allait poursuivre quand Maya l'interrompit :
— Nous sommes arrivés.
Elle s'engagea sur le chemin de terre tout en scrutant les alentours à la recherche de caméras de surveillance. Il n'y en avait pas. Elle arrêta la voiture juste avant JR Autos.
Corey lui tendit la cagoule. Elle secoua la tête.
— On se fera moins remarquer sans. Il fait sombre. On est un couple venu chercher des pièces détachées.
— Je dois être extrêmement prudent.
— Je sais.
— Il ne faut pas que je me fasse repérer.
— Avec la barbe et la casquette de base-ball, aucun risque. Prenez la pince coupante et gardez la tête baissée.
Il eut l'air sceptique.
— Ou alors attendez-moi là.
Elle ouvrit la portière et descendit. Corey n'aimait pas ça, mais il s'empara de la pince et suivit Maya. Ils marchèrent en silence. Malgré la pénombre, Maya n'alluma pas la lampe de poche. Elle continuait à scruter les environs. Pas de caméras. Pas de gardiens. Pas d'habitations.

— Intéressant, fit-elle.

— Quoi ?

— Que Tom Douglass ait choisi cet endroit pour louer un box.

— Que voulez-vous dire ?

— Il y a un garde-meuble CubeSmart un peu plus loin dans la rue. Avec des caméras de surveillance, un accès facile et tout. Mais Tom Douglass n'est pas allé chez eux.

— Parce qu'il est de la vieille école.

— Peut-être, répondit Maya. Ou bien il ne voulait pas qu'on découvre sa cachette. Réfléchissez. Vous avez eu accès à ses relevés bancaires. S'il avait payé par chèque ou par carte dans un garde-meuble normal, on en aurait trouvé une trace. Et c'est quelque chose qu'il voulait éviter.

Le bureau du carrossier était peint en jaune canari. Les deux portes de garage étaient fermées. Même à distance, on apercevait les cadenas. L'herbe n'avait pas été tondue depuis un moment. Des pièces de voiture rouillées jonchaient le sol. Maya et Corey contournèrent le bâtiment. Une casse automobile apparut devant eux. Maya repéra une vieille et jadis blanche Oldsmobile Cutlass Ciera des années quatre-vingt-dix ; son père avait eu la même, et en un éclair elle revit la scène : son père tournant le coin, et elles qui attendaient toutes les trois. Papa avait klaxonné, un sourire aux lèvres. Maman était montée à l'avant ; Claire et Maya avaient grimpé sur la banquette arrière. Cette voiture ne payait pas de mine, mais papa l'avait aimée, et en regardant cette Oldsmobile, Maya se demanda si c'était bien le modèle qui l'avait rendu si heureux ce jour-là. Comme toutes ces autres épaves qui jadis avaient quitté la concession flambant neuves, nimbées d'excitation, de rêves et d'espoirs, et qui finissaient maintenant de rouiller dans un cimetière pour voitures derrière un atelier de carrosserie.

— Ça va ? chuchota Corey.

Elle le précéda sans mot dire et alluma sa lampe de poche. La casse devait occuper près d'un hectare de terrain. Au fond à droite, à moitié cachés par une vieille fourgonnette, il y avait deux abris de jardin, comme ceux qui servent à ranger pelles et râteaux, ainsi que toutes sortes d'outils.

Maya braqua la lumière dans cette direction. Corey plissa les yeux et hocha la tête. Ils avancèrent en silence, enjambant portières, pièces de moteur et autres enjoliveurs qui parsemaient le chemin.

Les abris de jardin étaient petits, moins de deux mètres de large. Fabriqués en résine ou dans une variété de plastique résistant, ils devaient être vendus en kit à assembler soi-même en moins d'une heure. Les deux portes étaient cadenassées.

À une dizaine de mètres de distance, Maya et Corey sentirent l'odeur et se figèrent comme un seul homme.

Horrifié, Corey regarda Maya. Elle se borna à acquiescer.

— Oh non, gémit-il.

Il était prêt à faire demi-tour et à prendre ses jambes à son cou.

— Arrêtez, dit Maya.

Corey s'immobilisa.

— Ce sera pire si on s'enfuit.

— Nous ne savons même pas d'où provient cette odeur. C'est peut-être un animal.

— Peut-être.

— Alors partons. Tout de suite.

— Vous n'avez qu'à y aller, Corey.

— Hein ?

— Moi, je reste. J'irai ouvrir. Je peux gérer ça. Pas vous. Je comprends. Vous êtes déjà recherché. Allez-y. Je ne dirai à personne que vous étiez là.

— Que comptez-vous leur raconter ?

— Ne vous inquiétez pas pour ça. Partez.

— Je veux savoir ce que vous allez découvrir.

Maya en avait assez de tergiverser.

— Dans ce cas, restez encore une minute.

La pince coupa le cadenas comme un couteau entre dans du beurre mou. La porte s'ouvrit, et un bras humain en jaillit.

— Mon Dieu, balbutia Corey.

L'odeur le fit reculer. Il eut un haut-le-cœur. Maya ne bougea pas.

Le reste du corps apparut. La décomposition était déjà bien avancée, mais, d'après les photos qu'elle avait vues, plus la taille et les cheveux gris, ce ne pouvait être que le cadavre de Tom Douglass. Elle s'avança vers lui.

— Qu'est-ce que vous faites ?

Elle ne prit pas la peine de répondre. Ce n'était pas qu'à force d'en voir la vue d'un cadavre ne la dérangeait plus. C'était juste qu'elle n'était plus choquée. Elle jeta un œil dans la cabane. Elle était vide.

Corey fut repris de nausées.

— Allez-vous-en, dit-elle.

— Quoi ?

— Si vous vomissez ici, la police le découvrira. Alors filez. Maintenant. Retournez sur l'autoroute, trouvez un snack. Appelez Loulou ou qui vous voudrez pour qu'on vienne vous chercher.

— Ça me gêne de vous laisser seule ici.

— Je ne suis pas en danger. Vous, si.

Il regarda à droite. À gauche.

— Vous en êtes sûre ?

— Partez.

Elle s'approcha de l'autre cabane, cisailla le cadenas, examina l'intérieur.

Vide également.

Lorsqu'elle se retourna, Corey était en train de rebrousser chemin en titubant. Maya attendit qu'il s'éloigne. Elle consulta sa montre. Essuya ses empreintes sur la pince et la cacha dans l'Oldsmobile. Même si on la retrouvait, ça ne prouverait rien. Elle laissa passer vingt minutes, pour plus de sécurité.

Puis elle composa le 911.

27

Maya s'en tint mordicus à sa version des faits :

— J'ai eu un tuyau pour aller là-bas. Quand je suis arrivée, le cadenas était brisé, et un bras dépassait à l'extérieur. J'ai ouvert la porte. Et là j'ai appelé le 911.

La police demanda de quel genre de « tuyau » il s'agissait. Elle répondit que c'était anonyme. Et en quoi cela pouvait la concerner ? Elle opta pour la vérité car, de toute façon, les policiers l'apprendraient par la veuve de Tom Douglass. Sa sœur Claire, qui avait été assassinée, s'était entretenue avec Tom Douglass peu avant sa mort, et Maya voulait savoir pourquoi.

Les questions fusaient dans tous les sens. Elle dit qu'elle devait s'arranger pour qu'on aille récupérer sa fille à la crèche. On la laissa faire. Elle téléphona donc à Eddie et lui expliqua brièvement la situation.

— Et toi, ça va ? demanda-t-il.

— Très bien.

— Ça doit être lié à l'assassinat de Claire, non ?

— Sans aucun doute.

— Je vais chercher Lily.

Maya contacta ensuite la crèche par Skype et, entourée de policiers, annonça que l'oncle de Lily, Eddie, viendrait la chercher aujourd'hui. Mlle Kitty ne donna pas tout de suite son accord. Elle soumit Maya à toutes sortes de formalités et réclama une confirmation téléphonique pour finaliser la procédure. Maya ne put que se féliciter de cet excès de prudence.

Quelques heures plus tard, elle en eut assez.

— Vous allez m'arrêter ou quoi ?

Le flic en charge, un inspecteur du comté d'Essex doté d'une impressionnante tignasse bouclée et de cils épais, hésita.

— Nous pourrions vous arrêter pour intrusion dans une propriété privée.

— Alors faites, rétorqua-t-elle en tendant les deux poignets. J'ai hâte de rentrer pour retrouver ma fille.

— Vous faites partie des suspects.

— Et de quoi me soupçonne-t-on ?

— À votre avis ? D'homicide volontaire.

— Pour quel motif ?

— Comment avez-vous atterri ici ?

— Je vous l'ai déjà dit.

— Vous avez été informée de la disparition de la victime par sa femme, exact ?

— Exact.

— Puis une source mystérieuse vous a orientée vers ce box.

— C'est ça.

— Qui est cette source mystérieuse ?

— C'était anonyme.

— Par téléphone ? s'enquit le Bouclé.

— Oui.

— Fixe ou mobile ?
— Fixe.
— Nous allons vérifier vos relevés téléphoniques.
— Faites donc. Mais là, il est tard.
Maya se leva de sa chaise.
— Alors si on en a fini pour ce soir…
— Minute !
Elle reconnut la voix et pesta tout bas.
L'inspecteur du NYPD Roger Kierce s'approcha de sa démarche d'homme des cavernes, les bras ballant le long de son corps massif.
— Vous êtes qui, vous ? demanda le Bouclé.
Kierce se présenta et lui montra sa plaque.
— Je suis chargé de l'enquête sur le meurtre par balles de Joe Burkett, le mari de Mme Stern. Vous avez établi la cause du décès ?
Le Bouclé coula un regard méfiant en direction de Maya.
— Ce serait peut-être préférable d'en parler seul à seul ?
— On dirait qu'il a eu la gorge tranchée, fit Maya.
Les deux hommes se tournèrent vers elle.
— Sérieusement, il faut que j'y aille. Je cherche juste à nous faire gagner du temps.
Kierce grimaça et regarda le Bouclé.
— Il a une plaie à la gorge causée selon toute vraisemblance par une lame de couteau, déclara ce dernier. Mais on n'en sait pas plus. Notre médecin légiste nous donnera ses conclusions demain dans la matinée.
Kierce tira une chaise vers Maya, la fit pivoter et s'assit à califourchon en prenant tout son temps. Elle l'observait en songeant à sa conversation avec

Caroline. Était-ce possible qu'il touche des pots-de-vin de la part des Burkett ? Elle en doutait, mais vrai ou faux, ce n'était pas le moment de soulever ce lièvre-là.

— Je pourrais téléphoner à mon avocat, dit-elle. Nous savons tous les deux que vous ne pouvez pas me placer en détention.

— Nous vous remercions de votre coopération, répondit Kierce sans une once de sincérité, mais avant que vous ne partiez… Voilà, je pense que nous avons pris le problème à l'envers.

Il attendait qu'elle morde à l'hameçon.

— Quel est ce problème, inspecteur, que *nous*…

Elle mit l'accent sur ce mot.

— … aurions pris à l'envers ?

Kierce posa les mains sur le dossier de la chaise.

— Votre chemin est jonché de cadavres, non ?

Les paroles d'Eddie : *La mort te colle aux basques, Maya…*

— Votre mari d'abord. Et maintenant ce détective privé.

Il lui sourit.

— Qu'essayez-vous de me dire, inspecteur Kierce ?

— On parle, c'est tout. D'abord, vous êtes avec votre mari dans le parc. Il se fait buter. Puis vous allez chercher Dieu sait quoi. Tom Douglass se fait buter. Et quel est le dénominateur commun à tout ça ?

— Laissez-moi deviner, répondit Maya. Moi ?

Kierce haussa les épaules.

— On ne peut pas s'empêcher de le constater.

— C'est vrai, on ne peut pas. Et qu'en déduisez-vous, inspecteur ? Que c'est moi qui les ai tués tous les deux ?

Nouveau haussement d'épaules.

— À vous de me le dire.

Maya leva les mains en signe de capitulation.

— On ne peut rien vous cacher. Oui, j'ai tué Tom Douglass il y a quelques semaines déjà, à en juger par l'état du corps. Puis j'ai fourré son cadavre dans ce box de stockage pourri sans qu'on se doute de quoi que ce soit, mais je suis quand même allée voir sa femme pour savoir où il était, et ensuite – allez, aidez-moi, Kierce – je suis revenue ici pour ressortir le cadavre et me faire accuser du meurtre. C'est bien ça ?

Il ne pipait pas.

— Eh oui, je vois très bien le rapport évident entre ça et mon mari. Je dois être assez bête pour traîner sur les scènes de crime, vu qu'il n'y a pas mieux pour échapper aux soupçons, hein ? Oh, et, dans le cas de Joe, j'ai même réussi – trop fort ! – à mettre la main sur l'arme qui avait servi à tuer ma sœur, alors que je me trouvais à l'étranger au moment de sa mort, pour la retourner contre lui. C'est ça ? Je n'ai rien oublié, inspecteur ?

Kierce continuait à se taire.

— Et tant qu'à prouver que j'ai commis deux… Oh, attendez, n'aurais-je pas aussi tué ma sœur ? Non, vous m'avez déjà dit que c'était impossible, vu que je me battais là-bas, en Irak… Mais pendant qu'on y est, si on jetait un œil sur vos relations avec la famille Burkett ?

Cette dernière phrase éveilla l'attention de Kierce.

— De quoi parlez-vous ?

— Aucune importance.

Se levant, Maya se dirigea vers la sortie.

— Libre à vous autres de perdre votre temps. Moi, je vais chercher ma fille.

Ils avaient confisqué sa voiture.

— Vous avez un mandat ? demanda Maya.

Le Bouclé le lui tendit.

— Ça a été rapide.

Il haussa les épaules.

— Je vous dépose, offrit Kierce.

— Non, merci.

Elle commanda un taxi qui arriva au bout de dix minutes. Une fois chez elle, elle prit l'autre voiture – la voiture de Joe – et se rendit chez Claire et Eddie.

Eddie l'accueillit sur le pas de la porte.

— Alors ?

Maya lui raconta sa soirée tout en restant sur le perron. Derrière lui, elle aperçut Alexa en train de jouer avec Lily. Elle pensa à Alexa et Daniel. Des gamins formidables. Maya raisonnait en termes de cause et d'effet. Pour avoir des enfants formidables, il fallait être des parents formidables. Tout le mérite revenait-il à Claire et à elle seule ? À qui, au final, confierait-elle l'éducation de sa fille ?

— Eddie ?

— Oui ?

— Je ne t'ai pas tout dit.

Il la regarda.

— Claire est allée à Philadelphie parce que c'est là-bas qu'Andrew Burkett a fait ses études.

Elle lui fit part également de ce qu'elle avait appris à Franklin-Biddle. Elle hésita à aller plus loin, à lui parler de la vidéo avec Joe, mais elle ne voyait pas dans l'immédiat ce que cela pourrait apporter de plus.

— Donc, dit Eddie lorsqu'elle eut terminé, nous avons trois meurtres.

Il faisait allusion à Claire, Joe et au nouvellement découvert Tom Douglass.

— Et le seul point commun, pour autant que je sache, est Andrew Burkett.

— Oui, fit Maya.

— Ça saute aux yeux, non ? Il est arrivé quelque chose sur ce bateau. Quelque chose de si grave que, même toutes ces années après, certaines personnes le paient de leur vie.

Maya hocha la tête.

— Qui y avait-il d'autre à bord ? questionna Eddie. Qui était là ce fameux soir ?

Elle pensa au mail qu'elle avait envoyé à Christopher Swain. Jusque-là, elle n'avait pas eu de réponse.

— Juste de la famille et quelques amis.

— Qui parmi les Burkett ?

— Andrew, Joe et Caroline.

Il se frotta le menton.

— Deux d'entre eux sont morts. Reste…

— Caroline était encore petite. Qu'aurait-elle pu faire ?

Maya jeta un œil par-dessus l'épaule d'Eddie. Lily avait l'air de dormir à moitié.

— Il se fait tard, Eddie.

— Oui, OK.

— Il faut que je remplisse une autorisation pour que tu puisses venir chercher Lily à la crèche. Sans cela, ils ne la laisseront pas partir.

— Oui, cette jeune fille, Kitty, me l'a dit. On doit y aller ensemble, avec une photo d'identité et tout.

— On peut le faire demain, si tu es dispo.

Eddie regarda Lily qui jouait languissamment à une sorte de jeu de mains avec Alexa.

— Ça marche.

— Merci, Eddie.

Tous trois – Eddie, Alexa et maintenant Daniel – raccompagnèrent Maya et Lily à la voiture. La fillette essaya de protester, mais elle était trop fatiguée pour faire un caprice digne de ce nom. Ses yeux se fermèrent à l'instant même où Maya la boucla dans son siège auto.

Sur le chemin du retour, Maya s'efforça de chasser l'image de tous ces morts, mais c'était plus facile à dire qu'à faire. Eddie avait raison. Les événements actuels étaient directement liés à cette nuit sur le yacht dix-sept ans plus tôt.

On dit qu'on n'enterre pas le passé. En d'autres termes, un drame, après qu'il a eu lieu, continue à ricocher et à faire des vagues. Un peu comme celui qu'elle avait vécu dans son hélicoptère. Aujourd'hui encore, il ricochait et faisait des vagues, ne serait-ce que dans sa tête.

Revenons en arrière. Quel était le drame à l'origine de tout cela ?

D'aucuns diraient la soirée sur le yacht, mais ce n'est pas celui-ci qui avait tout déclenché.

Alors quoi ?

Remontons dans le temps, le plus loin possible. C'est là que se trouve généralement la solution. Et, en l'occurrence, Maya la situait à l'école privée Franklin-Biddle, au moment de la mort de Theo Mora.

À leur retour, la maison lui parut étonnamment vide. D'ordinaire, elle recherchait la solitude, mais pas ce soir-là. Elle baigna et changea une Lily qui continuait à dormir debout. Maya espérait secrètement qu'elle finirait par se réveiller pour qu'elles passent un petit moment ensemble, mais Lily refusait d'ouvrir les yeux. Maya l'emporta dans son lit et la borda.

— Tu veux que je te lise une histoire, mon cœur ?

Sa voix se fit presque suppliante ; Lily ne réagit pas.

Debout au pied de son lit, Maya la regarda dormir. L'espace de quelques instants, elle se sentit merveilleusement normale. Elle n'avait pas envie de bouger. Pour mieux veiller sur sa fille ou parce qu'elle avait peur de se retrouver seule, elle n'aurait su le dire. Et d'ailleurs, quelle importance ? Elle prit une chaise et s'assit à côté de la commode près de la porte. Longtemps, elle se contenta de fixer Lily du regard. Les émotions montaient en elle, puis refluaient comme des vagues sur la grève. Maya se laissait traverser par elles sans juger, en essayant d'intervenir le moins possible.

Elle se sentait étrangement en paix.

Inutile de vouloir aller se coucher. Car les bruits reviendraient aussitôt, elle en était certaine. Il était bien plus paisible et reposant de rester là à contempler Lily que d'embarquer sur le carrousel infernal qui tournait dans sa tête.

Une heure avait passé. Ou peut-être deux. Maya répugnait à quitter la chambre, mais elle avait besoin d'un bloc-notes et d'un stylo. Elle sortit et revint à la hâte, comme craignant de perdre Lily de vue ne serait-ce que quelques minutes. Puis elle se rassit au même endroit et se mit à écrire. Drôle de sensation que de tenir un stylo entre ses doigts. Plus personne n'écrivait à la main aujourd'hui. On tapait ses missives sur un clavier d'ordinateur et on les expédiait en un clic.

Mais pas ce soir-là. Pas pour ce qu'elle avait à exprimer.

Elle était en train de finir ses lettres quand son portable vibra. Maya jeta un œil sur l'écran et s'empressa de répondre.

— Caroline ?

À l'autre bout, la voix n'était qu'un murmure.

— Je l'ai vu, Maya.

Maya sentit son sang se glacer.

— Il est revenu. Je ne sais pas comment. Il dit que vous vous reverrez bientôt.

— Caroline, où es-tu ?

— Je ne peux pas te le dire. Ne parle à personne de mon coup de fil. S'il te plaît.

— Caroline…

Mais elle avait déjà raccroché. Maya rappela le numéro et tomba sur la messagerie vocale. Elle ne laissa pas de message.

Respire profondément. Inspire, expire. Serre, desserre…

Elle n'allait pas paniquer. Ça ne servirait à rien. Calée sur sa chaise, elle s'efforça d'analyser objectivement cet étrange appel et, peut-être pour la première fois depuis des lustres, elle sentit que le brouillard commençait à se lever.

Mais l'éclaircie fut de courte durée.

Au petit matin, elle entendit une voiture s'engager dans son allée.

La voix de Caroline résonna à ses oreilles : *Il dit que vous vous reverrez bientôt.*

Maya se précipita vers la fenêtre, s'attendant à voir… Quoi, au juste ?

Deux véhicules se garèrent dans l'allée. Roger Kierce émergea de sa voiture de police banalisée. Le Bouclé descendit de sa voiture de patrouille du comté d'Essex.

Maya s'écarta de la fenêtre. Après un dernier coup d'œil sur sa fille, elle descendit l'escalier. Elle ne voulait pas céder à la fatigue. Le dénouement était proche. À quel point, elle l'ignorait encore, mais cela se précisait.

Elle ouvrit la porte pour éviter qu'ils ne sonnent et ne réveillent Lily.

— Que se passe-t-il ? demanda-t-elle sans dissimuler son agacement.

— Nous avons trouvé quelque chose, répondit Kierce.

— Quoi ?

— Vous allez devoir nous accompagner.

28

Mlle Kitty garda son sourire éclatant, même si elle avait vu la voiture de police banalisée. Et, avant que Maya n'ait ouvert la bouche, elle l'arrêta d'un geste.

— Pas besoin d'explication.

— Merci.

En habituée des lieux, Lily alla tout droit vers Mlle Kitty. Cette dernière ouvrit la porte de la salle jaune soleil, et Lily s'y engouffra, accueillie par des cris de joie, sans un regard en arrière.

— C'est une enfant délicieuse, dit Mlle Kitty.

— Merci.

Maya laissa sa voiture sur le parking de la crèche et monta à côté de Kierce. Il tenta d'engager la conversation durant le trajet, mais elle ne voulut rien entendre. Ils roulèrent jusqu'à Newark en silence. Une demi-heure plus tard, elle se retrouva coincée dans une salle d'interrogatoire comme on en trouve dans tous les postes de police. Une caméra sur trépied trônait sur la table. Le Bouclé s'assura qu'elle était bien en face de Maya avant de l'allumer. Il lui demanda si elle acceptait de répondre à leurs questions. Elle dit que oui. Il la pria de signer une feuille à cet effet. Ce qu'elle fit.

Kierce posa ses grosses mains velues sur la table et lui sourit, l'air de dire : « Détendez-vous, tout va bien. » Maya ne broncha pas.

— Reprenons depuis le début, vous voulez bien ?

— Non.

— Je vous demande pardon ?

— Vous m'avez dit que vous aviez du nouveau, répondit Maya.

— Exact.

— Alors pourquoi ne pas commencer par là ?

— Un peu de patience, OK ?

Elle se tut.

— Quand votre mari a été tué, vous avez identifié les deux hommes qui vous avaient soi-disant agressés pour vous voler.

— Soi-disant ?

— C'est une façon de parler, madame Burkett. Je peux vous appeler madame Burkett ?

— Oui. Quelle est votre question ?

— Nous avons trouvé deux hommes qui correspondent à ce signalement. Emilio Rodrigo et Fred Katen. Nous vous avons demandé de les identifier, ce que vous avez fait dans la mesure de vos moyens. Mais, d'après votre témoignage, ils portaient des cagoules. Nous n'avons donc pas pu les mettre en détention, même si Rodrigo est poursuivi pour possession d'armes.

— OK.

— Avant le meurtre, connaissiez-vous Rodrigo ou Katen, l'un des deux ?

Houlà ! Où voulait-il en venir ?

— Non.

— Vous ne les avez jamais rencontrés auparavant ?

Maya regarda le Bouclé. Son visage était de marbre. Elle se tourna à nouveau vers Kierce.

— Jamais.

— Vous en êtes sûre ?

— Oui.

— Parce qu'il se peut que ce ne soit pas un vol avec violence, madame Burkett. Il se pourrait que vous les ayez engagés pour assassiner votre mari.

Le regard de Maya alla du Bouclé à Kierce.

— Vous savez bien, inspecteur, que ce n'est pas vrai.

— Ah bon ? Et qu'est-ce qui vous permet d'être aussi affirmative ?

— Deux choses. Primo, si j'avais engagé Katen et Rodrigo, je ne les aurais pas dénoncés à la police, ne croyez-vous pas ?

— Peut-être que vous avez voulu les doubler.

— Un peu risqué de ma part, non ? Si je comprends bien, la seule charge que vous ayez contre ces hommes-là est ma déposition. Si je n'avais rien dit, vous seriez passé à côté d'eux. Alors pourquoi les identifier ? J'avais plutôt tout intérêt à fermer mon clapet.

Kierce n'avait rien à répondre à cela.

— Deuzio, si pour quelque raison inexplicable, poursuivit-elle, j'avais fait appel à leurs services, pourquoi leur avoir fait porter des cagoules ? N'était-ce pas mieux de pouvoir les identifier avec certitude pour vous permettre de les interpeller ?

Kierce ouvrit la bouche, mais, à l'instar de Mlle Kitty, Maya l'arrêta d'un geste.

— Et avant que vous ne me donniez une excuse bidon, nous savons tous les deux que ce n'est pas pour ça que je suis ici. Et avant que vous ne me demandiez comment je le sais, nous sommes à Newark, pas à New York. Autrement dit dans la juridiction du Bouclé… désolée, je ne me souviens pas de votre nom.

— Enquêteur du comté d'Essex Demetrios Mavrogenis.

— Parfait, ça ne vous dérange pas que je m'en tienne au Bouclé ? Bon, on a perdu assez de temps comme ça. S'il s'agissait du meurtre de Joe, nous serions chez vous, au commissariat de Central Park, inspecteur Kierce. Au lieu de quoi, nous voici à Newark, dans le comté d'Essex, juridiction de Livingston, New Jersey, où l'on a localisé hier soir le cadavre de Tom Douglass.

— Pas localisé, rectifia Kierce, cherchant à reprendre la main, mais trouvé. Grâce à vous.

— Ça, ce n'est pas nouveau.

Elle s'interrompit.

— Non, dit Kierce finalement. En effet.

— Super. Et je ne suis pas en état d'arrestation, n'est-ce pas ?

— Non.

— Alors cessez votre petit jeu, inspecteur. Dites-moi ce que vous avez découvert et qui explique ma présence ici ce matin.

Kierce regarda le Bouclé qui hocha la tête.

— Vous avez un écran sur votre droite.

Un téléviseur à écran plat était fixé au mur. Le Bouclé prit une télécommande, et une vidéo apparut. Filmée par une caméra de surveillance dans une station-service. On apercevait une pompe à essence et, à l'arrière-plan, la rue et un feu tricolore. Maya n'aurait su dire où était située cette station-service, mais elle se doutait déjà de ce qui allait suivre. Elle risqua un coup d'œil en direction de Kierce. Il semblait guetter sa réaction.

— Stop, fit le Bouclé, c'est juste là.

Il appuya sur pause, zooma, et Maya vit sa voiture arrêtée au feu rouge. La caméra était braquée sur l'arrière de la voiture.

— On ne distingue que les deux premières lettres, mais elles correspondent à votre plaque d'immatriculation. Est-ce votre voiture, madame Burkett ?

Elle aurait pu objecter qu'il y avait d'autres BMW avec une plaque commençant par ces mêmes lettres, mais à quoi bon ?

— On dirait bien que oui.

Kierce fit signe au Bouclé qui actionna la télécommande. La caméra se déplaça vers la vitre côté passager. Les deux policiers se tournèrent vers Maya.

— Qui est cet homme sur le siège passager ? demanda Kierce.

À cause du reflet sur la vitre, on n'entrevoyait qu'une casquette de base-ball et une ombre qui était indiscutablement un être humain.

Maya ne répondit pas.

— Madame Burkett ?

Elle garda le silence.

— Vous nous avez dit hier soir que vous étiez seule quand vous aviez découvert le corps de M. Douglass, c'est bien ça ?

Maya regarda l'écran.

— Je ne vois rien ici qui prouve le contraire.

— À l'évidence, vous n'êtes pas seule.

— Et à l'évidence, je ne suis pas chez le carrossier où le corps a été découvert.

— Vous êtes en train de nous dire que cet homme…

— C'est un homme, vous en êtes sûr ?

— Pardon ?

— Je vois une ombre et une casquette de base-ball. Les femmes aussi portent des casquettes de base-ball.

— Qui est-ce, madame Burkett ?

Mais elle ne leur parlerait pas de Corey Rudzinski. Elle les avait suivis jusque-là pour savoir ce qu'ils avaient trouvé. À présent, elle savait.

— Suis-je en état d'arrestation ? s'enquit-elle à nouveau.

— Non.

— Alors je pense que je vais vous laisser.

Kierce eut un grand sourire. Un sourire qui lui déplut.

— Maya ?

Finie, madame Burkett ?

— Ce n'est pas pour ça qu'on vous a amenée ici.

Maya resta vissée sur sa chaise.

— Nous avons interrogé la veuve de Tom Douglass. Elle nous a parlé de votre visite.

— Ce n'est pas un secret. Je vous l'ai dit hier soir.

— Tout à fait. D'après Mme Douglass, vous êtes venue la voir parce que votre sœur, Claire, aurait contacté son mari. Est-ce exact ?

Elle n'avait aucune raison de le nier.

— Ça aussi, je vous l'ai déjà dit.

Kierce pencha la tête de côté.

— Et comment avez-vous su que votre sœur était entrée en relation avec Tom Douglass ?

Elle n'avait pas l'intention de répondre à cette question. Kierce semblait s'y attendre.

— Encore un tuyau anonyme fourni par votre source mystère ?

Maya se taisait.

— Donc, si j'ai bien compris, une source mystère vous a informée que Claire avait contacté Tom Douglass. Puis une source mystère vous a orientée vers le box de stockage de Douglass. Dites-moi, Maya, avez-vous vérifié l'une ou l'autre de ces informations par vous-même ?

— Comment ça ?

— Aviez-vous une preuve que votre source mystère disait la vérité ?

Elle esquissa une moue.

— Eh bien, je sais que Claire était allée voir Tom Douglass.

— Ah oui ?

Maya sentit un picotement à la base de sa nuque.

— Tom Douglass se trouvait effectivement dans ce box – le tuyau était en béton –, mais votre source mystère vous a laissée vous débrouiller toute seule avec la police

Se levant, Kierce s'approcha de l'écran du téléviseur.

— Je présume, fit-il en désignant l'ombre coiffée de la casquette de base-ball, que c'est lui, votre source mystère ?

Maya ne dit rien.

— J'imagine que cet homme – disons, histoire de causer, que c'est un homme ; je crois apercevoir une barbe – est celui qui vous a guidée jusqu'au box ?

Maya joignit les mains et les posa sur la table.

— Admettons, et après ?
— Il était manifestement avec vous dans la voiture.
— Oui, et alors ?
— Alors…
Kierce revint et, les deux poings sur la table, se pencha vers elle.
— … nous avons trouvé du sang dans le coffre de votre voiture, madame Burkett.
Maya se figea.
— Groupe AB positif. Le groupe sanguin de Tom Douglass. Pourriez-vous nous expliquer comment il est arrivé là ?

29

Ils avaient le groupe sanguin, mais les analyses ADN pour déterminer si le sang dans le coffre de sa voiture était bien celui de Tom Douglass étaient toujours en cours. Pour l'instant, ils n'avaient rien contre Maya.

Mais l'étau se resserrait. Elle n'avait plus beaucoup de temps devant elle.

Kierce proposa de la raccompagner chez elle, et cette fois elle accepta. Les dix premières minutes, personne ne parla. Finalement, Kierce rompit le silence :

— Maya ?

Elle regardait le paysage défiler derrière la vitre en songeant à Corey Rudzinski, l'homme par qui tout avait commencé. Corey avait posté la vidéo de l'attaque de l'hélico à partir de laquelle toute sa vie était partie en vrille. Elle pouvait remonter plus loin encore, à sa propre conduite durant cette mission, à sa décision d'entrer dans l'armée, mais l'origine de tout, la cause directe de la mort de Claire et de Joe, c'était la divulgation de cette fichue vidéo.

Corey la Vigie l'avait-il roulée dans la farine ?

Dans son empressement à gagner sa confiance, Maya avait oublié qu'il n'était pas très raisonnable de se fier à quelqu'un qui avait tant fait pour vous détruire. Elle repensa à ce qu'il lui avait dit. Que Claire l'avait contacté par l'intermédiaire de son site Web. Et Maya l'avait cru. Mais était-ce vrai ? En un sens, il était logique que Claire cherche à joindre Corey pour l'empêcher de dévoiler la bande audio. Mais il était tout aussi logique, voire plus, que Corey cherche à joindre Claire pour la manipuler ou carrément la faire chanter afin d'obtenir des informations sur les Burkett et leur labo pharmaceutique.

Avait-il également manipulé Maya ?

Allant jusqu'à lui faire porter le chapeau pour le meurtre de Tom Douglass ?

— Maya ? répéta Kierce.

— Quoi ?

— Vous m'avez menti depuis le premier jour.

Assez, se dit-elle. C'était le moment ou jamais de lui rendre la monnaie de sa pièce.

— D'après Caroline Burkett, vous avez touché des pots-de-vin de la part de sa famille.

Elle crut le voir sourire.

— C'est un mensonge.

— Vraiment ?

— J'ignore simplement si Caroline Burkett vous a menti…

Il lui décocha un regard avant de reporter son attention sur la route.

— … ou si c'est vous qui mentez pour noyer le poisson.

— La confiance règne, dans cette voiture.

— C'est clair, acquiesça-t-il. Mais votre temps est compté, Maya. On a beau essayer d'étouffer un mensonge, il trouve toujours le moyen de refaire surface.

Elle hocha la tête.

— Voilà qui est finement observé, Kierce.

— N'est-ce pas ? s'esclaffa-t-il. Oui, j'avoue que là j'ai fait fort.

Ils s'arrêtèrent dans son allée. Maya posa la main sur la poignée, mais la portière était verrouillée. Elle regarda Kierce.

— J'irai jusqu'au bout de l'enquête, déclara-t-il. J'espère juste qu'elle ne me conduira pas à vous. Et si c'est le cas…

Elle attendit le déclic de déverrouillage et descendit sans un au revoir ni un merci. Une fois chez elle, Maya s'assura que les portes étaient bien fermées à clé avant de s'engager dans la cage d'escalier.

Le sous-sol avait commencé sa carrière comme un antre masculin haut de gamme : trois écrans plats, bar en chêne massif, seau à glace, table de billard, deux flippers… puis Joe avait entrepris de le convertir en salle de jeux pour Lily. Les panneaux en bois foncé avaient été déposés et les murs peints en blanc. Joe avait déniché des stickers grandeur nature de personnages comme Madeline ou Winnie l'Ourson et les avait collés un peu partout. Le bar en chêne était toujours là, mais il avait promis de l'enlever. Maya, ça lui était égal que le bar reste là ou pas. Au fond de la pièce se dressait une maisonnette pour enfant que Joe avait achetée chez Toys "R" Us sur la route 17. Elle avait des allures de château fort (côté masculin, avait décrété Joe) avec une kitchenette (côté féminin, avait-il failli proclamer, mais l'instinct de survie avait pris le dessus), une vraie sonnette et une fenêtre avec des volets.

Maya s'approcha de l'armoire où elle rangeait ses armes. Se baissant, elle inspecta les marches du sous-sol, même si elle se savait seule, puis elle posa son pouce sur la vitre. La sécurité était conçue pour trente-deux empreintes différentes, mais elle n'avait entré que les siennes et celles de Joe. Elle avait hésité à ajouter l'empreinte de Shane, juste au cas où, mais jusque-là elle n'en avait pas eu l'occasion.

Deux déclics… signe que son empreinte digitale avait été reconnue, et que l'armoire était déverrouillée. Maya tourna le bouton et ouvrit la porte métallique.

Elle prit le Glock 26, puis – pour sa tranquillité d'esprit – vérifia que toutes les autres armes étaient bien en place. Autrement dit, que personne n'était venu et n'avait ouvert l'armoire pour se servir.

Non, elle ne croyait pas que Joe était en vie, mais, à ce stade, il fallait être bouchée à l'émeri pour éliminer totalement cette hypothèse.

Maya sortit toutes les armes une à une et, bien qu'elle l'ait fait récemment, les démonta et les nettoya avec soin. C'était un tic chez elle. Chaque fois qu'elle touchait une arme, elle l'inspectait et la nettoyait. Cette maniaquerie lui avait probablement sauvé la vie.

Ou l'avait détruite.

Elle ferma les yeux un instant. Les interrogations fusaient, s'entrecroisaient dans sa tête. Où situer l'origine de tout cela : sur le campus de Franklin-Biddle ou sur le yacht ? Les choses auraient-elles pu en rester là, ou était-ce sa mission de combat au-dessus d'Al-Qa'im qui avait ranimé les blessures du passé ? La faute en incombait-elle à Corey ? À Claire ? Parce qu'il avait posté cette vidéo ? Parce qu'elle était allée voir Tom Douglass ?

Ou était-ce d'avoir ouvert cette fichue armoire ?

Maya ne savait plus. Et, au fond, cela n'avait pas grande importance.

Les armes rangées là, les armes qu'elle avait montrées à Roger Kierce, étaient légalement enregistrées dans le New Jersey. Chacune à sa place, chacune répertoriée dans le registre. Maya tâtonna dans le fond, trouva l'endroit et appuya.

Un compartiment secret.

Elle ne put s'empêcher de songer à la malle de mamie, à l'idée de la fausse paroi et du compartiment secret née il y avait plusieurs générations à Kiev et perpétuée comme une tradition familiale par Maya dans sa propre maison.

Elle gardait deux armes dans cette cache, toutes deux achetées hors des frontières de l'État et dont rien ne permettait d'identifier le propriétaire. En soi, ce n'était pas contraire à la loi. Elles étaient là toutes les deux, mais que croyait-elle ? Que le spectre de Joe était venu en voler une ? Sauf que les fantômes n'ont pas d'empreintes digitales. Alors, même s'il l'avait voulu, le spectre de Joe n'aurait pas pu ouvrir l'armoire.

Eh bien, elle était en forme aujourd'hui.

Son mobile bourdonna, la faisant sursauter. Le numéro lui était inconnu. Elle répondit :

— Allô ?

— Maya Burkett ?

C'était une voix d'homme, bien modulée comme chez un animateur de radio, mais dont le frémissement n'échappa pas à Maya.

— Elle-même. Et vous êtes ?

— Christopher Swain. Vous m'avez envoyé un mail. Le cocapitaine de l'équipe de foot de Joe.

— Oui, merci de me rappeler.

Il y eut un silence. Elle crut même qu'il avait raccroché.

— J'aurais voulu vous poser quelques questions, dit-elle.

— Au sujet de ?

— De mon mari. Et de son frère Andrew.

Nouveau silence.

— Monsieur Swain ?

— Joe est mort, n'est-ce pas ?

— Oui.

— Qui d'autre sait que vous m'avez contacté ?

— Personne.

— Est-ce la vérité ?

Maya sentit sa main se crisper sur le téléphone.

— Oui.

— OK, je veux bien vous parler. Mais pas au téléphone.

— Dites-moi où je peux vous voir.

Il lui donna une adresse dans le Connecticut.

— Je peux y être dans deux heures, fit-elle.

— Ne dites à personne que vous venez. Si jamais vous êtes accompagnée, ils ne vous laisseront pas entrer.

Et Swain raccrocha.

« Ils » ?

Maya s'assura que le Glock était chargé et referma l'armoire. Elle fixa un holster de ceinture autour de sa taille, bien pratique surtout avec un jean en stretch et un blazer foncé. Il y avait quelque chose de primitif et de réconfortant dans le poids d'une arme. De dangereux également. Car on avait tendance à pécher par excès de confiance. On se fourrait dans des situations impossibles, persuadé qu'on s'en sortirait toujours. On faisait preuve d'un peu trop d'arrogance, on se sentait un peu trop invincible, un peu trop hardi, on était un peu trop macho.

Le port d'une arme vous offrait des options. Et ce n'était pas une bonne chose.

Maya jeta le cadre numérique avec la caméra dans le coffre de sa voiture. Elle n'en voulait plus à l'intérieur de la maison.

Elle entra l'adresse indiquée par Christopher Swain dans son application Mappy, qui l'informa que, compte tenu des conditions de circulation, son trajet prendrait une heure et trente-six minutes. Puis elle mit la playlist de Joe à plein volume. Encore une fois, allez savoir pourquoi. La première chanson, « Open » de Rhye, attaqua bille en tête : « Je suis fou de tes cuisses qui tremblent », mais, quelques lignes plus loin, on sentait le fossé grandir entre les amants : « Je sais que tu es stone, mmm, mais reste, ne ferme pas les yeux. »

Maya chanta à haute voix, tambourinant sur le volant. Dans la vraie vie, dans l'hélicoptère, au Moyen-Orient, à la maison, partout, elle gardait ça pour elle. Mais pas ici. Pas toute seule dans cette fichue bagnole. Seule dans une fichue bagnole, Maya montait le son et hurlait les paroles.

Que ça plaise ou non !

La dernière chanson, tandis qu'elle pénétrait dans la ville de Darien, fut un morceau de Cocoon, d'une beauté éthérée, curieusement intitulé « Sushi ». Là encore, le premier couplet lui fit l'effet d'une gifle : « Le matin j'irai au cimetière pour être sûre que tu ne reviendras pas… »

Du coup, ça la calma.

Il y a des jours où chaque chanson semble s'adresser directement à vous, non ?

Et il y a des jours où les paroles d'une chanson vous touchent d'un peu trop près.

Elle s'engagea dans une rue paisible, étroite, bordée d'arbres de part et d'autre. La carte sur son smartphone indiquait que l'adresse était située au fond d'une impasse. Auquel cas, la résidence était à l'écart, bien cachée. Il y avait une guérite à l'entrée. La barrière était baissée. Maya s'arrêta, et un garde s'approcha d'elle.

— Vous désirez ?

— Je viens voir Christopher Swain.

Il disparut dans sa guérite pour téléphoner. Puis, lorsqu'il revint :

— Continuez jusqu'au parking des visiteurs. C'est sur la droite. On viendra vous chercher là-bas.

Parking des visiteurs ?

En remontant l'allée, elle se rendit compte que ce n'était pas une résidence privée. Alors qu'était-ce ? Il y avait des caméras de surveillance dans les arbres. Des bâtiments en pierre grise disséminés çà et là. L'ensemble, compte tenu de la situation, du paysage et de l'architecture, n'était pas sans rappeler l'école Franklin-Biddle.

Une dizaine de voitures se trouvaient sur le parking réservé aux visiteurs. Une fois que Maya se fut garée, un autre agent de sécurité arriva dans une voiturette de golf. Elle sortit rapidement son arme – à tous les coups, il devait y avoir un portique de sécurité ou un détecteur de métaux portable – et la glissa dans la boîte à gants.

L'agent de sécurité jeta un coup d'œil sur sa voiture et l'invita à monter à côté de lui.

— Puis-je voir vos papiers ?

Elle lui tendit son permis de conduire. Il prit une photo avec son téléphone et le lui rendit.

— M. Swain est à Brocklehurst Hall. Je vais vous y conduire.

En chemin, ils croisèrent toutes sortes de gens – entre vingt et trente ans, hommes et femmes, rien que des Blancs – agglutinés par petits groupes ou marchant rapidement deux par deux. La plupart, presque tous en fait, étaient en train de fumer. Ils portaient des jeans, des baskets, des sweat-shirts ou bien de gros pulls. Il y avait aussi une cour centrale comme sur un campus, sauf que la statue au milieu ressemblait à la Vierge Marie.

Maya formula tout haut la question qu'elle se posait depuis le début :

— Où sommes-nous ?

L'agent de sécurité désigna la statue de la Vierge.

— Jusqu'à la fin des années soixante-dix, c'était un couvent, croyez-le ou non.

Elle voulait bien le croire.

— Plein de bonnes sœurs.

— Pas possible, répondit Maya, s'efforçant de masquer l'ironie.

Que pouvait-il y avoir d'autre dans un couvent ?
— Et maintenant ?
Il fronça les sourcils.
— Vous ne le savez pas ?
— Non.
— Vous venez voir qui ?
— Christopher Swain.
— Ce n'est pas à moi de vous le dire.
— S'il vous plaît.
Elle prit une voix qui fit rentrer le ventre à son accompagnateur :
— Il faut bien que je sache où je suis.
Il soupira pour donner l'impression de se faire prier et répondit :
— C'est le centre de convalescence Solemani.
Convalescence. Un euphémisme pour désintoxication. Ceci expliquait cela. Quelle blague, les riches prenant possession de ce havre de paix qui jadis avait abrité des religieuses ayant fait vœu de pauvreté ! Mais bon, à y regarder de plus près, ça devait être une pauvreté toute relative.
N'empêche.
La voiturette s'arrêta devant un bâtiment qui ressemblait à un foyer d'étudiants.
— Nous y sommes. L'entrée est par là.
Elle fut accueillie par un troisième agent de sécurité qui, comme il fallait s'y attendre, la fit passer par un portique de détection de métaux. De l'autre côté, une femme souriante vint lui serrer la main.
— Bonjour, je suis Melissa Lee, facilitatrice au Solemani.
« Facilitatrice. » Encore un mot fourre-tout.

— Christopher m'a demandé de vous conduire au solarium. Venez, je vous accompagne.

Les talons de Melissa Lee claquèrent dans le couloir désert. Ce bruit mis à part, un silence recueilli régnait alentour. Sachant cela – forcément, puisqu'elle travaillait ici –, pourquoi avoir choisi des chaussures qui troublaient la paix ambiante ? Cela faisait-il partie de sa tenue de service ? Était-ce délibéré ? Pourquoi ne pas avoir opté plutôt pour une paire de baskets ?

Et pourquoi Maya se posait-elle toutes ces questions débiles ?

Christopher Swain se leva pour la saluer, nerveux comme un amoureux lors d'un premier rendez-vous. Il portait un élégant costume noir, une chemise blanche, une fine cravate noire. Sa pilosité faciale était de celles qui demandent beaucoup de soin et d'efforts pour paraître négligée. Il était coiffé comme un skateur, avec des mèches blondes. Bref, un beau garçon, mais apprêté. Les raisons de sa présence ici avaient creusé des rides sur son visage. Cela devait sûrement le chagriner. Il ne manquerait pas de les combler, à coups de Botox ou autre, mais Maya trouvait que ça donnait du caractère à son physique trop lisse.

— Vous désirez boire quelque chose ? s'enquit Melissa Lee.

Maya secoua la tête.

Melissa sourit brièvement et regarda Swain. Avec une sollicitude touchante, elle lui demanda :

— Vous ne voulez vraiment pas que je reste, Christopher ?

— Non.

Il s'exprimait d'un ton hésitant.

— Je crois que c'est un pas important pour moi.

— Je le crois aussi, acquiesça-t-elle.

— Nous aurons donc besoin de nous parler en tête à tête.

— Je comprends. Je ne serai pas loin, juste au cas où. Vous n'aurez qu'à m'appeler.

Elle gratifia Maya d'un autre sourire bref et sortit en refermant la porte.

— Waouh, fit Swain lorsqu'ils furent seuls. Vous êtes une vraie beauté.

Ne sachant que répondre, Maya garda le silence.

Il sourit et l'examina ouvertement de pied en cap.

— Vous êtes superbe et en même temps vous avez l'air inaccessible. Comme si vous étiez au-dessus de la mêlée. Je parie que Joe a craqué dès le premier regard, je me trompe ?

Ce n'était pas le moment de jouer la carte féministe ni les divas offensées. L'important était de le faire parler.

— C'est un peu ça, oui.

— Laissez-moi deviner. Il vous a sorti une phrase bateau, un truc drôle tirant sur l'autodérision et la vulnérabilité. J'ai raison, hein ?

— En effet.

— Il vous a fait tourner la tête.

— C'est ça.

— Sacré Joe. Le charisme qu'il avait quand il s'en donnait la peine…

Swain secoua la tête, et son sourire s'estompa.

— C'est donc vrai qu'il est mort, Joe ?

— Oui.

— Je n'étais pas au courant. Les nouvelles n'arrivent pas jusqu'ici. C'est le règlement. Pas de réseaux sociaux, pas d'Internet, pas de monde extérieur. On consulte nos mails une fois par jour. C'est comme ça que j'ai trouvé votre message. Et une fois que je l'ai vu… Bref, le médecin m'a autorisé à lire le journal. Je vous avoue que ça m'a fait un choc. Vous voulez vous asseoir ?

Le solarium devait être récent : il était censé se fondre dans l'architecture de l'ensemble, mais le résultat était mitigé. Il s'en dégageait comme un air de rajout. Le plafond était une verrière avec du faux vitrail. Il y avait des plantes vertes, certes, mais pas autant qu'on l'aurait imaginé. Deux fauteuils trônaient face à face au centre de la pièce. Maya en prit un, et Swain s'assit dans l'autre.

— Je n'arrive pas à croire qu'il est mort.

Cette remarque, elle l'avait entendue des dizaines de fois.

— Vous étiez là, n'est-ce pas ? Quand il a été tué ?

— Oui.

— D'après l'article du journal, vous en avez réchappé.

— Oui.

— Comment ?

— Je me suis enfuie.

Swain la considéra d'un air légèrement sceptique.

— Vous avez dû avoir très peur.

Elle ne répondit pas.

— Ils parlent d'un braquage qui a mal tourné.

— Oui.

— Mais nous savons tous les deux que ce n'est pas vrai, hein, Maya ?

Il se passa la main dans les cheveux.

— Vous ne seriez pas là, si c'était un simple braquage.

Son attitude commençait à la troubler.

— Pour le moment, dit-elle, je cherche juste à comprendre.

— C'est fou, j'ai toujours du mal à y croire.

Il souriait bizarrement.

— Croire à quoi ?

— Que Joe est mort. Pardon, je radote. C'est juste qu'il était… je ne sais pas s'il serait exact de dire « plein de vie ». C'est trop banal comme expression, non ? Disons que Joe était une force de la nature. Tellement puissant, tellement indomptable, comme un feu qui fait rage et qu'on ne peut pas éteindre. On avait presque l'impression – je sais que c'est idiot – qu'il était immortel…

Maya se trémoussa dans son fauteuil.

— Christopher ?

Il était en train de regarder dehors.

— Vous étiez sur le yacht la nuit où Andrew est tombé à l'eau.

Il ne bougea pas.

— Qu'est-il réellement arrivé à son frère Andrew ?

Swain déglutit avec effort. Une larme s'échappa de son œil et roula sur sa joue.

— Christopher ?

— Je ne l'ai pas vu, Maya. J'étais en bas.

Le ton de sa voix s'était refroidi.

— Mais vous savez quelque chose.

Une autre larme.

— S'il vous plaît, répondez-moi, dit-elle. Andrew a-t-il été victime d'un accident ?

La réponse de Christopher Swain fut comme une pierre tombant au fond d'un puits.

— Je ne sais pas. Mais je ne le pense pas.

— Alors que s'est-il passé ?

— Je pense…

Il inspira profondément et, prenant son courage à deux mains :

— Je pense que Joe l'a poussé par-dessus bord.

30

Swain s'agrippait aux accoudoirs de son fauteuil.

— Tout a commencé quand Theo Mora a débarqué à Franklin-Biddle. Ou alors c'est là que j'en ai pris conscience.

Ils avaient rapproché leurs fauteuils. Leurs genoux se touchaient presque. Comme s'ils avaient besoin de réconfort dans cette pièce où la température baissait à vue d'œil.

— Vous devez vous imaginer que c'est une histoire de riches qui ne veulent pas de pauvres dans leurs écoles élitistes. On voit ça d'ici, hein ? Nous autres gosses de riches, on s'est ligués contre Theo, on l'a harcelé et tout. Mais ce n'était pas ça.

— C'était quoi ? demanda Maya.

— Theo était quelqu'un de drôle et de sociable. Il n'a pas commis l'erreur de se mettre à l'écart ni de fayoter. Il s'est parfaitement intégré. On l'aimait bien. Au fond, il était comme nous. Les gens mettent souvent l'accent sur la différence de milieu social, mais, quand on est gamin – et c'est ce qu'on était, du moins je le croyais –, on a juste envie de faire partie d'une bande de copains.

Il s'essuya les yeux.

— Surtout que Theo était un footballeur hors pair. Pas juste bon. Exceptionnel. J'étais emballé. Nous avions une chance de gagner toutes les compétitions de l'année. Pas seulement entre écoles privées, mais les championnats scolaires à l'échelle de l'État. Theo était fort. Il pouvait marquer à n'importe quelle distance. Et c'était peut-être ça, le problème.

— Comment ça ?

— Moi, il ne me gênait pas. J'étais milieu de terrain. Son meilleur ami, Andrew, non plus… Andrew était gardien de but.

Swain s'interrompit et regarda Maya.

— Mais Joe était buteur aussi, dit-elle.

Il hocha la tête.

— Je ne dis pas qu'il se montrait ouvertement hostile vis-à-vis de Theo, mais… Joe et moi, on s'est connus au CP. On a grandi ensemble. On a été capitaines de l'équipe de foot. Et quand on côtoie quelqu'un de près, on le voit parfois tomber le masque. Il avait des accès de violence. En quatrième, il a envoyé un élève à l'hôpital d'un coup de batte de base-ball. Je ne me souviens même plus pourquoi ils s'étaient disputés. Je me souviens juste qu'on a été trois à le retenir pour qu'il lâche ce pauvre gamin. Il lui avait fêlé le crâne. L'année d'après, une fille qui lui plaisait, Marian Barford, devait aller à une soirée dansante avec Tom Mendiburu. Deux jours avant, il y a eu un incendie au labo des sciences, et Tom a failli y rester.

Maya ravala la bile qui lui montait à la gorge.

— Et personne ne l'a dénoncé ?
— Vous n'avez pas connu le père de Joe, hein ?
— Non.
— C'était un homme autoritaire. Le bruit courait qu'il avait des accointances avec la mafia. S'il fallait, il mettait la main au portefeuille. Des amis, disons moins recommandables, de la famille vous rendaient visite pour s'assurer de votre silence. Et puis, Joe se débrouillait bien. Il ne laissait pas beaucoup de traces. Nous avons déjà parlé de son charme. Il était capable de feindre la contrition comme personne. Il s'excusait. Il cajolait. Il était riche et puissant et savait parfaitement dissimuler ce côté sombre de sa personnalité. Je vous rappelle que je le connaissais depuis qu'on était enfants. Je ne l'ai pas souvent vu sous ce jour-là. Mais quand ça lui prenait…
Les larmes se remirent à couler.
— Vous vous demandez sans doute ce que je fais ici.
Maya ne s'était pas posé la question. S'il avait atterri là, c'était sûrement pour soigner une addiction quelconque. Elle voulait qu'il poursuive son récit, mais s'il avait besoin de cette digression, ce serait probablement une erreur de l'arrêter.
— Je suis ici à cause de Joe.
Elle réprima une grimace.
— Je sais, je sais, je suis censé assumer mes propres responsabilités. C'est ce qu'on dit toujours. Et oui, je suis passé d'une addiction à une autre. Alcool, médicaments, coke… j'avais l'embarras du choix. Pourtant, au lycée, on se moquait de moi parce que je ne buvais qu'une bière de temps à autre. Je n'en aimais pas le

goût. J'ai essayé l'herbe une fois en terminale. Ça m'a donné mal au cœur.

— Christopher ?

— Oui.

— Qu'est-il arrivé à Theo ?

— C'était censé être une blague. C'est ce que Joe nous a dit. Je ne sais pas si je l'ai cru, mais… j'étais trop faible. D'ailleurs, je le suis encore. Joe était le chef. Moi, je suivais. Tout comme Andrew. Et puis, où était le mal ? Dans les écoles comme Franklin-Biddle, le bizutage est une tradition bien ancrée. Alors ce soir-là, on a sauté sur Theo. Vous voyez ce que je veux dire ? On est montés dans sa chambre – Joe et moi, Andrew était déjà sur place –, on lui a sauté dessus et on l'a traîné jusqu'en bas.

Son regard se perdit au loin. Un drôle de sourire flottait sur ses lèvres.

— Vous savez quoi ? Theo a joué le jeu. Il avait pigé. Il était le bizut. Ça faisait partie des règles. Il était trop cool comme garçon. Je me souviens, il souriait même. On l'a emmené dans une pièce et on l'a poussé dans un fauteuil. Joe s'est mis à le ligoter avec du scotch. Nous, on l'a aidé. Tout le monde rigolait, Theo faisait semblant d'appeler à l'aide, vous voyez le tableau. Je me rappelle, je n'avais pas bien collé le scotch à un endroit. Joe est venu le resserrer. Puis, une fois Theo saucissonné, Joe a sorti un entonnoir et l'a enfoncé dans la bouche de Theo. Là, j'ai vu le regard de Theo changer. Comme s'il commençait à comprendre. Il y avait deux autres gars avec nous : Larry Raia et Neil Kornfeld. On riait tous, et Andrew a versé de la bière dans l'entonnoir. Les gars scandaient :

« Et glou et glou ! » Ensuite, c'est comme un rêve. Un cauchemar plutôt. J'ai toujours du mal à croire que c'est réellement arrivé. À un moment, Joe a remplacé la bière par de l'alcool de grain. J'entends encore Andrew dire : « Attends, Joe, arrête… »

Sa voix se brisa.

— Et ensuite ? demanda Maya, même si elle connaissait déjà la réponse.

— Tout à coup, Theo s'est mis à ruer comme s'il était pris de convulsions.

Christopher Swain fondit en larmes. Maya fut partagée entre l'envie de poser la main sur son épaule et celle de le gifler. Du coup, elle ne bougea pas et attendit qu'il se calme.

— Je n'en ai jamais parlé. À personne. Mais après votre mail… mon médecin, elle est plus ou moins au courant maintenant. C'est elle qui m'a conseillé de vous appeler. Mais ce fameux soir… enfin, c'est là que j'ai déraillé. J'avais trop peur. Je savais que, si je l'ouvrais, Joe me tuerait. Et pas seulement à cette époque-là. Aujourd'hui. Encore aujourd'hui. J'ai l'impression…

Maya essaya de ramener la conversation sur cette soirée fatale.

— Et alors, vous avez planqué le corps au sous-sol ?

— C'est Joe qui l'a fait.

— Mais vous étiez là, non ?

Swain hocha la tête.

— Je doute que Joe l'ait soulevé tout seul, dit-elle. Qui l'a aidé ?

— Andrew.

Il leva les yeux.

— Joe a obligé Andrew à lui filer un coup de main.

— C'est ça qui l'a fait craquer ?

— Je ne sais pas. Il aurait peut-être craqué de toute façon. Andrew, nous… plus rien n'a été comme avant.

Javier Mora avait eu raison. Ce n'était pas du chagrin. C'était un sentiment de culpabilité.

— Et puis ?

— Que pouvais-je faire ?

Plein de choses, mais Maya n'était pas là pour le juger ni pour lui donner l'absolution. Elle voulait des informations. Point.

— J'ai dû garder le secret, vous comprenez ? Du coup, j'ai tout occulté. J'ai essayé de continuer à vivre normalement, mais ce n'était plus pareil. Mes notes ont dégringolé. Je n'arrivais pas à me concentrer. C'est là que j'ai commencé à boire. Oui, je sais, c'est une bonne excuse…

— Christopher ?

— Oui.

— Vous vous êtes tous retrouvés sur ce yacht six semaines plus tard.

Il ferma les yeux.

— Que s'est-il passé ?

— À votre avis, Maya ? Allons, vous le savez maintenant. À vous de me le dire. C'est aussi simple que deux et deux font quatre.

Elle se pencha en avant.

— Vous voilà réunis à bord de ce yacht, cap sur la Grande Bermude. Tout le monde se met à boire. Vous surtout, j'imagine. C'est la première fois que vous vous retrouvez tous ensemble depuis la mort de Theo. Andrew est là. Il a suivi une thérapie, mais ça ne lui a rien apporté de bon. Il est rongé par la culpabilité. Il prend donc une décision. Je ne connais pas les détails, Christopher, alors à vous de m'éclairer. Andrew vous a-t-il menacés ?

— Menacés, non, répondit Swain. Enfin, pas exactement. Il… Il nous a plutôt suppliés. Il ne dormait plus. Il ne mangeait plus. Il avait une mine épouvantable. Il a dit qu'on devait se dénoncer, qu'il ne savait pas combien de temps encore il pourrait garder ça pour lui. J'étais tellement saoul que je comprenais à peine ce qu'il disait.

— Et ensuite ?

— Ensuite, Andrew est monté sur le pont supérieur. Pour s'éloigner de nous. Quelques minutes plus tard, Joe l'a suivi.

Christopher Swain haussa les épaules.

— Fin de l'histoire.

— Vous n'en avez jamais parlé ?

— Jamais.

— Les deux autres, Larry et Neil…

— Neil devait aller à Yale. Pour finir, il a changé d'avis et a choisi Stanford. Larry est parti étudier à l'étranger. À Paris, je crois. On a fini l'année comme dans un brouillard et on ne s'est plus jamais revus.

— Et vous avez gardé le secret pendant tout ce temps.

Swain hocha la tête.

— Alors pourquoi maintenant ? demanda Maya. Pourquoi avoir accepté de me le révéler aujourd'hui ?

— Vous savez pourquoi.

— Je n'en suis pas sûre.

— Mais parce que Joe est mort, répondit-il. Parce que je me sens enfin en sécurité.

31

Les paroles de Christopher Swain continuaient à résonner dans sa tête tandis qu'elle regagnait le parking des visiteurs.

Parce que Joe est mort...

Au final, on en revenait toujours à la caméra espion.

En réfléchissant bien, il y avait trois explications possibles à ce qu'elle avait vu sur cet enregistrement.

La première, et la plus vraisemblable, c'était un montage effectué à l'aide d'un quelconque programme Photoshop. La technologie existait. La vidéo n'avait duré que quelques secondes ; ça devait être facile à réaliser.

La deuxième, très vraisemblable aussi, c'est qu'il s'agissait d'une image mentale ou d'une hallucination. D'une façon ou d'une autre, son cerveau avait fait naître cette vision d'un Joe vivant. Eileen Finn lui envoyait souvent des vidéos avec une illusion d'optique : on croit voir une chose, puis la caméra se déplace légèrement, et on se rend compte que votre œil a construit une image préconçue. Ajoutez à cela son TSPT, ses médocs, l'assassinat de sa sœur, son sentiment de culpabilité à ce sujet, la soirée à Central Park et tout le reste… comment avait-elle pu ne pas envisager cette possibilité-là ?

La troisième explication, la moins plausible : Joe était toujours en vie.

Dans le cas numéro deux – tout était dans sa tête –, il n'y avait pas grand-chose à faire. Néanmoins, Maya devait aller jusqu'au bout car, à défaut de la délivrer, la vérité permettrait de rétablir une certaine justice. Dans les deux autres cas, la réponse ne laissait aucune place au doute : quelqu'un était en train de la mener par le bout du nez.

Cela signifiait aussi qu'Isabella lui avait menti. Elle avait vu Joe sur la vidéo. Si elle l'avait nié, si elle avait aspergé Maya de spray au poivre et qu'elle s'était enfuie en emportant la carte SD, c'est qu'elle était dans le coup.

Maya remonta dans la voiture, mit le contact et lança sa playlist. Les Imagine Dragons vinrent l'avertir de ne pas trop s'approcher : il fait noir dedans, c'est là que se cachent ses démons.

Si seulement ils savaient…

Elle cliqua sur l'appli du GPS qu'elle avait fixé sur le pick-up d'Hector. Primo, en admettant qu'Isabella soit dans le coup, elle n'était pas du genre à agir seule. Sa mère, Rosa, qui avait embarqué sur le yacht pour cette fameuse traversée, devait être de la partie. Tout comme son frère Hector. Secundo – décidément, elle raisonnait comme une mathématicienne aujourd'hui –, il se pouvait qu'Isabella soit partie loin, mais Maya en doutait. Elle était probablement dans les parages. Restait à savoir où.

Elle sortit l'arme de la boîte à gants, consulta le GPS et vit que le pick-up d'Hector était garé dans le quartier du personnel à Farnwood. Maya ouvrit l'historique pour découvrir où il s'était rendu ces jours-là. La seule adresse qui ne collait pas avec son activité de jardinier était une cité HLM à Paterson, New Jersey. Or elle figurait à de nombreuses reprises sur la liste. Bien sûr, il pouvait avoir des amis là-bas, ou une petite copine, mais Maya trouvait ça louche.

Et maintenant ?

Même si Isabella se cachait là-bas, elle ne se voyait pas aller sur place et frapper aux portes. Non, elle devait agir. Elle avait presque toutes les données en main. Il ne restait plus qu'à compléter le tableau et en finir une bonne fois pour toutes.

Son portable sonna. C'était Shane.

— Allô ?

— Qu'est-ce que tu as fait ?

Le ton de sa voix la glaça.

— De quoi tu parles ?

— De l'inspecteur Kierce.

— Oui, eh bien ?

— Il est au courant, Maya.

Elle ne répondit pas. Les murs commençaient à se refermer sur elle.

— Il sait que j'ai fait faire cette analyse balistique pour toi.

— Shane…

— La même arme a tué Claire et Joe, Maya. Comment diable est-ce possible ?

— Shane, écoute-moi. Fais-moi confiance, OK ?

— Tu n'arrêtes pas de dire ça. « Fais-moi confiance. » Comme si c'était un mantra.

— Je ne devrais pas avoir à le dire.

À quoi bon ? pensa-t-elle. De toute façon, elle ne pouvait pas lui fournir d'explications maintenant.

— Il faut que je te laisse.

— Maya ?

Elle raccrocha, ferma les yeux.

Laisse tomber, se dit-elle.

Elle s'engagea dans la rue tranquille, troublée par ce coup de fil, par sa conversation avec Christopher Swain, par toutes les pensées et les émotions qui tourbillonnaient dans sa tête.

Mais rien ne laissait présager ce qui allait se passer ensuite.

Une camionnette arrivait en sens inverse. La chaussée était si exiguë que Maya se déporta légèrement à droite pour lui céder le passage. Mais le chauffeur de la camionnette donna un brusque coup de volant à gauche, lui coupant la route.

Maya écrasa la pédale de frein pour éviter de lui rentrer dedans. Son corps fut projeté en avant, retenu par les sangles, tandis que la partie primitive, reptilienne, de son cerveau émettait un signal de danger.

Ainsi coincée, elle allait passer la marche arrière quand on frappa sur sa vitre. Elle tourna la tête et se retrouva face au canon d'un pistolet. Du coin de l'œil, elle vit qu'il y avait quelqu'un du côté passager.

— C'est bon.

La voix de l'homme lui parvenait difficilement à travers la vitre.

— On ne vous fera pas de mal.

Comment avait-il fait pour arriver aussi rapidement à sa hauteur ? Il n'avait pas pu descendre de la camionnette. Tout cela ressemblait énormément à une embuscade. Quelqu'un avait su qu'elle se rendait au centre Solemani. L'endroit était isolé. Il y avait très peu de circulation. Ces deux-là avaient dû se dissimuler derrière un arbre en attendant qu'elle croise la camionnette.

Immobile, Maya passa en revue toutes les options possibles.

— Sortez de la voiture, s'il vous plaît, et venez avec nous.

Option numéro un : essayer de reculer.

Option numéro deux : dégainer son arme.

Sauf que l'homme la tenait en joue, et peut-être que son copain de l'autre côté aussi. Or elle n'était pas Wyatt Earp, et elle n'était pas à OK Corral. S'il tirait, elle n'aurait aucune chance d'empoigner son pistolet ou le levier de vitesse à temps.

Restait l'option numéro trois : sortir de la voiture…

Ce fut alors que le porte-flingue déclara :

— Allez, venez. Joe vous attend.

La porte latérale de la camionnette s'entrouvrit. Assise dans sa voiture, les deux mains sur le volant, Maya sentait son cœur cogner contre sa poitrine. La porte de la camionnette s'arrêta à mi-parcours. Elle plissa les yeux, mais on ne voyait rien à l'intérieur. Elle se tourna vers l'homme.

— Joe ?…

— Oui, dit-il d'une voix radoucie. Venez. Vous voulez le voir, non ?

Elle regarda son visage pour la première fois. Puis elle regarda son acolyte. Il n'était pas armé.

Option numéro trois…

Maya se mit à pleurer.

— Madame Burkett ?

— Joe… fit-elle à travers ses larmes.

— Oui.

Le ton de sa voix se fit pressant.

— Déverrouillez la portière, madame Burkett.

Toujours en pleurs, Maya chercha à tâtons le bouton de déverrouillage. L'homme s'écarta pour qu'elle puisse ouvrir la portière. Il n'avait pas baissé son arme. Maya s'écroula à moitié en descendant de voiture. Il se pencha pour lui prendre le bras, mais elle secoua la tête.

— Pas la peine.

Se redressant, elle se dirigea en titubant vers la camionnette. Le porte-flingue la laissa passer. C'était un signe.

La porte de la camionnette s'ouvrit un peu plus.

Ils étaient donc quatre. Le conducteur, celui qui actionnait la porte, le type côté passager et le porte-flingue.

Son entraînement militaire, toutes ces heures passées dans le simulateur et au stand de tir lui revenaient à présent. Elle se sentait étrangement calme, presque zen, comme quand on se trouve dans l'œil du cyclone. Tout allait se jouer maintenant et, quelle qu'en soit l'issue, elle passerait à l'action. Car lorsqu'on est entraîné et préparé, on peut agir en toute confiance.

Toujours vacillante, elle tourna légèrement la tête, à peine, car sa vie dépendait de ce qu'elle allait voir. Le porte-flingue ne l'avait pas agrippée à sa descente de voiture. C'était pour ça qu'elle avait versé des larmes et feint de défaillir. Pour voir sa réaction. Et il était tombé dans le piège. Il l'avait laissée passer.

Sans la fouiller.

Cela signifiait trois choses...

L'homme derrière elle avait en effet abaissé son arme. Il s'était détendu. Il ne la considérait plus comme une menace.

Un, personne ne l'avait prévenu qu'elle serait armée...

Maya avait calculé son coup dès l'instant où elle avait fondu en larmes. Ses pleurs étaient une ruse destinée à tromper l'ennemi, à lui faire baisser la garde, pour qu'elle ait le temps de réfléchir à ce qu'elle ferait à sa descente de voiture.

Deux, Joe aurait su qu'elle serait armée...

La main à la ceinture, elle se mit à courir. Et voici un fait intéressant que la plupart des gens ignorent : tirer avec une arme de poing est difficile, tirer avec une arme de poing sur une cible mouvante est encore plus difficile. Les trois quarts du temps, un policier aguerri rate son coup entre un et trois mètres de distance. Et pour un civil, c'est le cas plus de neuf fois sur dix.

Donc, il fallait bouger.

Maya jeta un coup d'œil sur l'arrière de la camionnette. Puis, sans crier gare, elle se jeta à terre, se roula en boule, sortit le Glock de son étui et visa directement l'homme armé. Il voulut réagir, mais il était trop tard.

Elle visa le centre de sa poitrine.

Dans la vraie vie, on ne tire pas pour blesser. On braque son arme en plein sur le torse, la partie la plus large, pour avoir une chance de toucher quelque chose au cas où le coup serait dévié, et on vide le chargeur.

L'homme s'écroula.

Trois, conclusion : ils ne venaient pas de la part de Joe.

Maya continua à rouler pour ne pas leur offrir une cible statique. Elle chercha des yeux le complice du porte-flingue, mais il s'était réfugié derrière sa voiture.

Bouge, Maya...

La portière de la camionnette claqua. Le moteur rugit. Maya se retrouvait derrière maintenant, à l'abri, si jamais l'autre tirait dans sa direction. Mais elle ne pouvait pas rester là. La camionnette allait démarrer, probablement en marche arrière, pour tenter de l'écraser.

Elle fit ce que son instinct lui dictait.

Elle prit la fuite.

Le porte-flingue était hors jeu. Les gars dans la camionnette étaient en train de paniquer. Et le dernier larron était planqué derrière elle.

En cas de doute, le mieux est d'opter pour la solution la plus simple.

Toujours abritée derrière la camionnette, Maya se précipita sous les arbres. La camionnette recula brusquement, manquant la renverser. Elle la longea sur le côté et, hors de portée du type derrière sa voiture, fonça dans le bosquet.

Ne t'arrête pas...

Au bout d'un moment, elle se glissa derrière un tronc d'arbre et risqua un coup d'œil sur la route. L'homme caché derrière sa voiture ne l'avait pas suivie. Il se rua vers la camionnette et monta en marche. La camionnette fit demi-tour et, dans un crissement de pneus, repartit sur les chapeaux de roues.

L'homme qu'elle avait abattu gisait abandonné sur le bas-côté.

Toute la scène, entre le moment où elle s'était jetée à terre et maintenant, avait duré une dizaine de secondes.

Sa décision était déjà prise. Si elle prévenait la police ou attendait son arrivée, elle serait certainement arrêtée. Entre sa présence dans le parc au moment du meurtre de Joe, sa découverte du corps de Tom Douglass, l'examen balistique et ce nouveau cadavre sur les bras, les explications risquaient de prendre un certain temps.

Elle rebroussa chemin en toute hâte. L'homme était étendu sur le dos, jambes écartées.

Il pouvait faire semblant, mais Maya en doutait. À tout hasard, elle garda le pistolet à la main.

Sauf qu'il était bien mort.

Elle l'avait tué.

Mais ce n'était pas le moment de s'appesantir là-dessus. Une voiture pouvait surgir d'un instant à l'autre. Elle fouilla rapidement les poches de l'homme et s'empara de son portefeuille. Elle hésita à prendre son téléphone portable – à partir de maintenant, mieux valait éviter d'utiliser le sien –, puis décida que c'était trop risqué. Finalement, elle songea à récupérer l'arme qu'il serrait toujours dans la main, mais c'était la seule preuve, si tout le reste partait en vrille, qu'elle avait agi en état de légitime défense.

Et puis, elle avait son Glock.

Après un rapide coup d'œil sur la route pour s'assurer qu'il n'y avait personne en vue, Maya poussa le corps jusqu'au bas-côté et le fit rouler du haut du talus.

Ce fut plus facile qu'elle ne l'aurait cru, ou peut-être que l'adrénaline avait décuplé ses forces. L'homme glissa tout droit et s'arrêta mollement contre un arbre.

On le retrouverait, bien sûr. Dans une heure ou un jour. Mais ce délai lui suffisait.

Maya remonta précipitamment dans sa voiture. Son portable sonnait comme un fou. Shane. Kierce devait se poser des questions lui aussi. Une voiture parut au loin. Calmement, Maya mit le contact et démarra en douceur. Elle n'était qu'une visiteuse parmi d'autres quittant le centre de convalescence Solemani. S'il y avait des caméras de surveillance à proximité, on y verrait une camionnette passer en trombe, suivie deux ou trois minutes après d'une BMW dont la présence dans les parages se révélerait parfaitement légitime.

Respire profondément, Maya. Inspire, expire. Serre, desserre…

Cinq minutes plus tard, elle rejoignait l'autoroute.

Maya mit une certaine distance entre le cadavre et elle.

Elle éteignit son téléphone, puis, ne sachant s'il pouvait malgré tout être localisé, le fracassa contre le volant. Une demi-heure plus tard, elle s'arrêta sur le parking d'un supermarché et inspecta le portefeuille du mort. Aucun papier d'identité, mais quatre cents dollars en liquide. Ça tombait bien. Maya n'avait plus beaucoup d'argent sur elle et ne voulait pas en tirer au distributeur.

Elle s'en servit pour acheter trois téléphones jetables et une casquette de base-ball. Dans la glace des toilettes du supermarché, elle examina son visage. Au secours.

Elle se débarbouilla du mieux qu'elle le put, noua ses cheveux en queue-de-cheval et enfila la casquette de baseball. Lorsqu'elle ressortit, elle était déjà plus présentable.

Où ses ravisseurs avaient-ils pu aller ?

Elle ne courait probablement plus aucun danger. Il y avait une chance infime qu'ils se soient rendus chez elle pour l'attendre. La camionnette avait dû être louée ou volée, ou bien ils avaient trafiqué la plaque d'immatriculation, et il était très vraisemblable qu'ils aient décidé d'en rester là.

De toute façon, elle n'avait pas l'intention de rentrer chez elle.

Elle téléphona à Eddie. Il répondit dès la deuxième sonnerie. Elle lui donna rendez-vous et, fort heureusement, il ne posa pas de questions. Il y avait un risque là aussi, mais il était minime. Toutefois, en arrivant à la crèche, Maya scruta attentivement les alentours. Curieusement, la crèche était presque autant sécurisée qu'une base militaire. Impossible de s'en approcher sans être vu. Bien sûr, il existait toujours un moyen de forcer le passage, mais avec des portes à interphone dans chaque salle on pouvait alerter la police – le poste se trouvait à deux pas –, qui déboulerait en un rien de temps.

Elle refit un tour, mais ne remarqua rien de suspect.

La voiture d'Eddie pénétra sur le parking, Maya s'y engagea à son tour. Le Glock était de retour dans l'étui à sa ceinture. Elle se gara à côté d'Eddie, descendit et se glissa sur le siège passager à côté de lui.

— Que se passe-t-il, Maya ?

— Il faut qu'on signe les papiers pour que tu puisses aller chercher Lily.

— Et ce numéro bizarre avec lequel tu m'as appelé ?

— On règle ça d'abord, OK ?

Eddie la regarda.

— Tu sais qui a tué Claire et Joe ?

— Oui.

Il attendit, puis :

— Mais tu ne me le diras pas.

— Pas maintenant.

— Parce que… ?

— Parce que ce n'est pas le moment. Parce que Claire a cherché à te protéger.

— Et si je n'ai pas envie d'être protégé ?

— La question n'est pas là.

— Tu parles ! Il serait peut-être temps que je t'aide.

— Tu m'aideras, répondit-elle, en venant avec moi.

Elle ouvrit la portière de son côté. Avec un gros soupir, Eddie fit de même. Pendant qu'il descendait de voiture, Maya fourra une enveloppe dans la sacoche de son ordinateur portable. Puis elle le rejoignit.

Mlle Kitty les fit entrer et les aida à remplir les formulaires. Pendant qu'ils prenaient une photo d'identité d'Eddie, Maya jeta un coup d'œil dans la salle jaune soleil et repéra Lily. Sa fille portait une blouse, une vieille chemise de Maya, et ses mains étaient couvertes de peinture. En voyant son sourire radieux, Maya sentit son cœur se serrer.

Mlle Kitty s'approcha par-derrière.

— Vous voulez entrer lui dire bonjour ?

Maya secoua la tête.

— On a fini ?

— Oui, c'est bon. Dorénavant, votre beau-frère est habilité à venir chercher votre fille.

— Je n'ai pas besoin d'appeler pour vous prévenir ?

— C'est bien ce que vous avez demandé, non ?

— Absolument.

— Et c'est ce que nous avons décidé.

Maya acquiesça sans quitter Lily des yeux. Puis elle pivota vers Mlle Kitty.

— Merci.

— Vous vous sentez bien ?

— Ça va.

Son regard se posa sur Eddie.

— Il faut qu'on y aille.

Une fois sur le parking, elle emprunta le téléphone d'Eddie et ouvrit son appli GPS sur le Net.

Le pick-up d'Hector était de nouveau à Paterson.

Tant mieux. Restons en mode action. Elle hésita à demander à Eddie si elle pouvait garder son téléphone mais elle deviendrait facilement localisable si certaines personnes imaginaient qu'elle avait eu cette idée. Alors elle le lui rendit.

— Tu veux bien m'expliquer ce qui se passe ?

Arrivée à sa voiture, Maya lui dit :

— Attends une minute.

Elle ouvrit le coffre, trouva la boîte à outils, en sortit un tournevis.

— Qu'est-ce que tu fais ? s'étonna Eddie.

— J'échange nos plaques.

Kierce n'avait probablement pas lancé d'avis de recherche à son nom – pas encore –, mais on n'était jamais trop prudent. Maya commença par le pare-chocs avant. Eddie prit une pièce de monnaie et s'en servit comme d'un tournevis à l'arrière. Deux minutes plus tard, c'était fait.

Maya ouvrit la portière de sa voiture. Eddie la regardait, immobile.

Elle marqua une pause. Elle avait mille choses à lui dire… à propos de Claire, de Joe, de tout. Maya ouvrit la bouche, mais elle était bien placée pour savoir qu'il n'en sortirait rien de bon. Pas aujourd'hui. Pas maintenant.

— Je t'aime, Eddie.

Il mit sa main en visière pour protéger ses yeux du soleil couchant.

— Moi aussi je t'aime, Maya.

Elle monta dans la voiture et se mit en route pour Paterson.

32

Elle trouva le Dodge Ram d'Hector sur le parking d'une tour dans Fulton Street.

Maya se gara dans la rue et franchit le portail à pied. Elle vérifia les portières du pick-up au cas où elles ne seraient pas toutes verrouillées. Pas de chance. Impossible de savoir si Hector était dans l'immeuble. Ou s'il était avec sa sœur. Son objectif était simple.

Obliger Hector à lui dire où était Isabella.

Maya retourna à sa voiture et attendit. Elle surveillait l'entrée de la tour, jetant de temps à autre un coup d'œil sur le pick-up, au cas où. Une demi-heure passa. Elle regrettait de ne pas avoir accès à Internet. Corey avait déjà dû poster des informations sur le labo pharmaceutique EAC. Cela expliquerait la tentative d'enlèvement. Quelqu'un, l'un des Burkett sûrement, cherchait à éliminer tous les témoins gênants.

Hector parut à la porte.

Maya avait déjà sorti son arme de l'étui. Hector leva la télécommande, pressa le bouton, et les feux du pick-up clignotèrent. Il avait l'air perturbé, mais bon, même en temps normal, il n'était jamais vraiment détendu.

Le plan de Maya était élémentaire : suivre Hector jusqu'à son véhicule, le surprendre, lui planter le Glock dans la figure, le forcer à la conduire à Isabella.

Pas très subtil, mais elle n'avait plus le temps.

Elle se dirigea vers lui quand Isabella sortit à son tour.

Bingo.

Maya se planqua derrière une voiture. Et maintenant ? Attendre le départ d'Hector pour passer à l'action ? Si elle menaçait Isabella de son arme en présence de son frère, comment réagirait-il ? Il avait un téléphone portable. Il pourrait appeler à l'aide, crier… bref, tout gâcher.

Autant attendre qu'il parte.

Hector monta dans le pick-up. Courbée en deux, Maya se rapprocha. Si jamais quelqu'un la voyait ainsi, tapie entre deux voitures, il pouvait alerter la police. Mais tant pis, c'était un risque à prendre.

Isabella bifurqua à gauche.

Minute, qu'est-ce qui… ?

Maya croyait qu'elle était sortie raccompagner son frère, or elle était en train de monter à côté de lui.

Deux solutions : soit Maya regagnait sa voiture pour les suivre, mais elle craignait de les perdre et, sans le GPS, elle ne pourrait plus les localiser.

Soit…

Elle se précipita vers le pick-up, ouvrit la portière arrière, se faufila sur la banquette et colla le canon de son pistolet sur la tête d'Hector.

— Les mains sur le volant.

Puis, pointant brièvement l'arme sur Isabella :

— Vous aussi, Isabella. Les mains sur le tableau de bord.

Ils la dévisagèrent, choqués.

— Dépêchez-vous.

Ils s'exécutèrent lentement. Se rappelant à quel point elle avait sous-estimé Isabella la dernière fois qu'elle avait eu affaire à elle, Maya se pencha en avant pour attraper son sac à main.

Oui, le spray au poivre était bien là, ainsi que son téléphone portable.

Le portable d'Hector était niché dans le porte-gobelet. Maya le prit et le jeta dans le sac d'Isabella. Elle se demandait si Hector était armé. Sans baisser le pistolet, elle le palpa rapidement là où il fallait. Rien. S'emparant des clés du pick-up, elle les fourra également dans le sac et posa le sac à ses pieds. Elle vit alors quelque chose qui la fit sursauter.

Ce fut la couleur qui attira son regard…

— Qu'est-ce que vous voulez ? fit Isabella.

Il y avait une pile de vêtements derrière le siège du conducteur.

— Vous ne pouvez pas sortir une arme…

— La ferme, riposta Maya. Essayez ne serait-ce que d'éternuer, et j'explose la tête d'Hector.

En haut de la pile se trouvait un sweat-shirt gris. Elle le repoussa du pied. Dessous gisait la trop familière chemise vert forêt. Elle faillit en presser la détente de rage.

— Je vous écoute, lança Maya.

Isabella la fusilla du regard.

— Dernière chance.

— Je n'ai rien à dire.

Elle parla alors à sa place.

— Hector est à peu près de la même taille que Joe. Je suppose donc qu'il a joué le rôle de Joe dans votre vidéo. Vous l'avez fait entrer dans la maison. Lily le connaît bien. Elle est allée sans problème sur ses genoux. Puis vous avez remplacé son visage par celui de Joe à partir de…

Ce sourire. Celui qu'il arborait sur la vidéo.

— Mon Dieu, c'était le film de notre mariage, non ?

— On n'a rien à vous dire, répondit Isabella. Vous n'allez pas nous tuer.

Assez. Agrippant la crosse du pistolet, Maya l'abattit avec force sur le nez d'Hector. Le craquement fut audible. Hector poussa un hurlement. Du sang coula entre ses doigts.

— Je ne vous tuerai peut-être pas, répondit Maya, mais la première balle sera pour son épaule. La deuxième pour son coude. La troisième pour son genou. Je vous écoute.

Isabella hésita.

Maya brandit le pistolet et frappa Hector à l'oreille. Il gémit et s'affala sur le côté. Instinctivement, Isabella ôta ses mains du tableau de bord pour lui venir en aide. Maya lui assena un coup au visage, suffisamment fort pour lui faire mal, mais pas assez pour causer des dégâts.

Isabella saignait elle aussi.

Maya pressa le pistolet contre l'épaule d'Hector, le doigt sur la détente.

— Attendez ! cria Isabella.

Maya ne broncha pas.

— On a fait ça parce que vous avez tué Joe !
Elle garda le doigt sur la détente.
— Qui vous a dit ça ?
— Qu'est-ce que ça change ?
— Si vous pensez que j'ai tué mon propre mari, fit Maya en désignant le pistolet de la tête, qui vous dit que je ne vais pas tuer votre frère ?
— C'est notre mère.
Hector avait recouvré l'usage de la parole.
— Elle nous a dit que vous aviez tué Joe. Et qu'il fallait aider à le prouver.
— Aider comment ?
Hector se redressa.
— Vous ne l'avez pas tué ?
— Aider comment, Hector ?
— Comme vous l'avez dit. Je me suis habillé en Joe. Votre caméra m'a filmé. J'ai rapporté la carte SD à Farnwood. La famille avait engagé un spécialiste de Photoshop. Je suis revenu une heure plus tard, et Isabella a remis la carte dans le cadre.
— Comment avez-vous su que j'avais une caméra ?
Isabella renifla avec mépris.
— Le lendemain de l'enterrement, j'ai vu un cadre numérique tout neuf avec des photos de famille téléchargées et vous êtes la seule mère que je connaisse qui ne met pas de photos de sa fille partout. Même pas ses dessins. Alors quand j'ai vu ce cadre… il ne faut pas prendre les gens pour des imbéciles.
Maya se souvint d'Isabella sur les enregistrements vidéo, toujours avenante, souriante à souhait.
— Donc, vous en avez parlé à votre mère ?
Isabella ne prit pas la peine de répondre.

— Et c'était son idée, j'imagine, de m'asperger avec du spray au poivre ?

— Je ne savais pas comment vous alliez réagir après avoir vu ça. J'étais juste censée récupérer la carte SD. Pour vous empêcher de la montrer à d'autres.

Ils avaient cherché à l'isoler.

— Et si vous me la montriez, poursuivit Isabella, je devais faire comme si je ne voyais rien.

— Pourquoi ?

— À votre avis ?

La réponse était évidente.

— Pour que je me pose des questions sur ma santé mentale…

Maya s'interrompit, l'œil rivé sur le pare-brise. Hector et Isabella la regardèrent, puis se tournèrent pour voir ce qui avait attiré son attention.

Là, juste devant le pick-up d'Hector, se tenait Shane.

— Un seul geste, leur jeta Maya, et je vous descends tous les deux.

Elle ouvrit la portière, se glissa dehors, puis se pencha pour saisir le sac à main d'Isabella. Shane attendait. Il avait les yeux rouges.

— Qu'est-ce que tu fais ? lui demanda-t-il.

— Ils m'ont piégée, répondit Maya.

— Comment ?

— Hector a enfilé les habits de Joe. Puis quelqu'un a réalisé un montage Photoshop à partir d'une vieille vidéo.

— Donc Joe est… ?

— Mort. Oui. Comment as-tu fait pour me retrouver, Shane ?

— Le GPS.

— Je n'ai pas mon téléphone sur moi.

— J'ai posé des traceurs sur tes deux voitures.

— Pourquoi ?

— Parce que tu avais un comportement irrationnel. Même avant cette histoire de caméra espion. Tu ne peux pas le nier.

Maya ne dit rien.

— Oui, c'est moi qui ai appelé le docteur Wu. Je pensais qu'il réussirait à te convaincre de reprendre ta thérapie. Et j'ai mis des traceurs sur tes voitures au cas où tu aurais besoin d'aide. Alors, quand Kierce m'a contacté au sujet de cet examen balistique et que tu n'as pas répondu à mes coups de fil…

Maya jeta un œil sur le pick-up. Aucun mouvement à l'intérieur.

Inspire profondément…

— J'ai quelque chose à te dire, Shane.

— À propos de l'examen balistique ?

Elle secoua la tête.

Serre, desserre…

— À propos de cette mission au-dessus d'Al-Qa'im.

Shane eut l'air déconcerté.

— Ah bon ?

Elle ouvrit la bouche, la referma.

— Maya ?

— Nous avions déjà perdu des hommes. Des hommes de valeur. Je voulais que ça s'arrête.

Ses yeux s'emplirent de larmes.

— C'était le but de l'opération, acquiesça Shane.

— Là-dessus, on repère ce SUV. J'entends nos gars qui appellent à l'aide, et ce SUV qui fonce sur eux.

On définit la cible. On contacte le centre. Mais ils ne nous autorisent pas à intervenir.

— Ils devaient s'assurer d'abord qu'il ne s'agissait pas de civils.

Maya hocha la tête.

— On a donc attendu, ajouta Shane.

— Pendant que les garçons nous suppliaient de les secourir.

La bouche de Shane se tordit.

— Oui, je sais, c'était dur à avaler. Mais nous avons suivi le protocole. On n'est pas responsables de la mort de ces civils. Quand on a eu la confirmation…

— On n'a jamais eu la confirmation.

Shane la regarda.

— J'avais coupé ton signal.

— Quoi… ? Qu'est-ce que tu… ?

— Le QG nous a envoyé l'ordre de patienter.

Il secoua la tête.

— Mais de quoi tu parles ?

— Ils ne nous ont pas donné le feu vert. Ils pensaient qu'il y avait au moins un civil dans ce SUV, probablement un mineur. Et qu'il n'y avait qu'une chance sur deux pour que ces gens-là soient des combattants ennemis.

La respiration de Shane s'accéléra.

— Mais j'ai entendu…

— Tu n'as rien entendu, Shane. C'est moi qui t'ai transmis le message, rappelle-toi.

Il était comme pétrifié.

— Tu crois que la publication de l'enregistrement audio nous ferait du tort parce qu'on a jubilé après la destruction de la cible. Mais Corey a autre chose contre moi. Il a le message radio disant qu'il pourrait y avoir des civils dans ce SUV.

— Et tu as tiré quand même, dit Shane.

— Oui.

— Pourquoi ?

— Parce que les civils, je n'en avais rien à battre. Ce qui m'importait, c'étaient nos gars.

— Nom de Dieu, Maya !

— J'ai fait un choix. Il n'était pas question de perdre encore un des nôtres. Pas pendant mon service. Pas si je pouvais l'empêcher. Et tant pis pour les dommages collatéraux. Ça m'était égal. Voilà la vérité. Tu imagines que j'ai d'horribles flash-back parce que je me sens coupable d'avoir tué des civils. En fait, c'est tout le contraire, Shane. C'est parce que je ne me sens *pas* coupable. Ces morts ne me hantent pas. Ce qui me hante, Shane, la certitude qui me ronge, c'est que si c'était à refaire, je le referais.

Maintenant Shane avait les larmes aux yeux.

— Pas besoin d'être un psy pour comprendre ça. Je suis obligée de revivre ce qui s'est passé nuit après nuit… sans pouvoir en changer l'issue. C'est pourquoi ces flash-back ne me quitteront jamais, Shane. Chaque nuit, je me retrouve dans cet hélico. Chaque nuit, je cherche un moyen de sauver nos soldats.

— Et chaque nuit, tu tues des civils, dit Shane. Oh, mon Dieu…

Il fit un pas vers elle, bras ouverts, mais Maya se dégagea. C'était au-dessus de ses forces. Elle se retourna vivement. Hector et Isabella n'avaient toujours pas bougé.

Le temps pressait.

— Que t'a raconté Kierce, Shane ?

— Que Joe et Claire ont été abattus par la même arme. Tu le savais déjà, hein ? Kierce te l'avait dit.

Elle hocha la tête.

— Mais tu t'es bien gardée de m'en parler, Maya.

Elle ne prit pas la peine de répondre.

— Tu m'as mis au courant de tout, sauf des résultats de l'examen balistique.

— Shane…

— J'en ai déduit que tu menais ta propre enquête pour découvrir l'assassin de Claire. Les flics étaient dans l'impasse. Et toi, tu avais trouvé quelque chose.

Maya ne quittait pas le pick-up des yeux. Moins pour surveiller Hector et Isabella que parce qu'elle n'avait pas le courage d'affronter le regard de Shane.

— Cette balle, tu me l'avais remise *avant* le meurtre de Joe, poursuivit-il. Tu voulais savoir si elle provenait de l'arme qui avait tué Claire. Ce qui était le cas. Tu as refusé de me dire comment tu te l'étais procurée. Et voilà que j'apprends que la même arme a tué Joe. Comment est-ce possible ?

— Il n'y a qu'une seule solution, répondit Maya.

Shane secoua la tête, mais il avait déjà compris. Elle soutint son regard sans ciller.

— Je l'ai tué, dit Maya. J'ai tué Joe.

33

La casquette de base-ball enfoncée sur le crâne, Maya conduisait le pick-up d'Hector. Elle avait pénétré à Farnwood par l'entrée de service et se dirigeait vers la maison principale. La nuit était tombée. La propriété était surveillée, mais personne ne songea à arrêter le Dodge Ram familier.

Shane était resté en arrière pour empêcher Hector et Isabella de prévenir la famille de l'arrivée de Maya. Avec le téléphone jetable, cette dernière appela Cuir et Dentelles et demanda à parler à Loulou.

— Je ne peux plus vous aider, dit Loulou.

— Je pense que si.

Après avoir raccroché, Maya se gara sur le côté de la maison de maître. À pas de loup, elle gagna la porte de la cuisine. Celle-ci n'était pas verrouillée. La maison était vide et silencieuse. Aucune lumière n'était restée allumée. Maya s'arrêta quelques secondes devant la cheminée, puis s'assit dans un siège du grand hall. Le temps passait. Ses yeux s'étaient habitués à l'obscurité.

Les images se succédaient dans sa tête à la manière d'un kaléidoscope, mais en réalité tout avait basculé lorsqu'elle avait ouvert l'armoire forte où elle rangeait ses armes. C'était sa première permission depuis la mort de Claire. Elle s'était rendue sur sa tombe. Joe l'y avait conduite. Elle l'avait trouvé bizarre, mais sans trop y prêter attention. Même si elle commençait à se poser des questions sur leur mariage éclair, sa carrière militaire, le travail de Joe. Sauf que, à l'époque, tout cela n'avait pas grande importance.

Avait-elle pensé alors qu'elle connaissait mal l'homme qu'elle avait épousé ? Non, c'est ce qu'elle se disait maintenant, avec le recul.

L'ouverture de l'armoire forte avait tout changé.

Maya briquait méticuleusement ses armes. Si bien qu'en sortant ses Smith & Wesson 686, elle comprit tout de suite.

L'un des deux – celui qu'elle conservait dans le compartiment secret – avait été utilisé.

Joe lui avait réaffirmé à son retour qu'il avait horreur des armes, que l'accompagner au club de tir ne l'intéressait pas et qu'il aurait préféré qu'elle ne les garde pas à la maison.

Bref, il en avait fait un peu trop.

Pour quelqu'un qui détestait les armes à ce point, n'était-il pas curieux de vouloir entrer son empreinte digitale dans le système de verrouillage de l'armoire ?

— Juste au cas où, lui avait dit Joe. On ne sait jamais.

Une fois de plus, Maya repensa aux illusions d'optique. On voit une forme, puis on modifie légèrement l'angle d'observation, et l'image change du tout au tout. C'est ce qu'elle avait ressenti en tenant ce revolver qu'on avait maladroitement tenté de nettoyer.

Ce fut comme un coup de poing dans le ventre. La pire trahison qui soit. Et, en même temps, cela lui parut abominablement logique.

Cette arme, sa propre arme, avait tué sa sœur. Maya était allée au club pour tirer une balle et la donner à Shane. Elle avait réussi à le convaincre de la comparer discrètement au projectile calibre 38 trouvé dans le crâne de Claire.

Mais elle l'avait su depuis le début.

Joe avait tué Claire.

Bien sûr, il restait encore une chance que ce ne soit pas lui, mais un homme de main habile qui serait parvenu à ouvrir l'armoire pour se servir de son arme avant de la remettre à sa place. Si ça se trouve, ce n'était pas Joe du tout. Voilà pourquoi elle avait interverti les deux Smith & Wesson, remplaçant celui que Joe avait pris dans le compartiment secret par le revolver détenu en toute légalité. Elle s'était arrangée pour qu'aucune de ses armes ne soit chargée et qu'il n'y ait pas de munitions à proximité.

À l'exception du Smith & Wesson dans le compartiment secret.

Maya s'était mise à fouiller dans les affaires de Joe, laissant volontairement des indices pour qu'il s'en aperçoive. Elle voulait qu'il sache qu'elle le soupçonnait. Pour voir comment il réagirait. Pour l'acculer à avouer pourquoi il avait tué Claire.

Kierce avait vu juste. C'est elle qui avait appelé Joe ce soir-là et non l'inverse.

— Je sais ce que tu as fait, lui avait-elle dit.

— De quoi tu parles ?

— J'ai des preuves.

Maya lui avait donné rendez-vous à Central Park. Elle-même était arrivée en avance pour repérer les lieux. À la fontaine Bethesda, elle avait croisé deux punks dont elle apprendrait plus tard qu'ils se nommaient Fred Katen et Emilio Rodrigo. À l'allure de Rodrigo, elle avait deviné qu'il était armé.

Voilà qui était parfait pour leur faire porter le chapeau, d'autant qu'ils ne seraient jamais inculpés.

Lorsque Joe l'avait rejointe, elle lui avait laissé l'opportunité de s'expliquer.

— Pourquoi as-tu tué Claire ?

— Tu as dit que tu avais des preuves. En fait, tu n'as rien, Maya.

— Je trouverai des preuves. Je ne te lâcherai pas. Tu vas me le payer au centuple.

C'est alors que Joe avait sorti le Smith & Wesson 686 chargé qu'il avait pris dans le compartiment secret. Il avait le sourire aux lèvres. Du moins, elle avait cru le voir sourire. Il faisait trop sombre, et ses yeux étaient rivés sur le revolver. Mais aujourd'hui, en revivant la scène, Maya aurait juré que Joe avait souri.

Il avait pointé l'arme vers sa poitrine.

Tout ce qu'elle avait imaginé jusqu'alors était parti en fumée à la vue de l'homme qu'elle avait promis d'aimer toute sa vie braquant une arme chargée sur elle. Elle l'avait su, mais sans y croire… tout ceci était une erreur, et cette confrontation allait lui prouver qu'elle s'était trompée sur son compte.

Joe, le père de sa fille, n'était pas un assassin. Elle n'avait pas partagé sa vie et son lit avec le monstre qui avait torturé et tué sa sœur. Il y avait forcément une autre explication.

Jusqu'au moment où il avait pressé la détente.

Assise dans le noir, Maya ferma les yeux.

Elle revoyait la tête de Joe quand le coup n'était pas parti. Il avait appuyé sur la détente, encore et encore.

— J'ai retiré le percuteur.

— Quoi ?

— J'ai retiré le percuteur du marteau : le coup ne peut pas partir.

— Peu importe, Maya. Tu n'arriveras pas à prouver que je l'ai tuée.

— Tu as raison.

Sur ce, elle avait sorti l'autre Smith & Wesson, celui avec lequel Joe avait tué Claire, et avait tiré à trois reprises. C'était intentionnel. Elle était tireuse d'élite. Les punks qui traînaient dans la rue ne l'étaient pas. La mort du premier coup aurait été par trop suspecte.

Kierce : *La première balle a touché votre mari à l'épaule gauche. La deuxième s'est logée sous l'extrémité droite de la clavicule.*

Maya avait mis un trench et des gants achetés une poignée de dollars dans une boutique de l'Armée du Salut. C'est là-dessus que s'étaient déposées des traces de poudre. Elle les avait arrachés et jetés dans une poubelle par-dessus le mur côté Cinquième Avenue. Même si on les retrouvait, il n'y aurait aucun moyen de remonter jusqu'à elle. Puis, se baissant, elle avait serré Joe dans ses bras pour bien imbiber son chemisier de sang. Elle avait rangé les deux revolvers dans son sac. Et était revenue en titubant vers la fontaine Bethesda.

À l'aide... s'il vous plaît... quelqu'un... mon mari...

Personne ne l'avait fouillée. Pourquoi l'aurait-on fait ? Elle était la victime. Dans un premier temps, tout le monde s'était assuré qu'elle n'était pas blessée et avait commencé à chercher les agresseurs. La confusion avait joué en sa faveur. Elle avait prévu de balancer son sac n'importe où – il n'y avait rien dedans en dehors des armes –, mais, au final, cela n'avait pas été nécessaire. Maya les avait rapportées chez elle. Elle avait jeté l'arme du crime dans une rivière et remis le percuteur sur le marteau du Smith & Wesson légal avant de le ranger dans l'armoire. C'est celui-là que Kierce avait fait analyser.

Maya savait que l'examen balistique prouverait son « innocence » et mènerait les enquêteurs dans une impasse. Une même arme avait tué Claire et Joe. Elle avait un alibi en béton pour Claire – elle était en mission à l'étranger –, donc elle ne pouvait pas être soupçonnée du meurtre de son mari. L'idée de livrer deux innocents à la police ne lui plaisait guère, mais après tout Emilio Rodrigo se baladait bel et bien avec une arme sur lui. Et avec son histoire de cagoules, les charges retenues contre eux ne tiendraient pas longtemps. Il n'y avait aucun risque qu'ils soient condamnés pour meurtre.

Comparés à ses exploits passés, les dommages collatéraux pour ces deux-là étaient dérisoires.

L'affaire se révélerait inextricable, et c'était le but recherché. Claire avait été assassinée et son assassin puni. Point barre. La justice avait été rendue. Maya ne savait pas tout, mais ce qu'elle savait lui suffisait. Elle et sa fille étaient en sécurité.

Jusqu'au jour où cette histoire de caméra espion avait à nouveau changé la donne.

Une voiture s'arrêta devant la maison. Maya ne bougea pas de son siège. La porte d'entrée s'ouvrit.

Elle entendit Judith se plaindre de la soirée assommante qu'elle venait de passer. Neil et Caroline étaient avec elle. Ils entrèrent tous les trois dans le hall.

Judith alluma et poussa un cri.

Maya ne broncha pas.

— Mon Dieu, s'exclama Judith, tu m'as fait une de ces peurs ! Qu'est-ce qui t'amène, Maya ?

— Le rasoir d'Occam, répondit-elle.

— Pardon ?

— Parmi les différentes propositions, il faut choisir celle qui fait appel au nombre minimal d'hypothèses.

Maya sourit.

— En d'autres termes, la solution la plus simple est généralement la bonne. Joe n'a pas survécu à ses blessures. Vous avez juste essayé de me le faire croire.

Judith regarda ses deux enfants avant de se tourner vers elle.

— Vous avez monté le coup de la caméra, Judith. Vous avez dit à la famille de Rosa que j'avais tué Joe, mais qu'il n'y avait pas de preuves. Vous avez donc voulu secouer le cocotier.

Judith ne se donna pas la peine de nier.

— Et alors ?

Sa voix était glaciale.

— Aucune loi n'interdit de vouloir démasquer un assassin, si ?

— Pas à ma connaissance, acquiesça Maya. Mais je m'en suis doutée depuis le début. Vous êtes quelqu'un de retors. Votre boulot consiste à manipuler le cerveau des gens.

— Il s'agit d'expériences psychologiques.

— Appelez ça comme vous voudrez. Le fait est que j'ai vu Joe mourir. Je savais qu'il ne pouvait pas être en vie.

— Il faisait noir, objecta Judith. On n'y voyait pas clair. Tu as piégé Joe. Tu l'as attiré dans le parc. Il aurait très bien pu te piéger en retour. Remplacer tes vraies balles par des cartouches à blanc, que sais-je.

— Sauf qu'il ne l'a pas fait.

Neil s'éclaircit la voix.

— Qu'est-ce que tu veux, Maya ?

Elle l'ignora, le regard rivé sur Judith.

— Même si je n'avais pas marché, même si je n'avais pas craqué et avoué, vous saviez que j'allais réagir.

— En effet.

— J'aurais fini par comprendre que quelqu'un me menait par le bout du nez. Et que je chercherais à savoir qui c'est. Au moindre faux pas, vous m'auriez fait épingler pour meurtre. Qui plus est, vous vouliez découvrir ce que je savais. Et tout le monde a joué son rôle dans la petite expérience psychologique de maman. Caroline m'a fait croire que, selon elle, ses frères étaient en vie et que Kierce touchait des pots-de-vin de votre part. C'était du délire total. Mais ça faisait beaucoup pour moi. La caméra espion, les vêtements manquants, les coups de téléphone. N'importe qui se serait posé des questions sur sa santé mentale. C'est ce que j'ai fait. Il fallait être malade pour ne pas envisager la possibilité que j'étais en train de perdre la boule.

Judith lui sourit.

— Qu'est-ce que tu es venue faire ici, Maya ?

— J'ai une question pour vous, Judith. Comment avez-vous su que j'avais tué Joe ?

— Tu avoues donc.

— Bien sûr. Mais comment l'avez-vous su ?

Maya regarda Neil, puis Caroline.

— Elle te l'a dit, Caroline ?

Fronçant les sourcils, Caroline se tourna vers sa mère.

— Je savais, voilà tout, rétorqua Judith. C'est le propre d'une mère.

— Non, Judith. C'est parce que vous saviez que j'avais un mobile.

— Qu'est-ce qu'elle raconte ? fit Caroline.

— Joe a assassiné ma sœur.

— Ce n'est pas vrai, protesta Caroline d'une voix d'enfant capricieuse.

— Joe a tué Claire, dit Maya. Et ta mère le savait.

— Maman ?

Les yeux de Judith lançaient des éclairs.

— Claire nous a escroqués.

— Maman… reprit Caroline.

— Pire, elle a cherché à nous détruire. À anéantir le nom et la fortune des Burkett. Joe a seulement voulu l'arrêter. Il a tenté de la raisonner.

— Il l'a torturée, dit Maya.

— Il a paniqué. Ça, je l'admets. Elle refusait de lui dire ce qu'elle avait fait. Je ne cautionne pas sa conduite, mais c'est ta sœur qui a tout déclenché. Elle a voulu causer la chute de notre famille. Toi, Maya, tu devrais comprendre ça. Elle était l'ennemi. Or, l'ennemi, on l'affronte. On riposte et on ne fait pas de quartier.

Maya sentit la rage monter en elle, mais elle parvint à se maîtriser.

— Espèce de vieille sorcière !

— Hé !

C'était Neil, prenant la défense de sa mère.

— Ça suffit maintenant.

— Qu'est-ce que tu crois, Neil ? Que Joe voulait protéger la fortune familiale ? Qu'il était question de votre labo pharmaceutique ?

Neil regarda sa mère, et son expression donna raison à Maya. Elle faillit même éclater de rire.

— C'est ce que Joe vous a dit, n'est-ce pas ? lança-t-elle à Judith. Claire avait mis au jour votre arnaque aux médicaments. Et comme tout était en train de se disloquer, toi, Neil, tu ne t'es plus fié au plan de maman. Tu t'es affolé et m'as envoyé ces ravisseurs. Pour essayer de découvrir ce que je savais. Tu leur as parlé de mon état psychique. Tu pensais que, s'ils me disaient que Joe m'attendait, je m'écroulerais ?

Neil la toisa avec une haine non déguisée.

— Que, du moins, tu flancherais.

Judith ferma les yeux.

— Imbécile, marmonna-t-elle.

— « Joe vous attend. » C'est ce que ton gars m'a dit. Et c'est là ton erreur, Neil. Vois-tu, si Joe avait été derrière tout ça, il les aurait avertis que j'étais armée.

— Maya ?

C'était Judith.

— Tu as tué mon fils.

— Il a tué ma sœur.

— Il est mort. Il ne pourra être poursuivi. Mais toi, tu as avoué en présence de trois témoins. Nous allons porter plainte.

— Vous ne comprenez pas, rétorqua Maya. Il n'y a pas que ma sœur. Joe a aussi tué Theo Mora…

— Un bizutage qui a mal tourné.

— Il a tué Tom Douglass.

— Rien ne le prouve.

— Et il a tué son propre frère.

Tout le monde se figea. Un lourd silence, un silence de mort s'abattit sur le grand hall, comme si la maison elle-même retenait son souffle.

— Maman ?

C'était Caroline.

— Ce n'est pas vrai, n'est-ce pas ?

— Bien sûr que non, répondit Judith.

— Si, c'est vrai, déclara Maya. Joe a tué Andrew.

Caroline se tourna vers Judith.

— Maman ?

— Ne l'écoute pas. C'est un mensonge.

Mais la voix de Judith tremblait légèrement.

— J'ai rendu visite à Christopher Swain, Judith. Il m'a raconté qu'Andrew était en train de craquer. Ce fameux soir, sur le yacht, il leur a dit qu'il les dénoncerait pour le meurtre de Theo. Puis il est monté seul sur le pont. Et Joe l'a suivi.

Caroline se mit à pleurer. Neil semblait implorer sa mère du regard.

— Ça ne veut pas dire qu'il l'a tué, protesta Judith. Encore une élucubration de ton cerveau malade. Rappelle-toi, tu m'as appris toi-même ce qui s'était passé.

Maya hocha la tête.

— Oui, Andrew a sauté. C'était un suicide. Joe était là. C'est lui qui me l'a dit.

— Alors ?

— Alors ? La réalité est tout autre. Andrew et Joe sont montés sur le pont à une heure du matin.

— Oui, eh bien ?

— On n'a signalé la disparition d'Andrew que le lendemain matin.

Maya pencha la tête.

— Si Joe avait vu son frère sauter par-dessus bord, n'aurait-il pas donné l'alerte aussitôt ?

Les yeux de Judith s'agrandirent, comme si elle venait de recevoir un coup de poing. Et Maya comprit qu'elle aussi était dans le déni. Elle savait et en même temps elle ne savait pas. Il n'y a pas pire aveugle que celui qui ne veut pas voir.

Judith tomba à genoux.

— Maman ? fit Neil.

Elle se mit à gémir comme un animal blessé.

— Ça ne peut pas être vrai !

— Hélas, si, dit Maya. Joe a tué Theo Mora. Il a tué Andrew. Il a tué Claire. Il a tué Tom Douglass. Combien d'autres victimes compte-t-il à son palmarès, Judith ? Il a fracassé le crâne à l'un de ses petits camarades en classe de quatrième. Puis il a essayé d'en brûler vif un deuxième à cause d'une histoire de fille. C'est pour ça que Joseph a confié la gestion de la holding familiale à Neil.

Judith secouait obstinément la tête.

— Vous avez élevé, nourri et protégé un tueur.

— Et toi, tu l'as épousé.

— C'est exact, acquiesça Maya.

— Tu crois vraiment qu'il aurait pu te duper ?

— Je ne le crois pas. Je le sais.

Toujours agenouillée, Judith leva les yeux sur elle.

— Tu l'as exécuté.

Maya ne dit rien.

— Ce n'était pas de la légitime défense. Tu aurais pu le dénoncer à la justice.

— Et vous auriez volé à son secours, Judith. Une fois de plus. Je ne voulais pas prendre ce risque.

Maya fit un pas vers la porte. Neil et Caroline reculèrent.

— Mais tout va se savoir maintenant.

— Si c'est le cas, fit Judith, tu passeras le reste de ta vie en prison.

— Peut-être bien. Mais le scandale du labo pharmaceutique EAC éclatera aussi au grand jour. C'est fini. Il n'y a plus rien à cacher.

— Attends.

Judith se remit debout. Maya se tut.

— On pourrait peut-être parvenir à un accord.

— De quoi tu parles, maman ? demanda Neil.

— Tais-toi.

Elle regarda Maya.

— Tu as voulu venger ta sœur. C'est fait. Et maintenant nous sommes tous réunis.

— Maman ?

— S'il te plaît, écoute-moi.

Judith posa les mains sur les épaules de Maya.

— L'histoire du labo, on la mettra sur le dos de Joe. En laissant entendre que ça pourrait être la cause de son assassinat. Tu comprends ? Personne n'a besoin de savoir la vérité. La justice a été rendue. Et peut-être… peut-être que tu as raison, Maya. Je… Je suis Ève. J'ai élevé Caïn pour qu'il tue Abel. J'aurais dû le savoir. J'ignore si je pourrai vivre avec ça ou si j'arriverai à me racheter un jour, mais si tout le monde garde la tête froide, je peux encore sauver mes deux autres enfants. Et te sauver toi, Maya.

— Il est trop tard pour négocier, Judith, répondit Maya.

— Elle a raison, maman.

Se tournant vers Neil, Maya vit qu'il pointait une arme dans sa direction.

— J'ai une meilleure idée, lui dit-il. Tu as volé le pick-up d'Hector. Tu es entrée par effraction chez nous. Tu es très certainement armée. Tu as reconnu avoir assassiné Joe et tu es venue pour nous tuer. Sauf que j'ai réussi à te neutraliser à temps. Pour l'histoire du labo, on fera porter le chapeau à Joe, mais, au moins, on vivra tranquilles sans avoir peur de notre ombre.

Il jeta un coup d'œil sur sa mère. Judith sourit. Caroline hocha la tête. Toute la famille était d'accord.

Il tira trois fois.

Trois balles, comme Maya à Central Park.

Elle atterrit à plat dos, bras et jambes écartés. Incapable de bouger, elle s'attendait à ressentir un grand froid, mais il n'en fut rien. Les voix lui parvenaient de manière hachée, par bribes :

— Personne ne saura…

— Fouille dans ses poches…

— Elle n'est pas armée…

Maya sourit et regarda vers la cheminée.

— Qu'est-ce qu'elle a à sourire ?…

— C'est quoi là-bas, sur la cheminée ? On dirait…

— Oh non…

Les yeux de Maya cillèrent et se fermèrent. Elle se prépara à l'assaut du vacarme – hélicos, rafales de mitraillette, hurlements –, mais rien ne vint. Pas cette fois. Les bruits s'étaient tus à jamais.

Il y eut l'obscurité, le silence et, finalement, la paix.

34

Vingt-cinq ans après

Les portes de l'ascenseur sont sur le point de se refermer quand j'entends une voix féminine crier mon prénom.

— Shane ?

Je tends la main pour retenir l'ascenseur.

— Salut, Eileen.

Elle s'engouffre dans la cabine, tout sourire, et m'embrasse sur la joue.

— Ça fait longtemps !

— Trop longtemps.

— Tu as l'air en forme, Shane.

— Toi aussi, Eileen.

— Il paraît que tu t'es fait opérer du genou. Ça va mieux ?

Je balaie sa question d'un geste de la main. Nous sourions tous les deux.

C'est une belle journée.

— Et tes enfants, ça va ?

— Super. Je t'ai dit que Missy enseigne à Vassar ?

— C'est une fille brillante. Comme sa mère.

Eileen pose sa main sur mon bras. Nous sommes toujours célibataires l'un et l'autre, même si nous avons vécu une brève histoire dans le passé. Mais assez parlé de ça. Nous montons en silence.

Depuis le temps, vous avez tous vu la vidéo de la caméra espion que Maya avait placée sur la cheminée de Farnwood – elle était devenue « virale », comme on disait à l'époque –, je vous raconterai donc le reste, du moins ce que j'en sais.

Ce soir-là, après m'avoir convaincu de garder un œil sur Hector et Isabella, Maya a appelé quelqu'un qui travaillait avec Corey la Vigie. J'ignore qui c'était. Ils ont établi une liaison directe à partir de la caméra espion. Autrement dit, le monde entier a pu voir ce qui s'est passé chez les Burkett ce fameux soir. En direct live. Corey la Vigie était déjà célèbre – en ce temps-là, ce genre de militantisme en était à ses balbutiements –, mais à la suite de cette affaire le nombre de connexions à son site a littéralement explosé. J'avais un compte personnel à régler avec lui depuis le scandale de la mission d'Al-Qa'im, mais, au final, Corey Rudzinski a utilisé la notoriété qu'il devait à Maya à bon escient. Des hommes persécutés, terrifiés, impuissants ont soudain trouvé le courage de dire la vérité. Causant la chute d'industriels et de dirigeants véreux.

C'était ça, l'idée de Maya : faire éclater la vérité aux yeux du public. Sauf que personne n'avait prévu un tel dénouement.

Un meurtre en direct.

Les portes de l'ascenseur s'ouvrent.

— Après toi, dis-je à Eileen.

— Merci, Shane.

Tandis que je la suis dans le couloir, boitillant à cause de ma prothèse au genou, je sens mon cœur se dilater dans ma poitrine. Avec l'âge, je suis devenu sentimental. Dans des moments comme celui-ci, j'ai tendance à avoir la larme facile.

Lorsque j'entre dans la chambre d'hôpital, la première personne que j'aperçois, c'est Daniel Walker. Il a trente-neuf ans maintenant, un grand gaillard d'un mètre quatre-vingts. Il travaille trois étages au-dessus comme radiologue. À côté de lui, il y a sa sœur Alexa. Elle a trente-sept ans et est mère d'un petit garçon. Alexa est infographiste, même si je ne sais pas exactement en quoi ça consiste.

Tous deux m'accueillent avec force embrassades.

Eddie est là également, avec sa femme Selina. Il est resté veuf presque dix ans avant de se remarier. Selina est une femme adorable, et j'en suis heureux pour lui. Eddie et moi nous serrons la main, puis nous étreignons brièvement, en hommes.

Je me tourne enfin vers le lit où Lily tient sa petite fille nouveau-née.

Et mon cœur vole en éclats.

J'ignore si, en se rendant chez les Burkett, Maya savait qu'elle allait mourir. Elle avait laissé son arme dans la voiture. Certains supposent qu'elle a fait ça pour que les Burkett ne puissent pas invoquer la légitime défense. Peut-être bien. Maya m'a laissé une lettre écrite la veille de sa mort. Elle en a laissé une à Eddie aussi. Elle voulait qu'il s'occupe de Lily, si jamais il lui arrivait quelque chose. Et Eddie s'est montré plus qu'à la hauteur. Elle espérait, disait-elle dans sa lettre, que Daniel et Alexa seraient comme un frère et une sœur pour sa fille. Ils l'ont été, et bien plus, même. Moi, je devais être le parrain de Lily et Eileen sa marraine. Maya souhaitait qu'on continue à faire partie de sa vie. Eileen et moi avons rempli notre rôle, mais, franchement, entre Eddie, Daniel, Alexa et plus tard Selina, je ne pense pas que Lily avait besoin de nous.

Je suis resté – et je reste encore – parce que j'aime Lily avec une férocité qu'on réserve généralement à ses propres enfants. Et il y a une autre raison. Lily est le portrait craché de sa mère. Elle lui ressemble physiquement. Elle a le même caractère. Être auprès d'elle – vous me suivez, n'est-ce pas ? – est le seul moyen de garder Maya avec moi. C'est peut-être égoïste de ma part, je ne sais pas, mais Maya me manque. Parfois, quand je ramenais Lily chez elle après un match de base-ball ou une séance de cinéma, j'étais à deux doigts de me précipiter chez Maya pour lui raconter notre journée et l'assurer que Lily allait bien.

C'est idiot, hein ?

Lily me sourit de son lit. C'est le sourire de sa mère, mais en plus radieux.

— Regarde, Shane !

Elle ne se souvient pas de sa mère. Et ça me tue.

— Beau travail, ma grande, lui dis-je.

Les gens évoquent les crimes de Maya. Elle a tué des civils. Elle a, quelle qu'en soit la raison, exécuté un homme. Si elle avait survécu, elle serait allée en prison. Il n'y a pas photo. Elle a préféré la mort plutôt qu'une vie derrière les barreaux. Elle voulait peut-être faire tomber les Burkett, couper tout lien entre eux et sa fille, et elle était prête à tout pour y arriver. Je ne sais pas… je ne sais plus.

Maya m'a affirmé ne pas se sentir coupable de ce qui s'était passé au-dessus d'Al-Qa'im. Mais j'ai des doutes. Ces horribles flash-back qui la tourmentaient nuit après nuit… quelqu'un qui n'éprouve pas de remords n'est pas hanté par ses actes, si ?

Maya était quelqu'un de bien. Quoi qu'on en dise.

Eddie m'a confié un jour son impression que la mort suivait Maya, collait à ses pas. C'est une curieuse façon de voir les choses. Mais je crois avoir compris. Depuis son retour d'Irak, Maya était incapable de faire taire ces voix. La Mort était restée avec elle. Malgré sa fuite en avant, la Mort se rappelait toujours à son bon souvenir. Elles étaient devenues inséparables. Je pense que Maya en avait conscience. Et, par-dessus tout, elle voulait s'assurer que la Mort ne suivrait pas Lily.

Maya n'a pas laissé de lettre pour Lily, à ouvrir à sa majorité ou autre. Elle n'a pas donné de consignes à Eddie pour son éducation. Elle savait qu'elle faisait le bon choix. Et elle ne s'est pas trompée. Il y a des années, Eddie m'a demandé mon avis sur ce qu'il devait ou non dire à Lily au sujet de ses parents biologiques. Ni lui ni moi n'en avions la moindre idée. Maya répétait souvent que les enfants n'étaient pas livrés avec un mode d'emploi. Elle nous a laissé le soin de décider ce qui serait le mieux pour Lily, le moment venu.

Finalement, quand Lily a été en âge de comprendre, nous lui avons tout dit.

La vérité, si moche soit-elle, était préférable à un joli mensonge.

Dean Vanech, le mari de Lily, fait irruption dans la chambre et embrasse sa femme.

— Salut, Shane.

— Félicitations, Dean.

— Merci.

Dean est militaire de carrière. Je parie que ça aurait fait plaisir à Maya. Assis sur le lit, l'heureux couple s'extasie devant le bébé comme le font, j'imagine, tous les nouveaux parents. Je regarde Eddie. Il a les larmes aux yeux. Je hoche la tête.

— Papy, lui dis-je.

Eddie est incapable de proférer un son. Il mérite cet instant. Il a offert une belle enfance à Lily, et je lui en suis reconnaissant. Je serai toujours là pour lui. Pour Daniel et Alexa. Et, bien entendu, pour Lily.

Maya le savait, évidemment.

— Shane ?

— Oui, Lily.

— Tu veux la prendre ?

— Je ne sais pas. Je suis plutôt du genre maladroit.

Mais Lily ne veut rien savoir.

— Tu te débrouilleras très bien.

Elle me mène à la baguette. Comme sa mère.

Je m'approche du lit, et elle me tend le bébé, veillant à ce que sa tête minuscule repose au creux de mon bras. Je la contemple, impressionné.

— Nous l'avons appelée Maya, dit Lily.

Je hoche la tête : à moi aussi, les mots me manquent.

Maya – la mienne, la vieille Maya – et moi avons vu mourir des tas de gens. Pour nous, la mort, c'était la fin du voyage. Terminus, comme disait Maya. Mais, en ce moment précis, je n'en suis plus aussi sûr. Je regarde le petit être dans mes bras et je me dis qu'on s'est peut-être plantés, Maya et moi.

Elle est là. Je le sens. Je le sais.

Remerciements

L'auteur (c'est-à-dire moi) voudrait remercier les personnes suivantes : Rick Friedman, Linda Fairstein, Kevin Marcy, Pete Miscia, le lieutenant-colonel de l'armée de l'air T. Mark McCurley, Diane Discepolo, Rick Kronberg, Ben Sevier, Christine Ball, Jamie Knapp, Carrie Swetonic, Stephanie Kelly, Selina Walker, Lisa Erbach Vance, Éliane Benisti et Françoise Triffaux. Je suis sûr que ces gens-là ont commis des erreurs, mais ne soyons pas trop durs envers eux.

L'auteur (toujours moi) souhaite par ailleurs exprimer sa gratitude à Marian Barford, Tom Douglass, Eileen Finn, Heather Howell, Fred Katen, Roger Kierce, Neil Kornfeld, Melissa Lee, Mary McLeod, Julian Rubinstein, Corey Rudzinski, Kitty Shum et au Dr Christopher Swain. Ces personnes (ou leurs proches) ont contribué généreusement à des œuvres caritatives de mon choix en échange de l'utilisation de leur nom dans ce roman. Si vous souhaitez participer à votre tour, allez sur HarlanCoben.com ou écrivez à giving@harlancoben.com pour plus de détails.

Pour finir, je suis ridiculement fier d'être un vétéran de l'United Service Organizations. Un certain nombre de modestes militaires, hommes et femmes, m'ont parlé librement à condition que je ne cite pas leur nom ici, mais ils m'ont demandé de rendre hommage à leurs nombreux et courageux camarades (et leurs familles) qui souffrent toujours de traumas psychologiques pour s'être engagés dans une armée en guerre pendant plus de dix ans.

Cottongue

- Peser le pour et le contre
- Entrons dans le vif du sujet
- Cela ne date pas d'hier

Composition et mise en pages
Nord Compo à Villeneuve-d'Ascq

Imprimé en Espagne par:
BLACK PRINT
en février 2020

S28550/05